集英社文庫

女たちのジハード

篠田節子

集英社版

目次

女たちのジハード

ナイーヴ

男は先程から康子の手を握り締めている。だれにもさらわれまいとでもするように、固く握り締めたまま、渋谷の雑踏を泳いでいく。

十一月の半ばだというのに、風は頰《ほお》を切るように冷たい。しかし真冬のしんと張り詰めた寒さと違い、この時期に訪れる寒波というのは、奇妙に心を急《せ》かせる。

男の太い指が汗ばんでいる。さらりとした感触の節高な長い指にエスコートされることに、若い頃はあこがれていた。しかし三十を過ぎた今、こうして信州から出てきた男の汗ばんだ分厚いてのひらに包まれていると、何かほっと心の底が暖かくなる。

手には人の生活史が、刻み込まれている。体つきから人格までも表われる。こうして都会の男達とはちがう暖かくたくましい手と出会ったのも、何かの縁かもしれない、と康子は思う。

信号を待ちながら、斉藤康子は、男の住んでいる信州のことを尋ねた。男は、どこかうわ

の空でそれに答え、横断歩道を渡りファッションビル109の前を通り過ぎ、東急本店通りを右に折れ、飲食店の立ち並ぶ路地を井の頭《いかしら》通りに抜ける。そして百メートルも行かないうちに今度は左側の路地に入り、再び東急デパート前に戻り、また同じ方向に康子の手を握りしめたまま歩き始める。

どこに行こうというあてがあるようにも見えない。しかし散歩にしては、男の歩みは速く、切羽詰まった感じがする。JAの会合があるので、今日中には信州に帰らなくてはならない、と先程話していたから、少し焦っているのかもしれない。

友人のシナリオライターが上京してくるので、一緒に飲まないか、と同僚のみどりに声をかけられたのは、つい十日前のことだ。

メンバーは、康子の勤めている保険会社のOL五人、残業帰りに一緒にスパゲッティを食べて帰る関係、すなわち好むと好まざるとにかかわらず、一緒に残業をしなければならない仲間である。

やってくるのが独身男と聞いたところで、三十代の自分は員数外という意識がどこかにあって、康子は特に期待も緊張感も抱いていなかった。残業帰りのスパゲッティが、その日は酒に変わる。せいぜいその程度の意識しかなかったのである。

「たまにはサラリーマン以外の人と飲むのも、いいと思うよ」という唯一人の既婚者みどりの口ぶりにも、余計な世話やきをしようという意図は感じられなかったが、独身の新進シナリオライターという響きけ、少なくとも若い女の子達の好奇心をかきたてたようだ。仕事が

終わり、模様入りパンストに穿《は》き替えたり、気合いを入れて化粧直ししたりする彼女達をよそに、康子は二年前に通販で買ったベージュの上着と膝丈《ひざたけ》のセミタイトスカートで出かけた。汚れが目立たず暖かい、いつもの通勤着だ。

五人揃《そろ》って、待ち合わせた店の扉を開けたとき、狭い店内にはそれらしい男はいなかった。しかしみどりは奥の方に向かいちょっと手を上げると、つかつかと歩いていく。

広いボックス席の隅の、淡い照明の下、汗と脂で顔を光らせた小太りの男が一人、ナイロンのジャンパーを着て座っていた。

声もなく、みどりを除く四人の女たちは互いに顔を見合わせた。

「こちら安藤雅也君、カルチャーセンターのシナリオ教室で一緒だったんだけど、作品が先生に認められて、今度、ドラマ化されることになったのよ」

みどりが紹介したとたん、落胆と自嘲《じちよう》的笑いと忿懣《ふんまん》の入り混じった空気が、若い三人の女の間に流れた。

男の姿を上から下まで眺め、「うっそ、でしょ」と叫んだのは昨年、四大卒で入社してきた紗織だ。入社早々、十一年も勤めている康子に向かい、「斉藤さんって、総合職に移ってバリバリ仕事するわけでもないし、結婚するわけでもないし、ちゃんとした人生設計ってあるんですか」と尋ねた女だ。

何も言い返せなかった。怒るには相手はあまりに無自覚すぎ、それ以前に康子自身、この不作法極まる後輩を叱《しか》りとばすほどの覇気などなかったからだ。

同期の女達の大半は結婚退職し、一握りの者は総合職としてシステム開発や調査の部署に飛びたっていった。そして康子だけが、黙々と補助的作業をこなしながらお茶をいれ、急な仕事が入れば文句も言わずに残業し、更衣室で泣く後輩の愚痴の聞き役となり、だれにも評価されず、そのくせ休暇を取れば不自由がられ、悪口も言われないかわりに話題にも上らず気がついたら三十を過ぎていた。人生が設計通りにいくなどと、考えたこともない。

何も言わないうちから、紗織に「うそでしょ」と言われた男の方は、当惑したように瞬《まばた》きしている。

男に同情し、いったいどうなることかとはらはらしながら、康子はこの光景を見守っていた。

みどりは、安藤の肩をぽんと叩《たた》きながら言った。

「ぜんぜん雰囲気じゃないでしょ。だけど才能に関しては、悔しいけど、あたし完全にこいつに負けたのよね。今は駆出しだけど、近い将来必ずすごい売れっ子になるわ」

みどりのフォローは完璧《かんぺき》だった。肩書きこそないが、普段から職場を仕切っているだけのことはある。

康子は一番端に座った。雅也の隣に行ったのは、リサだ。ほっそりと小柄な体に、リボンのついたパステルカラーのスーツがよく似合う。淡いピンクの唇に笑みを浮かべ、「今は、どうやって生活してるんですか？」と尋ねた。

「お家は？　休日なんかどうされてるの？」

手入れの行き届いたセミロングヘアを片手で払うたびに、ほのかなコロンの香りが漂う。しかし軽やかな声に乗せて質問される言葉やのぞき込むように男を見つめる視線は、なかなか鋭い。

まもなく二十四になるリサは、どうあっても来年中には結婚すると宣言したという。歳《とし》が上がれば条件が悪くなるし、女は子供を産まなければならないから、二十五歳というのは、結婚のデッドラインだそうだ。しかしそういうことを康子の前では決して口にしない賢明さが、リサにはある。

いずれにしてもそうした事情があれば、男を見る目がシビアになるのは当然である。

雅也は、信州の自宅で園芸農業をやっているので、シナリオで食べられるようになるまで、それで生活するつもりだ、と生真面目《きまじめ》な調子で答えた。

熱心にうなずきあいづちを打ちながら、リリの眼差しは次第に冷え冷えとしたものに変わっていく。しかし康子は、なんとはなしに好感を持ってその話を聞いていた。

やがて話題は一転し、テレビドラマから、タレントや業界の話になり、座は大いに盛り上がった。ジャンパーにポリエステルのズボンといった格好の雅也は、その風体からは想像もつかない華やかな世界を持っているようだった。しかしそれに染まらず自分らしさを保っているのが、知性的にも魅力的にも康子には映る。店に入ったとたん目に入ってきた、中年じみたさえない青年の印象は次第に変わっていった。

雅也と目が合った。若くて、少なくとも康子よりはよほど魅力的に見える女たちに囲まれ

ながら、その視線と言葉は彼女達を素通りしている。それは、くすんだ顔色をファウンデーションで隠し、もっぱら同年代のみどりとばかり話をしている康子にまっすぐ向けられていた。

思い過ごしだ、と康子はさり気なく視線を外し、洗面所に立った。

しかし戻ってきたとき、雅也は康子の隣の席に移動してきていた。そして立っている康子を見上げ、にこりと笑って頭を下げた。先程は脂ぎって見えた丸い顔が、そのとき少年のような幼さを帯びて映った。

「あなた、年上趣味なのよね」とみどりがからかうと、雅也は、照れた様子もなく、「でも既婚者はだめだよ」と答えた。

雅也は康子相手には、芸能関係の話はしなかった。タレントについても業界についても、康子はそんな週刊誌的話題には興味がないのだ、とでも思い込んでいるように、まったく触れず、最近見て感動した映画や本について熱っぽく語った。

それから彼の家のある八ケ岳山麓《やつがたけさんろく》の、厳しい冬の事を話した。一家の住んでいる古い大きな家では、朝、起きると部屋の中で氷が張っているという。しかし晴れた日の空の美しさ、空気の清々《すがすが》しさ、そして人々の心の純朴さは、東京とは比べものにならない、と自慢するともなく、雅也は語った。長男である彼は、今、自宅のビニールハウスで花を作っている。ミニバラと茎の長いりんどうの新種が、ようやく採算ベースに乗り始めたという。

「園芸農業の作業自体は厳しいけど、蕾《つぼみ》が膨《ふく》らんでくるときはうれしいもんだよ。ハウスの

中、いっぱいに甘い香りがして。ほら、プアゾンだの何だのって、ブランド物の香水、女の子は好きだけど、あの香りに比べたらただの臭い水だよ。斉藤さん、つけてないんだね、嫌いなの？」

雅也は少し顔を寄せてきた。名字で呼ぶところが、礼儀正しい印象だ。

「持ってないわ、香水なんて」

康子は少し照れた。

「うちのハウスのりんどうの香りの方が似合うよ、きっと」

はっとして、康子は雅也の顔を見た。うちのハウスのりんどうの香り……うちのハウスの、と言った。口説き文句にしては、重たい。

それから雅也は小声になると、康子の電話番号を尋ねた。少したためらったが、断る理由など一つもない。それにしても、なぜわざわざ自分を選んだのかわからない。

半信半疑のまま、その夜はお開きになり、翌日、職場に電話がかかってきて、今日の約束をしたのだった。

若者のたむろするセンター街を抜けて、東急本店の前に出た。同じところをぐるぐる回って、ここに出るのは三度目だ。

「どこか入らない？　歩いてばかりいないで」

康子は言った。雅也に握られているのと反対の手は凍るように冷たい。雅也はぎくりとし

たように、握りしめた手に力を入れる。

「お店のことよ」

とっさに何を誤解したのかわかって、康子は頬を赤らめた。

「ね、素朴派展、やってるわ」

デパートに併設された美術館の垂れ幕をみつけて、康子は手を握られたまま雅也を引っぱっていく。つきあっていた男と二年前に別れて以来、あらたまってデートなどしたことはない。それでも展覧会か、映画か、水族館を見て、それから軽く飲んでというコースは、頭の中に刷り込まれている。

雅也はあまり気が乗らない様子でついてくる。窓口で康子はチケットを二枚買った。雅也は一枚分の金を出したが、康子は断った。

休日だというのに館内は空いていた。素朴というよりは下手くそな絵が並んでいる。しかし稚拙ながら暖かなタッチと素朴派という名前に、康子は引かれるものがあった。

初めて会った夜から、雅也は毎晩のように電話をしてきた。話の内容は信州の自分の家の様子や、彼の作っている花の事だ。一昨日は彼の母親が電話に出た。今度、遊びに来てください、というほんの少し訛《なま》りのある口調が、暖かかった。そしてついきのう、彼の書いた脚本のコピーが届いた。古い時代の匂《にお》いのする、泣きたくなるほど優しく素朴な恋物語だった。

「ねえ、あのシナリオライターの彼、すっごい斎藤さんを気に入ってましたよね」

昨日の帰りぎわ、紗織が更衣室で康子に尋ねた。

「お姉さんみたいで、話しやすいだけよ」

笑ってそう言ってはみたものの、悪い気はしなかった。

若さにも、見た目の美しさにも、表面的な知性にもとらわれず、本当の人間としての価値に気づいてくれる男がいたのだ、と思うと誇らしくもうれしかった。

「ああいう男って、好みですか、斉藤さん」

紗織は尋ねた。康子はためらわずに答えた。

「ええ。とてもナイーヴで……」

「ナイーヴ？」

紗織は大げさに眉《まゆ》を上げた。

「それって誉《ほ》めてるつもりですか。ナイーヴって意味、知らないんですか」

「素朴で、純粋で……」

「バカって事ですよ、ただのバカ、向こうの人間なら、愚弄《ぐろう》するとき以外使いませんよ」

「ここは日本よ」

憤然として更衣室を出た。ナイーヴという言葉がどうこうではない。自分の事ではなく、雅也の事をけなされたような気がして腹が立ったのだ。

そして今、美術館で素朴派の絵を見ながら、紗織が何を言おうと、やはり雅也は「ナイーヴ」だ、と康子は思った。

素朴派の説明が、館内に貼《は》られている。それによると彼らのほとんどは、他に仕事を持っ

ていたとある。ヴィヴィアンは役人、セラフィーは家政婦、そしてボーシャンは……園芸家だ。目の前のボーシャンの絵を見た。あまり写実的ではなくて、かといって、難解でもない。なんとなく心が休まる。

「ねえ」

いくぶん不機嫌な感じで、雅也が言った。

「出ようよ」

何か気にさわることでも言ったのだろうかと、康子は首を傾《かし》げた。思い当たることはない。

「面倒臭くなっちゃった」

まだ、会場のほんの入り口だ。

「絵とか、あんまり興味がないんだ」

正直な人だ、と康子は思った。それなら最初から言えばいいのに、と思いながら外に出る。ちょうど昼時だった。相変わらず康子の手を握りしめたまま、雅也は雑踏を歩いて行く。そして再び、同じところを回り始める。

「ご飯、食べましょう」

何となく苛《いら》立《だ》っているのは、お腹が空いているからだろう、と思い康子は声をかけた。雅也はうなずくと康子の手を引き道玄坂《どうげんざか》に出ると、雑居ビルの階段を地下に向かって下りていく。焼鳥屋がランチタイムサービスをしていた。油臭い煙が立ちこめ、段ボール箱が床に積み上げてあったりして、デートするにしては落ち着かない店だ。

案の定、店内に若いカップルの姿などない。

「これおいしいよ」と雅也は煮込み丼《どん》を指差す。五百八十円。

気は進まないが言われたとおり注文する。待つ間もなく、出てきた。

「ね、さっと出てきて、ちゃちゃっと食べられるでしょ」

嫌な感じがした。デートだというのに、なぜこんなところで、さっ、ちゃちゃって五百八十円の丼《どんぶり》をかっこまなければならないのだろう？

しかし食べてみると確かにおいしい。残業帰りに寄るイタリア料理屋のパスタやアンティパストより、はるかにおいしい。やはり肝心なのは、見た目、雰囲気ではなく、味かもしれない。そのあたりを雅也はちゃんと見抜いているのだろう。

二口ほど食べたところで雅也を見ると、もう食べ終わるところだ。さすが腹が立った。

「早いのね」

「習慣だよ。仕事してるとね、ゆっくり昼飯食べてる時間ないんだ。夕飯だってそうさ。さっとかっこんで、すぐ机に向かわなきゃシナリオなんか書いてる暇がない」

「そういうことだったの」

ごめん、と心の中で謝る。雅也の懸命な生き方を知らされたような気がした。それに比べ、いい年をしてぼんやりOLをやってる自分は何なのだろう。たった今、非難がましい目を向けた事が、少し恥ずかしかった。

康子が自分の分の金を出すと、雅也は素直に受け取りレジに行く。外に出ると、雅也は再

び、康子の手を固く握りしめた。そのまま道玄坂を歩く。空は晴れているが北風はさらに冷たくなった。

雅也はひょいと路地に入った。両脇はホテル街だ。

まさか……。

康子の手を握った手に力がこもる。

「ちょっと、やだ」

慌てて、逃げようとした。雅也が嫌なのではない。背が低くて、頬が少しだぶついていて、出会ったばかりだが、「だから嫌だ」と言うつもりはない。

円山町《まるやまちょう》のラブホテル、というのが嫌なのだ。二十過ぎの女が入るところではない。しかも昼間だ。何より二人が初めて結ばれるところにしては、お粗末すぎる。

「やめて、人に見られる」

康子は体を引いた。しかし雅也は強引だ。手を離さない。年下の強みだ。

「好きなんだ、本気だよ」

「ちょっと待ってよ。こんな、いきなり……」

「今日中に、帰らなくちゃいけないんだ」

「でも……」

「本気なんだ。信州に来てくれるまで待っていられない」

信州？

「あの……もしかすると、それ結婚ってこと……」

啞然《あぜん》として、尋ねた。

「そのつもりがなくって、つきあってるわけないじゃないか」

急に体の力が抜けた。渋谷の道玄坂裏、ラブホテル街の往来の、それも自動ドアの前で綱引きしながらプロポーズする男って、いるだろうか。

しかしシティホテルのラウンジで、「そろそろ指輪のサイズ、きいていいかな？」なんて言う男なら、はたしていいのか？

クリスマスイブのために、争ってスイートに予約を入れる男ならいいのか？

世の中には、まだ結婚よりしたいことがある、とさんざん逃げを打ったあげく、陰でしっかり見合いしているような男もいるのだ。

「遊んでるとでも思ってるの？　どう言ったらわかってもらえるんだ」

雅也の口調に悲壮感が漂った。それとは反対に、康子の心には不思議な余裕が生まれる。ルックスや、肩書きや、表面的な優しさに飛び付く時期は過ぎた。素朴で純粋で、ひたむきで、物と人の本当の価値を知っている人。それ以上、何を望むことがあるだろう。康子は引きずられるように自動ドアの中に滑り込んだ。

正面パネルにそれぞれの部屋の室内写真がある。雅也は少しの間、それを凝視した。恥ずかしさをこらえて、康子もその肩ごしに覗《のぞ》き込む。部屋のタイプも、写真下に表示された料金もさまざまだ。その一つに手を伸ばし、雅也は写真脇《わき》の鍵《かぎ》をさっと引き抜いた。

康子は息を呑《の》んだ。

スタンダードタイプ、一番安い部屋だ。見栄を張らないのか、それとも金が無いのか、まさか「割勘にするから一番いい部屋にしなさい」とは言えない。

うつむいたままエレベーターに乗る。いかにもそれっぽい造りのラブホテルの、最低の部屋……なんだか薄ら寒い気がしてきた。

室内に入り後ろ手にドアを閉めたとたん、雅也は抱き締めて唇を重ねてきた。触れ合った腹や胸の辺りがふわふわして、一部だけ硬くて、何だか変な感じだ。前につきあった男達のごつごつした身体《からだ》の感触と無意識に比べていた。男ってみんなああいうものだと思っていた。がっしりと筋肉質で、背が高くて、女の前でいい格好をしたがり、なんだかんだ言っても、若いのと、きれいなのと、色っぽいのが大好きで……。

切羽詰まった様子で、雅也は康子のコートのボタンを外す。その下とそのまた下のボタンも外す。

「待ってよ」

コートと上着と化繊のブラウスが重なったまま足元に落ちた。

「ちょっと待ってったら……」

康子は慌てて、その腕の中から抜けようとしたが、がっしりと押さえ込まれ動けない。スカートとパンストとパンティーが、まとめて下ろされた。これではまるで強姦《ごうかん》だ。

「ねえ、シャワーくらい……」

「いいよ、そんなの」

ひどい……小さく叫んだが雅也は気づかない。丸裸にした康子をベッドに転がし、自分もジャンパーとセーターとシャツを脱ぎ捨てる。

冗談じゃないわ、と康子は脱ぎ散らした衣服を拾い上げ、この場から逃げ出したくなった。がっつくにもほどがある。

が、逃げ出す暇を与えずに雅也は押さえ込み、キスも何もなくいきなり入ってきた。

あんまりだ。

驚きと怒りで、声も出ない。初めて会ったときからわかってはいたが、若いくせに腹が出ている。康子のくびれた腰に、ふわふわと当たる脂肪の塊の感触には、色気もなにもない。汗のような靴下のむれたような匂いが、鼻をつく。だからシャワーくらい浴びればいいのだ。許せない、と男の顔を見上げる。

ぽとり、と目に何か入った。汗だ。汗まみれの雅也の顔が、横に広がって迫ってくる。泣きたい気分できつく目を閉じた。

呻《うめ》き声とともに、雅也は静かになった。

さっさと降りなさいよ、重いんだから。

心の中で毒づいていると、雅也は泣きそうな顔でしがみついてきた。

「好きだよ、康子ちゃん、好きだ、好きだ」

はっとした。胸の奥から熱く湿った思いが、噴き上げてくる。

全身で抱き締めたまま、雅也は長い間動かなかった。それからようやく、康子の数年前に比べて張りを失ってきた乳房に触れた。本当は脱がせながら言ってほしかった「きれいだね」という言葉がようやく聞けた。

甘い言葉と小綺麗《こぎれい》な部屋、優しく長い愛撫《あいぶ》、そして終わったとたん、そそくさと身じたくを始めた男の寒々しい後ろ姿を康子は思い出していた。

「ああ、さっぱりした」と不用意な言葉を口にした者もいた。男ってそんなものだ、と思っていた。しかし雅也は違う。

「康子ちゃん……信州、来てくれるだろう」

「うん」

雅也は目を閉じた康子の顔にキスの雨を降らせる。

「本当に来てくれるよね」

「うん」

「シャワー、浴びたい？」

「うん」

「その前に、もう一回、いい？」

「子供みたい」

一回どころか、三回ほど果てた後に、布団をはねのけて起き上がると、雅也はバスルームに行きバスタブに湯を張って戻ってきた。タオル一つ巻かずに冷蔵庫からジュースを出し、

丸い腹を揺すってやってくる。服を脱いだ雅也の体は、想像以上にだぶついている。

「ねえ、園芸って、けっこうな労働じゃないの？」

毛布を胸まで引き上げ、雅也の体をしみじみと眺めて康子は尋ねた。

「いや、僕は苗の種類を選んだり、出荷とか、卸値を見たりとかで、作業は母親と近所のおばさんを雇ってやってるから」

どさりと康子の隣に身を投げ出し、無遠慮に康子の毛布を剝《は》ぎながら、雅也は答えた。

「お母さんに近所のおばさん？」

「あ、いや、その」

雅也は慌てて言いなおし、「僕もやってることはやってるんだよ」と言いながら、再び抱きついてきた。

「ねえ、シャワー」

「頼む、これだけ終わったら」

いささか白けながら受け入れる。いったい自分は何をしているのだろう。天井の鏡の中で、自分にしがみついた雅也の腰が忙《せわ》しなく動いている。ふと、今日は、危ない日だと思った。

しかし子供ができることを恐れる必要はない。この男が嘘《うそ》をついているのでないかぎりは。

おそらく雅也は、妊娠と聞いたとたん有頂天になるだろう。なんという単純さ、なんという素朴さ、なんというばかさかげん……。結婚、出産、といった生活の重さ辛さは入社したての女の子だってわきまえているものを。たとえ表面上はへらへらと笑っていても、十分過

ぎるほど深刻に受けとめて、計算しつくしているものを。

息を弾ませて雅也は離れ、さすがにくたびれたらしく康子の隣に仰向《あおむ》けになった。が、すぐに腕を回し康子の体を抱き締める。

康子は複雑な感慨を覚えた。セックスの喜びで女をつなぎとめられるなどというのは、嘘だ。しかし終わった後、こうして抱き締められるかぎり、この男を嫌いになれそうにはない。

「僕、遊ばれちゃうんだよ、女の子に」

ぽつりと雅也は言った。康子は苦笑した。

「わかる。いいお友達でいましょうね、って言われちゃうのよね」

「違うよ、一回やっちゃうとね、二度と会ってくれなくなるんだ」

「…………」

「身体だけが目当てなんでしょ、って言うんだ。ずるいよな、女って。むりやりやられたみたいな言い方するんだから。だいたい嫌いな女の子とできるわけないだろ。好きだからこうして、五回も六回もできるんじゃないか」

頭を抱えて康子は寝返りを打ち、雅也に背中を向けた。確かに素朴と愚昧《ぐまい》は同意かもしれない。湿ったてのひらが乳房をまさぐってくる。

「どうして私を選んだの？」

分厚い手にそっと自分の手を重ね、康子は尋ねた。答えはなんとなくわかっていた。

こんな場所でこんなときだからこそ、何か精神的な言葉が欲しい。

「地味だったから」

雅也は答えて背中を抱いた。地味だから……地味だけど心はだれよりも美しいから……。

「なんていうのか、あそこにいた子達ね、自分は頭がいいと思っているような感じの若い子がいただろう、背の高い、顔だけはけっこうきれいな」

「ああ、紗織ちゃんのことね」

「ああいう無神経な子は嫌いなんだ」

「そんなこと、言わないで。悪気はないのよ。世間っていうものが、まだわかってないだけ」

自分がいつになく優しくなっている。

「それからあのリサちゃんって子も、なんか打算ミエミエだったろう。もう一人いたけど、なんかぜんぜん気のきかない子で、みんな男にやってもらって当然って感じだったし」

「ああ、紀子ちゃんのこと？　しょうがないわ、十九歳になったばかりなんだから」

「若くてきれいな子って、だいたいわがままなんだよ」

「しかたないわ」

「気を遣ってつきあわなくちゃならないだろう」

私にも少しは、気を遣ってよね、とつぶやくように康子は言った。聞こえないらしく、雅也は続けた。

「一緒にいて気を遣うなんて、僕はいやだね。食事するにも、こんな店やだ、と言う子とか、

こっちが金無いの知ってるくせに、自分の分を平気で出させる子とか」

康子は、すっと腹の底が冷えてくるのを感じた。

「高いバッグを買ってくれなんて、平気で言う子、いるだろう。確かにきれいだし、いいな、と思うけど、自分のことしか考えないんだよ。尽くして相手の才能を伸ばしてやろうなんて、考える若い子、特にきれいな子にはいないよ」

ぎょっ、として振り返った。

才能ですって!?

「そりゃ男なら、若くて可愛い子がいいに決まってるけどさ、結婚するなら思いやりのある人だよね。特に僕は長男だし。今のわがままな若い子が、おふくろや近所のおばさん達と一緒に働けるわけないよ」

「働くわけね、お義母《かあ》さんや、近所のおばさんと」

小さい声で康子は繰り返した。

「いまどき男一人の収入でなんて食っていけるわけないだろ。それに都会の共稼ぎに比べれば、自然に囲まれての仕事はいいよ」

「わかってる。夫婦二人で、ハウスに入って、一緒に肥料をやったり、摘み取りしたり、とかできると思っていたのよ」

「あ……だから、その……」

雅也は少し口ごもった。それから息を吸い込んで言葉をつなげた。

「僕は出荷とか、種の選定とかあるし、それにこれからはシナリオの仕事を中心にしていきたいから」

「じゃあ、私は結婚……したとしたら、あなたの家に入って、あなたとは別々に農作業をするってこと？」

「必ず、売れっ子になるよ。康子ちゃんのために。それまで少しお金に不自由させるかもしれないけど、がまんして」

「シナリオライターって、そんなにお金にならないの？」

「そういうわけじゃないけど、僕はしばらく無収入なんだ。僕の書いたものも先生の名前で発表されるからね」

「なんでそんなこと、許されるわけ」

康子は上半身を起こした。雅也は真っ裸で、大の字になってベッドに転がったまま、枕《まくら》元《もと》の飲み残しのジュースを引き寄せた。

「この世界、そんなもんだよ。下っぱなんてくずみたいなもんだし、でも頂点まで上れば、どんなことやったってOK、なんでもありなんだ」

何か言いたかったが、言葉が出なかった。どんな業界だって、理不尽なことがまかり通る面はある。しかし若い雅也が、そうしたことに怒りもせず、疑問も抱かず、長いものには巻かれろ式の考え方をすることに失望していた。

「僕は先生のところに通うのに、毎週東京に出てこなきゃならないし、つきあいにもけっこ

う金がかかるんだ。だから洋服欲しいとか、遊びたいとかいう子とは、いくら好きになっても結婚はできない」

「そうね、確かに私、高いお洋服、持ってないわ。センスもないし。顔だって、若い頃から、たいしたことなかったわ」

押し殺した声で、康子は言った。

「いいんだよ。嫁さんなんて人前に出して自慢するものじゃないから」

雅也は片手を康子の乳房に伸ばしてきた。

わかった。康子は、小さな声で言って、自分の胸に回された太い腕に、思い切り歯を立てた。

「痛てて」と悲鳴を上げて腕を引っ込めた後で、雅也は「意外に情熱的なんだね」と康子の髪を撫《な》でる。

「ね、康子ちゃん」

「…………」

「も、一度、いい？　嫌いじゃ六回もできないよ。あと一週間、会えないんだし」

笑って振り切り、康子は手早く服に袖《そで》を通す。雅也はちょっと口を尖《とが》らせてから言った。

「すっきりした顔になってるよ。僕、そんな、よかった？」

「最高よ」

康子は笑って雅也の首筋に唇を寄せ、もう一度歯を立てた。

「わ、あとがついた」

雅也は大げさに言って、裸のままトイレに入っていった。

「ばか」

その後ろ姿に向かい康子はつぶやいた。ドアをきちんと閉めていないため、用を足す音が聞こえてくる。

雅也の普通の男よりも一枚上手《うわて》のずるさに、腹が立つよりも呆《あき》れていた。しかしそれをぺらぺらとしゃべる正直さは買ってやっていい。つまりそれが素朴というものなのだろう。

トイレから出てきた雅也は、風呂《ふろ》に直行した。ドアから首を出して「一緒に入ろうよ、そんなの早く脱いで」と声をかけ、また中に入る。

「ええ」と答え、急いで上着を羽織る。それからさいふを取り出し、二時間の休憩代のちょうど半額、二千八百六十五円を枕元に置き、廊下に出た。エレベーターを待つのももどかしく、階段をかけ下りる。

表に出ると午後の陽光が瞼《まぶた》を射た。一人でラブホテルから飛び出してきた女をそば屋の配達が無遠慮に見ていく。商売の女性と見られたのか、喧嘩《けんか》別れに映ったのかわからない。しかし男と二人で出てきたとしたら、もっと恥ずかしい。あいつは女にこんな思いをさせて何とも思わないやつなのだと、今こそ胸底から怒りがわきあがってきた。

寒風になぶられ紅潮した頬に、ぽろぽろと涙がこぼれる。足早に坂を下りてみれば、町を行くカップルもグループも、皆若い。この町から、大人の居場所はなくなってしまった。足

は自然にデパートに向いた。一人で部屋に帰って泣くのは、惨め過ぎる。しかしゲームセンターも飲み屋も、喫茶店さえ、康子にとっては馴染《なじ》んだ場所ではない。ふらりとエスカレーターに乗ると、いつのまにか婦人服売場にいた。照明は暗く客も少ない高級品のフロアだ。直輸入のイタリアンニットの前に、康子はぼんやりと立っていた。

「すてきでしょう、それ。よかったら着てみませんか。お似合いになりますよ。お客さま、お若いのにとても気品のあるお顔立ちしてらっしゃるから」

不意に中年の店員が声をかけてきた。康子は涙で腫《は》れぼったくなった瞼をこすって、顔を上げた。地味を「気品がある」と言いかえたプロの接客術に、救われた気分になった。言われるままに、フィッティングルームに行き、ニットドレスの袖に手を通す。

「ま、なんてすてき」

カーテンを開けたとたん、店員が言った。お世辞とは思えなかった。

飾ってあったときはだらりとして、真珠色の艶《つや》が妙に水商売っぽく見えたのが、着てみると目を見張るばかりに美しく体の線が浮き出て、気品ある大人の色気がかもしだされる。

康子は襟ぐりからくっきり出た自分の鎖骨やくびれたウエスト、張り出した腰などを陶然とながめた。そういえば、「斉藤さんっておとなしそうな顔してるけど、体の線はとてもセクシー」と女友達に言われたことがあった。あまり意識したことはなかったけれど、確かにその通りかもしれない……。そんなナルシシズムを満喫させるほど、そのカッティングは見事だった。

しかし何気なく値札に目をやったとき、顔から血の気が引いた。三十六万八千円……。めまいがした。なぜ、試着などしてしまったのだろう。普段なら、値段を見ずに試着したりしないのに。

「分割払いになさいます？　それともカードお作りになります？」

すかさず店員が声をかけてくる。

「いえ……いえ」

ごめんなさい、値段を見ないで試着なんかしちゃって……こんなに高いと思わなかったんです。分割だって買えません……いくつもの言い訳と断りの文句が頭の中をめぐる。口ごもっているうちに、なぜ、今、自分がこのドレスを着ているのか思い出した。

とたんに決心した。

「現金でお願いします。今、下ろしてくるから包んでおいてください」

こんなことを言っているのが、もう一人の自分のような気もする。たかが三十六、七万。高校を卒業して十二年、七桁《けた》のボーナスが出たバブル最盛期でさえ、むだづかいせず、弁当持ちで貯《た》めた金が債券と投資信託あわせて三千万。それと残りの自分の半生をそっくり、あの男にくれてやろうとしていたのだ。カードを握りしめ、康子は銀行のCDに向かって走り出した。

デパートの包みを抱えてアパートの部屋に戻ってみると、留守番電話が忙しなく点滅して

いた。メッセージが七つも入っている。全部、無言だ。

　そのときまた電話が鳴った。しかし康子は受話器を上げなかった。そしてその夜、かかってきた電話に、康子は一度も出なかった。闇《やみ》の中で電話は何度か鳴った。放っておくと切れてまた鳴った。なおもそのままにしておくと、また鳴る。最後に十四回鳴って、静かになった。

　翌日、始業早々に雅也からオフィスに電話が入った。

「退職したって言って」

　電話を受けたリサに、康子は言った。リサは笑ってうなずく。

「斉藤康子は退職いたしましたが。はい……さあ……そういったことは、わかりかねますが、はい、もうしわけございません」

　リサは受話器を置いてから、肩をすくめ「これもんですよね」と指で×を作った。

「長男でしょう。ライターって、芽が出る確率低いし、へたすれば、姑《しゅうとめ》、小姑と一生同居で、農家の嫁ですもの、問題外ですよね」

「そういう問題だけど……そういう問題じゃないのよ」

　康子は沈んだ声で答えた。

　やりとりにみどりが気づいたらしい。こちらにやってきて、康子の手を取り給湯室に連れていった。

「アンドウが迷惑かけてるみたいね。ごめん」

と頭を下げた。

「いえ、別に迷惑とか」

「あまりしつこいなら、あたしからガツンと言っとくわ」

康子はかぶりを振った。色恋の後始末を他人にしてもらうほど子供ではない。しかし同じ歳でもみどりから見ると、独身の康子はなんともたよりなく映るらしい。

「いいのよ。みどりのせいじゃないの、もう終わったことだし、誤解させた私が悪いのよ」

「悪気はないのよ。あいつはね、ばかなの。女心なんてな〜んにもわかっちゃいないんだから。あれでよくシナリオが書けるもんだわ」

吐き捨てるようにみどりは言った。女心以前の問題だ、と言いたいところだが、これ以上みどりに心配をかけるのも気がひける。

「ほんとう、もう何もないのよ」と笑ってみせた。

電話はその後も家とオフィスの両方にかかってきたが康子は一度も出なかった。

千葉の実家にいる母や妹、友達からの電話は、留守番電話にメッセージが入るので、こちらからかけなおせば、済むことだった。

四日後の夜戻ってくると、「もしもし、雅也です。どうしたんだよ、電話くれよ。一度でいいから話してよ」という悲痛な声が入っていた。さすがに何か胸をつかれるような、切ない気分になった。

そして渋谷のラブホテルで別れて一週間目、雅也からのはがきが郵便受けに入っていた。

テレビ局の開局記念パーティーがあるので来ないか、という内容だ。破り捨てようとしたが、なぜかできなかった。

自分の華やかな部分を見せて、人の心を繋《つな》ぎとめようという魂胆が腹立たしくも滑稽《こっけい》で、少しばかり哀《かな》しかったのだ。それに別れの言葉もなく忽然《こつぜん》と消えられた雅也の困惑と焦りを思えば、たとえ別れるにしても、さようならくらいは、言わなければならないような気がした。

そうと決まれば、とあのとき弾みで買ったものの、いちども袖を通していないイタリア製のニットドレスをひっぱり出した。これならパーティーでも気後れすることはない。

当日、仕事が終わったその足で、康子は行きつけの美容室に行った。会社の更衣室でドレスに着替えるのは恥ずかしかったので、セットしてもらったついでにそこで着替えさせてもらった。馴染みの美容師には、「パーティーに行く」とはなぜか言えず、「友達の結婚式なの」と嘘をついた。

「あらぁ、だめじゃない、また先越されて」と独身の中年美容師は鏡の中で笑っていた。

会場は、都内の有名ホテルの宴会場で、芸能人の結婚式などでよく使われる場所だった。

コートをクロークに預け、受付に行って康子ははがきを見せた。

「お連れ様は？」と尋ねられ、「先に着いているはずです」と答えて、気後れしながら中に入る。

ニットドレスの深くあいた背中がすかすかと寒く、ムースで固めた前髪が重かった。

雅也はすぐに見つかった。名刺を片手に白髪の老人の後に小判鮫《こばんざめ》のようにぴたりとついて、あちこちで頭を下げ回っている。あの老人が「先生」なのだろうか。

康子が近づいていっても、雅也は気づかなかった。こちらを一瞥《いちべつ》しただけで、他のだれかに名刺を渡し、こめつきばったのように頭を下げ続けている。そこから再びこちらを見る。怪訝《けげん》な表情が見えた。

「どうしたの、自分から誘っておいて」

康子は微笑《ほほえ》んだ。

「あ……」と言ったまま、雅也の口が半開きになった。声もない。

「びっくりしすぎると、驚けないもんだね」

しばらくしてから、わけのわからない事を言った。

康子がその場を離れると、慌ててついてきた。

「ひどいじゃないか、急に消えて。会いたかったよ。どんなに探したと思っているんだ」

話しているうちに、雅也の言葉は震え、両目に涙さえ滲《にじ》んできた。康子の胸は少し痛んだ。逃げるにしたって、あのやり方はなかったかしら、と反省した。

「でも、きれいだよ、すごく」

「派手なのは嫌いだって言ったくせに」

「結婚する前なら、許すよ」

「許すって言い方、ありなの？」

康子は、雅也の姿を上から下まで見た。弛《ゆる》んだ体の線を見事に隠しているのは、ダブルのスーツだ。それもアルマーニの。エナメルの靴も高そうだ。

そのとき和服姿の化粧の濃い女がやってきて、二人の間を割るようにして、雅也に挨拶《あいさつ》した。

「ま、センセ、今日のお召物、すてき。このあと銀座の方にいらっしゃるんでしょう。お待ちしてますわよ、ぜひいらっしゃってね。はい、や・く・そ・く」と雅也の小指に自分の指をからませる。

クラブのホステスだ。

「銀座のクラブなんて、あなた行くの？」

ホステスが離れていってから、康子は尋ねた。

「ああ、うちの先生に連れて行かれてから馴染みになってね、安いところなんだ。二万もあれば飲める」

「二万……」

デートの食事は五百八十円。

「確かに安いわね」

「だろ」

「じゃさようなら」

康子は背を向け、歩き出した。

「待ってくれよ」

雅也は慌てて追ってきた。

「いったい何が面白くないんだよ。せっかくうまく行っていたのに、僕達、気も体もぴったり合ってるのに。わざわざ波乱を起こすことないじゃないか」

何も答えず、出口に向かう。

悪気も打算もない。単に無自覚なのだ。確かにナイーヴだ。わかっていない分だけ救えない。

無言でクロークに札を出し、トレンチコートを受け取る。

「どうするつもりだよ、康子ちゃん」

ロビーの中央まで来たとき、湿った柔らかな手が、むんずと康子の腕を摑《つか》んだ。

「まともな仕事してるわけじゃないだろ。バリバリのキャリアウーマンにもなれず、結婚もしないで、今のままじゃただの売れ残りじゃないか」

康子はぴたりと足を止めた。振り返った。そして絡みついた太い腕を振りほどき、思い切り雅也の頰をひっぱたいた。ぶるんぶるん、とだぶついた肉の震えがてのひらに感じられた。

茫然《ぼうぜん》とした顔で雅也は立ちつくしている。

康子は汗と脂をこそげ落とすようにハンカチでてのひらを拭《ぬぐ》い、きびすを返してエントランスに走りだした。

「おい、ちょっと待て」

背後で雅也が怒鳴る。そのときしわがれ声が、それをいさめた。とたんに雅也の声は「あ、どうもどうも、いや、ちょっと……。先生、もうお帰りですか」という、甲高く卑屈な調子に変わった。

「ナイーヴ！」

吐き捨てるように言って、康子は玄関の回転ドアを開けて外に出た。

夜風が身を切る。手がかじかんだ。一瞬、あの暖かく湿った感触を思い出した。てのひらをこすりあわせて、ふっと息を吹きかけた。

空を見上げるとホテルのタワーのそのはるか上に、星が瞬《またた》いているのが見えた。

気をとりなおしコートを羽織る。

バリバリのキャリアでもなければ、企業戦士を生み育てているわけでもない。しかし普通に会社に行って、普通に仕事して、女一人まっとうに暮らして、それのどこが悪い？

コートのベルトを結び、背筋を伸ばした。

マンションを買おう、と思った。年金にも保険にも入り直そうと思った。

いつか一緒に笑い一緒に泣ける人生のパートナーのみつかる日が来る。

康子はゆっくりした足取りで有楽町《ゆうらくちょう》の駅に向かって歩き始めた。

アダムの背中　1

もちろん泣いた。

有利な結婚はしたいが、打算だけで生きているわけじゃない。何より短大のときから足かけ六年もつきあっていれば、たくさんの思い出がある。

吉祥寺《きちじょうじ》の近鉄デパートのトイレで、何度も冷たい水で目を洗ったけれど、瞼《まぶた》の裏がいつまでも熱を持ったように重たかった。

彼が小学校の教員だから、年収が今いる会社の男達の半分だから、家がないから、嫌だ。そんなことを言ったら、世間の人は眉《まゆ》をひそめるだろうけれど、適齢期の女の子が、きれいごとで男とつきあっていられるはずなんかない。

ちょっと洟《はな》をすすり上げ、三田村リサは鏡の前でにっ、と笑って見せる。コンタクトレンズを洗い直してはめる。

短大時代は分厚いレンズの茶色い縁の眼鏡をかけていた。キスするとき外す呼吸が、けっこう難しかった。思い出すとまた涙が出そうになるから、昔のことを考えるのはやめる。

眼鏡をかけても頭を刈り上げていても、嫌だという人じゃなかった。そういう感覚の人だったから、あんなことが言えたのだろう。

「会社辞めるって、なんで？ 今、うちの小学校なんか女の先生ばっかりだよ、ほとんど子持ちさ。やればできるんだよ。民間は違うって？ それは僕達の世代ががんばって、変えていかなきゃ。そうだろう」

女をしらけさせるに十分な言葉だった。毎日、子供相手の仕事をしていると、理想論をぶつのに照れもためらいもなくなるのだろうか。

僕ががんばって、幸せにする。君にだけは、不自由な思いはさせない。

なぜ、そう言えないのだろう。三百四十万しかない年収も、家の無いことも、出世の見込めない仕事だってことも、男の心意気を見せてくれれば、少しは、考え直してあげたのに……。

自然に縁を切ろうとして、何やかやと理由をつけてはデートを断り始めたのは、一年くらい前からだ。しかし自然に切れるどころか、疎遠にしようとすればするほど向こうは焦り始めた。そしてこの日、とうとう呼び出されて、意思をはっきりさせろ、と迫られた。もちろん答えは一年前から出ていた。だから毅然《きぜん》として別れるつもりだったけれど、彼のワゴン車

の助手席で「さよなら」と言ったとたん、涙が溢《あふ》れてきた。向こうも泣いてて、それでつい情に流されるみたいに、抱き合っていた。

初めて結ばれた津久井《つくい》湖畔に車を止めて、シートを倒して、これが最後って涙をぽろぽろこぼしながら、彼の胸にしがみついていたのだから、我ながら情けない。

デパートの閉店を報《しら》せる音楽が流れてきた。リサは、長い前髪にムースをつけて、軽く立ち上げ横に流す。

二時間前に、高尾《たかお》の駅前で別れた男のことは、もう考えるのはよそうと思った。

パウダーを淡くはたき、ピンクの口紅を引いて終わりだ。

岡崎との約束の時間まで、まだ少し間がある。

そう、まともな男ならデートはこのくらいの時間からだ。いくら夏だからって、平日の昼間から女の子と会ってるなんておかしい。バレーボールとプールの指導だけで、夏の四十日を過ごす仕事なんかしてたら、やっぱり世間とちょっとずれてくる。だから彼と私は、ずれてしまったのだ。そうに違いないと、リサは自分に言いきかせながら、駅の南側にある喫茶店に向かう。

狭い上に、店主がやたらに威張っている感じの悪い店だが、岡崎は気に入っている。東京一コーヒーがおいしい店なのだそうだ。

リサがコーヒーを注文し、一口飲んだとき、ドアが開いて、少し角張った顎《あご》とやせた頬《ほお》を

した岡崎の精悍《せいかん》な顔が見えた。

「ごめん、待った？」

岡崎はこちらを見て片手を上げ、白い歯を見せた。

「ほんの少しだけ」

胸が、苦しくなった。紺のスーツの肩のラインがまぶしい。

少し前に、男と別れて涙を流していたことが嘘《うそ》みたいだ。なんだか自分がよくわからない。

それにしても、恋と、打算と、情が移るってことは、ずいぶんと錯綜《さくそう》している。

「遅れそうなんで、君の会社に電話したら、夏期休暇を取ってるって言われた。どこかいってたの？」

「ええ。伯母の短歌の会に呼ばれて、鎌倉の……」

まさか別の男と別れ話をしていた、とは言えない。

「鎌倉で歌会？　優雅だね」

リサは小首を傾《かし》げて微笑《ほほえ》む。

伯母の短歌の会は、昨日確かに鎌倉であった。ただし公民館主催の市民短歌教室だった。

店を出て井の頭公園へ下りる小道を歩く。

下り坂にかかると膝《ひざ》が痛み出した。テニスの選手だった高校時代に痛めたものだが、以来冷房が少しきつかったりするとすぐ故障が出る。ミニスカートなどはかない方がいいに決まっているが、清楚《せいそ》なミニのスーツは、結婚したい女の戦闘服だ。相手を陥落させるまでは脱

ぐわけにはいかない。

ゆっくりと公園の林を横切っていく。あたりはすでに夕闇《ゆうやみ》が濃い。岡崎は足を止めてリサの肩に手をかけ、そっと唇を重ねてきた。

足の周りを藪蚊《やぶか》が飛び回っている。軽い痛みがあった。ストッキングごしにふくらはぎを刺された。こういうところで、立ち止まったら終わりだ。唇を合わせたまま、そっと足をこすり合わせる。岡崎の両手に力がこもる。ふと、同じ保険会社の同僚の紗織の顔が浮かんだ。ちくりと胸が痛んだ。

しかたないわ、と心の中でつぶやく。

紗織に箱根へのテニス旅行に誘われたのは今年のゴールデンウィークのことだった。普段通りなら、休日まで仕事仲間の顔など見ようとは思わない。しかしこのときは事情が違った。旅行のメンバーは紗織の学生時代の友達なのだ。紗織の出身校というのは、私立のいわゆる一流校だ。お嬢様短大ならいざしらず、実質本位の栄養短大出身のリサにしてみれば、三高エリート男と巡り合うチャンスは、これを逃したらもうない。そこで万全の態勢を整え、ウェアまで新調して参加した。

小田急の新宿駅で待ち合わせたメンバーは、リサの期待通り、大手銀行や商社のエリート男性が四人。岡崎もその中の一人だった。他のメンバーがどんな顔をしていたかはもう忘れてしまったが、とにかくみんな颯爽《さっそう》として自信に溢れていて、なんだかオーラが立ち上って

いるように見えたものだ。

女性の方は、一人が、当日の朝、急に来られなくなったので、紗織とリサ、そして一昨年高校を卒業して入ってきた紀子の三人だった。

男女の数を合わせて合コンの乗り、と当然思ったのだが、それがとんだ誤解だとわかったのは、現地についてからだ。

男達は、ペンションで一休みする間もなくコートに出て、乱打を始めた。そして夕飯を済ませた後も、すぐにコートに戻っていった。買ったばかりのリサのエレッセのウェアになど一瞥《いちべつ》もくれないし、夜のドライブをするわけでもない。テニス旅行どころか、合宿だった。そのときになってリサは、今回誘われたのかテニス部上がりの女性ばかりというのに気づき、納得した。

紗織が自分の同僚を誘ったのは、員数を増やしてコートの借り上げ料を安くするためだったのだ。何より紗織は「男を紹介する」などとは一言も言っていなかった。ナイター設備のあるクレイコートで思う存分プレイしよう、と言っただけだ。恨み言を言うわけにもいかず、リサは半ばやけのようにボールを叩《たた》いていた。

しかし心がけていれば、チャンスは必ずめぐってくる。

二日目に商社マンの岡崎に会社から電話が入り、すぐに東京に戻らなければならなくなった。

電話を受けているときの岡崎のてきぱきした応対と、引き締まった表情は、テニスをして

いるときの精悍な顔とはまた違って魅力的だった。何よりその社名も彼と同じくらい輝いていた。

電話を切ると岡崎は、急いでテニスウェアからジャケットスーツに着替えた。聞けば、自宅に戻る余裕がないので、このまま会社に行くのだと言う。

攻略方法はとっさに思いついた。自分も用事を作って、東京まで一緒に帰ろうなどという素人臭い戦法ではない。急な仕事で臨戦態勢に入った男と二人、電車に乗ったところで、話などはずむわけはないからだ。

スポーツバッグとラケットを担ぎ、ペンションの玄関でビジネスシューズを履いていた岡崎に駆け寄って、リサはさっと手を伸ばした。

「ラケット、預かっておいてあげる。そんなの持って会社行くのは、かっこう悪いでしょ」

「おっ」と岡崎は目を上げた。

「悪い」と、彼はカワサキの重たいラケットをぽん、と手渡してくれた。

バスに乗り込む岡崎をみんなで見送った後、ラケットを胸に抱き締めているリサを紗織が一瞥して言った。

「技あり、一本ってとこね」

リサは首をすくめた。紗織と岡崎の間に、何か親密な雰囲気があったのに気づいていなかったわけではない。確信犯だ。しかし他人のものに手を出さない、などという淑女協定を順守していたら結婚などできない。中学生ではあるまいし、いい男には恋人がいるのがあたり

まえだ。この歳《とし》になっての新しい恋は掠奪《りゃくだつ》しかない。

紗織はそれ以上は何も言わず、コートに戻っていった。

紀子はそばでぽかんとしていた。彼女の勘の鈍さというのも、かなりのものだ。いつも仲間内の噂話《うわさばなし》にも加われず、ペキニーズのような目をパチパチしている。呆《あき》れはするが、同性としては憎めない相手である。

ラケットを返すという名目で、岡崎と会ったのは、テニス旅行から戻ってきて一週間後のことだった。

岡崎の会社の近くのフロリダという店で夕方会い、軽く飲んだのだが、彼は妙に落ち着いていて、口説きもしなければ、次の約束をする様子も見せなかった。焦りを感じながら店を出て、地下鉄の駅まで歩きかけたとき、天の助けのように雨が降ってきた。もちろん相手が傘を持っているのに、女が自分の傘をバッグから出すなどというのは、セオリーに反する。そして別れ際に、自分が濡《ぬ》れるのは覚悟の上で、相手に傘を貸してやるのが、男の作法というものだ。そして岡崎は不作法な男ではなかった。

担保のラケットは傘に替わり、めでたく次に会う口実はできたわけである。

出張や残業の多い岡崎は、あまりデートの時間がとれなかったが、互いの職場が近いこともあって、昼休みにフロリダで会って一緒に昼食を取ったり、ナイターを見にいったりしていた。

そうしたいささか健全すぎるつきあいが始まって、そろそろ三ヵ月が過ぎようとしている。

吉祥寺で会うのは、これで三回目だ。岡崎のマンションが、この町にあるのだ。しかし岡崎はそこにリサを連れていく様子はない。

そろそろ何か動きがあっていいはずなのに、と焦りを感じる。三ヵ月というのは、一つの節目だ。悪くすると膠着《こうちゃく》状態に陥り、結婚という最終目標に進めなくなったりする。

膝がずきずきと痛み出した。肝心なときにこれだ。ハイヒールだからよけいに始末が悪い。反対側の足でかばい、岡崎についていく。

林を抜けて池のほとりに出た。夏の盛りのことで、夕涼みの人の姿も多い。

「ここ、別れの公園って言われているの、知ってる？」

橋を渡りながら、リサは尋ねた。

「なんだい、それは」

「この先に湧《わ》き水《みず》があって、そこの神様が女なんで、嫉妬《しっと》して恋人達を引き裂くんですって」

岡崎はぴたりと足を止め、振り返った。笑ってはいなかった。胸苦しいほどの期待に、リサの息が詰まった。

「足、痛いの？　さっきからちょっと歩き方が変だけど」

拍子抜けした。心配してくれるのは、ありがたいが……。

「テニスでやっちゃったの、高校のとき。疲れたり、冷えたりすると痛くなって。いやね、おばあさんみたいでしょ」

いきなり岡崎は片膝をついて、リリの足元に屈《かが》み込んだ。大きな手が、膝をしっかりと包み込むように触れた。

膝頭から全身にパルスが飛ぶような気がした。激しく心臓が打っている。

自分の中で綿密な攻略作戦が、音を立てて崩れていくのを感じた。ついさっきまで考えていたことが、急に恥ずかしくなった。

好き、ただそれだけでいいような気がする。

「関節だな」

岡崎は顔を上げた。

「どうしてわかるの?」

「僕だって運動やってたからね。とにかく歩けないだろう。気がつかなくてごめん。おぶってやるよ」

目の前に、岡崎の広い肩がある。

「うそ」

「いいから」

おそるおそる、肩に手をかける。がっしりした手が太腿《ふともも》に触れ、体が浮いた。ゆらりと視界が揺れる。

堅くてたくましい背中だ。頭がくらくらするような匂《にお》いが、太い首筋から立ち上る。

泣きたいほど、幸福な気分だ。

リサはその首に両手を回し、いくぶん汗ばんだ首に頬を押し当てた。公園の林を抜け道路に出たところで、岡崎はリサをそっと降ろした。

「もうすぐだよ」と次の交差点あたりを指さす。グレーの壁に、テラスの張り出した真新しい建物が見えた。岡崎の住むマンションだ。

リサは唾《つば》を飲みこんだ。

岡崎の郷里は佐賀。旧家だそうで、家は長男が継いでいるというから、両親が、ここに転がり込んで来ることはまずない。そしてこのマンションは、岡崎本人のものだ。ローンがあと十八年残っているとか聞いたが、岡崎の会社ならまず安心だろう。

マンションが魅力なのではない、とリサは自分を納得させる。魅力的なのは、この歳でマンションを持つ男の実力と覇気、そして当の岡崎自身だ。

ふと紗織のつんと鼻筋の通った美しい顔が、脳裏を横切る。

しかたないと思った。紗織は一人で生きていくのが、似合う女だ。

総合職にかわりたいという女は数年前にはずいぶんいたけれど、未だにそんな夢を追って職種替え試験の勉強をしているのは、紗織だけだ。時代錯誤のキャリア指向も、それなりに立派だが、彼女が結婚していい妻になれるとは、とうてい思えない。

あれはテニス旅行のときだったが、夕飯を食べていて、岡崎がビールのコップを肘《ひじ》でひっくり返したことがあった。

リサはいち早くテーブルを立って、厨房《ちゅうぼう》に走っていき台布巾《だいぶきん》とぞうきんを持ってきて、

テーブルの上から床まで素早く拭《ふ》いた。

しかし岡崎の隣にいた紀子は、自分のハンカチを持ってうろうろしていたし、紗織にいたっては、岡崎に向かい、「ドジ」と言ったきり、平然と食事を続けていたからすごい。あれを見れば、岡崎だって自分に心を動かして当然だ。

エレベーターで6階に上がり、玄関に足を踏み入れ、リサは驚いた。たたきにも、下駄箱の上にも埃《ほこり》一つない。

岡崎は無造作にスリッパを揃《そろ》え、上がるように言う。そのスリッパも新品のようにきれいだ。

玄関の脇、北側に二部屋、そして廊下のつきあたりの南に二部屋、さらに広々としたリビングとカウンターで仕切られたキッチンがある。男一人のための住居ではない。新居の夢が広がっている。

「すてきな、お部屋」

リサはベランダ側のレースのカーテンを開けた。外は暗いが、闇を透かして井の頭公園の林が見える。申し分のない住環境だ。子供を育てるためにも理想的な場所だ。

キッチンもリビングも、玄関同様整然と片づいていて、テーブルの上のビジネス誌も角を揃えて、きっちりと載っている。

岡崎が几帳面《きちょうめん》なのは、これでわかった。しかしこんなに広いマンションにどうやって埃一つためずに住んでいられるのか不思議だ。

だれか掃除をしてくれる人がすでにいる、ということか。

「手を洗わせて」とリサは洗面所を借りた。

蛇口をひねりながら、あたりを素早く見回す。

磨き上げられた洗面台の上には、使いかけの化粧水も、ヘアピンも、クレンジングフォームも、女の形跡は何一つない。

大きな洗濯機と乾燥機があるだけだ。

Tシャツに着替えた岡崎が現われ、ひょいと洗濯機の蓋《ふた》を開け、手のなかの物と洗剤を放り込み、スイッチを入れた。

「自分で、やっているの？」

「そうだよ。その日着たものは、そのまま洗濯して乾燥機に移す。出して畳んで終わり。ため込むから嫌になるし、汚れる」

「手際がいいのね」

「言っとくが、結婚したらやらないよ。そういうのは主婦の仕事だから」

リサは微笑んだ。岡崎は未来の妻に向かって釘《くぎ》を刺した。つまり十分、結婚を意識しているということだ。

「掃除は？」

「必要ならやる。手が回り切らない分は、家事サービスを頼む」

「本当にきれい好きなのね」

「整理整頓《せいとん》ができない男は、仕事もできないからね」

「食事は？」

「めったに早く帰れないから、いずれにしても外食だよ」

「それじゃ、お嫁さんなんかいらないじゃない」

ちょっとした冗談のつもりだった。

それとこれとは別さ、という答えを待っていた。

しかし岡崎はあっさりうなずいた。

「まだまだ、やりたいことがあるからね。男は、とかく家庭に納まると守りの姿勢に入ってしまうから、まあ、三、四年はこんな暮らしかな」

有頂天になっていた頭にいきなり冷水をぶっかけられた気分だ。
三、四年……冗談じゃない。自分は後、数ヵ月で二十五。四年後といったら、二十九。もちろん女の魅力は若さだけではないが、値段をつけるのは、自分ではなくあくまで相手なのだ。それに三十過ぎて子供を産むなんて、ごめんだ。何より小皺《こじわ》の寄った顔に、ウエディングドレスは似合わない。
「どうした？」

岡崎が、顔を覗《のぞ》きこむ。

「いえ……」

「酒でも飲むか？　と言ってもバーボンしかないが」

サイドボードにワイルド・ターキーが入っている。それも七面鳥が歩いているスタンダードではなく、空を飛んでいる図柄の年代物だ。舌なめずりしそうになるのをこらえ、「あまり強くないんです」とにっこり笑う。

「わかった、薄く作ろう」

ミドルクラスの男なら、ここで酔ったふりしてしなだれかかり、ということもできるが、毛並みのいい男には逆効果だ。エリート達の意識はまだまだ保守的で、尻軽《しりがる》女は遊びの対象ではあっても、結婚対象ではない。

岡崎は冷蔵庫からミネラルウォーターと氷を出してきた。ソファに腰掛け、その手元をリサは見ている。こういうときは、女はおっとり構え、何もしない方がいい。さっさと水割りなど作ったりしたら、もの慣れていると思われる。

グラスの中のバーボンは、ただの氷水と思われるほど薄かった。酔わせてどうにかしようという意地汚い魂胆がないのは岡崎らしい。しかしとろりと甘く芳醇《ほうじゅん》な酒をこんな風にして飲まねばならないのは、なんとも辛い。リサはソファから下りて、岡崎の隣に身を寄せた。

岡崎はグラスを持ったまま、片手でリサの体を抱き寄せる。

軽く唇が触れ合うと、岡崎の腕に力がこもった。熱い舌先から、濃厚なバーボンの香りが、移ってくる。力強い鼓動が、Tシャツを通して、胸に伝わってくる。

この日の昼間にあったことも、明日のことも、そして結婚という青写真も、何もかもおぼろげになって、どこかに押し流されていく。

う。

姑息《こそく》なことは考えず、この腕の中でこのまま溶けてしまえたら、どんなに幸福なことだろう。

体の奥深くに、はっきりとした欲望を感じた。両手を岡崎の背に回し足を絡みつけようとして、辛うじて踏み止まった。

適齢期というのは、恋がただの恋であってはならぬ時期だ。一瞬の行動が、この先の一生を決定する。いや、この愛する人とこの先、ずっと一緒にいられるかどうかの分かれ道だ。

そう思うと頭がすっと冷えて、足先まで緊張した。

「怖い？」

岡崎が、尋ねた。まんざらでもなさそうだ。

「おねがい……もう少し待って。岡崎さんのこと、好きだから、こんな気持ちになったの初めてだから、今、こんな形で結ばれるのって……」

リサをみつめていた岡崎の瞳《ひとみ》が、驚いたように見開かれ、それから優しげな笑いが浮かんだ。片手をリサの背から外し、手早く捲《まく》れ上がったスカートを直す。そしてリサの額にかかる前髪を指先でつまみ上げ、軽くキスした。

おずおずとした笑みを浮かべて、リサは岡崎を見上げる。

正解だ。実のところ、それ以上のことをしたいなら、結婚の約束をしろ、と選択を迫ったわけだが、岡崎は決して気を悪くした様子はない。

次回あたりに、良い答えが聞けるだろう。

リサは腕時計に目をやった。

「門限か？　送ろう」

岡崎は車のキイを手にして立ち上がった。

「だめ、酔っ払い運転になるから」

リサはキイを摑《つか》んだ岡崎の手を両手で挟んだ。

彼は盆の上のダブルのグラスを見せた。中身はほとんど減っていない。

「僕の方が先に酔っ払うわけにはいかないと思ったんだよ」

「ごめんなさい」

しおらしく謝ると、岡崎は屈託なく笑った。

豊田《とよだ》にある自宅の近くで、リサは車を降りた。ここで両親に引き合わせてしまう手もあるが、この外堀を埋めてなりふりかまわず結婚にもつれ込む方法は使いたくない。とにかく体の関係を結んでしまう、というのと同様、こちらの品性を疑われ、相手によっては逆効果になるからだ。

さようなら、と車を降りかけると、いきなり右腕を摑んで、引き寄せられた。

「おやすみ」とささやき、岡崎はリサの唇に素早くキスした。

車を降り、遠ざかるテールランプをちょっとみつめ、振り返ると路地脇《わき》に小柄な人影があった。父だ。

リサと目が合うと、禿頭《とくとう》をちょっとかいて、当惑したような哀《かな》しげな顔をした。

なんとあの「おやすみ」を見られたらしい。

「お母さんが怒ってるぞ」

照れ隠しのように父は言った。

時刻は、まもなく十二時だ。

玄関のドアを開けて仰天した。

玄関マットの上に母親が仁王立ちになっている。

「どこに行ってたの」

一歩も上げないというように、踏ん張って母は言った。

「吉祥寺の喫茶店」

「こんな遅くまで、開いてる喫茶店がどこにありますか」

「岡崎さんのマンション」

平手打ちが飛んできた。

冗談じゃない。二十歳過ぎの娘の門限破りを力任せにひっぱたく母親なんてどこにいるだろう。

「あれほど、男のアパートにだけは行くなと教えてあるでしょう」

「マンション」

ぶすり、としてリサは訂正した。

「同じです」

一段と甲高い声で、母は叫んだ。

とんでもない。１ＤＫの木賃アパートと４ＬＤＫの白亜のマンションでは、大違いだ。

「ああいうところに、女の子が出入りしたらどうなるか、わかるでしょう」

「この歳になって、男の一人もいなかったら、かえって心配じゃないの？」

玄関のたたきにつったったまま、リサは母親を昂然《こうぜん》と見上げた。何もしてなかったからこそ、強気になれる。少なくとも岡崎との件に関しては、潔白なのだ。

「デートするな、と言っていません。いくらなんでもあまりふしだらだ、とお母さんは言ってるの。あの先生をやってる山下くんから、何度も電話があったわ」

「ああ、あれはいいの」

リサは短く遮った。

「先週は、保険会社の男の人とコンサートへ行って、その前は田川とかいう裁判所の人」

「検察庁よ」

「とにかく何なの、いったい。誘われればだれにでもついていくなんて、あんたは」

「しかたないじゃない、遊びじゃないんだから」

絶句して、母親は目をむいた。

「とりあえずつきあってみて、一番いい男を選ぶのは、当然じゃないの」

「とりあえずって、何なの。それは」

母親の声が一段と高くなる。

「せっかく短大出して、管理栄養士の資格まで取らせたのに、ただのOLなんかになって……」

「ただのOLじゃ悪いの？」

「そうよ、お茶くみだの、コピー取りだの、ちゃんとした仕事をしてないから、そんな甘い考えばかり持つのよ」

何の仕事をしようが、私の勝手よ、と言いかけてやめる。倫理観も価値観もまったく違う人間に何を抗弁しても無駄だ。

手に職をつけろと、母はリサが幼い頃から、言い続けてきた。昨年結婚して家を出た兄の妻は衛生検査技師。母のお気に入りだ。要するに母の趣味と好みは、そういう人なのだ。それにしても自分が決して幸福ではないはずなのに、なぜ娘に同じ人生を歩ませようとするのか、わからない。

母の希望通り、一度はリサも栄養士になったが、勤めた給食センターは、調理師も同僚の栄養士も女ばかりで、これではいい男とめぐり合う機会もないと半年で辞めた。母はそれが気に入らない。

「まあまあ、かあさん、今夜は遅いから」

父が、うろたえながら、中に入る。

「あなたは、いつも無責任なんだから」

リサは立っている母親の体の脇をすりぬけ、2階にある自分の部屋にさっさと逃げ込んだ。

階下では、まだ父と母が言い争っている。ドレッサーの前に座り、クレンジングクリームを塗りたくり、淡いピンクの化粧を落としていく。

若い頃の母にそっくりの、骨格の尖《とが》ったきつい素顔が現われた。

あなたのようになりたくないから、一生懸命相手を探しているんじゃないの、とリサはつぶやいた。

おたふくかぜにかかったときも、麻疹《はしか》のときも、水疱瘡《みずぼうそう》のときも、母は家にいなかった。母に頼まれて近所のおばさんが来た。猫背で、金歯のおばさんをリサは嫌いだった。単に母親でないから、嫌いだったのかもしれない。

小学校のときの母親との思い出といったら、眉間《みけん》に皺を寄せた母の痩《や》せた背中にサロンパスを貼《は》ったことばかりだ。

速記者の母は、外では「職業婦人です」と胸を張っていたが、家にいるときは、いつも肩凝りに悩まされ、極限まで疲れて苛立《いらだ》ち、父と喧嘩《けんか》していた。

先輩や同僚の中には、結婚しても仕事を続けます、などと宣言する女性が未だにいるが、たいていはお嬢さんだ。女が仕事を続ける苛酷《かこく》さなど、骨身にしみてわかってはいない。家事も子育ても、そして老親の介護も、生活の基本的な部分は当然のように女の肩にかかってくる。

ぼろぼろになるまで会社でこき使われて帰って来た男にとって、家庭はくつろぐところだ。しかし女にとっては、そこが第二の戦場になる。

「職業婦人」も「キャリアウーマン」も、日本の社会が変わらない限り、一皮むけばその実態は同じだ。本人がそれでいいと奮闘するのは勝手だが、割を食うのはいつも子供だ。

「私だけは、あんな人生は送らない」とリサは鏡の中の自分に言う。

お父さんのような、零細な印刷工場に勤める安月給取りとは絶対に結婚すまい。不況が来るたびに倒産の危機にさらされ、そのたびに夫婦喧嘩をするなどというのはごめんだ。それだけではない。ボーナスの時期もよく喧嘩していた。母親の方が二倍ももらってきたから、父はどうでもいいことで腹を立てていた。男と女なんてそうしたものだ。

真面目《まじめ》に生きていれば、良縁は向こうからやってくる、などと母は未だに口にするが、自分の身を考えればそんなことが言えるはずはない。理想的な縁は、やってくるものではない。作るものだ。何をするにしても努力が肝心だ、と教えたのは当の母ではないか。

リサは立ち上がり、淡いピンク色をした彼女のバトルスーツを脱ぎ、丁寧にほこりを払い始めた。

岡崎からの電話が途絶えた。マンションに行ったあの夜以来、十日以上経《た》つが、何の連絡もない。

何も失敗はしていないはずだ。

気になると言えば、「おやすみ」とキスした後で、岡崎が「じゃ、元気で」と手を振ったことだ。つまりしばらくさようなら、という意味か?

すぐにでも結婚したい、というこちらの意図を実は読まれていて、逃げられたのだろうか。週末を二回も続けて一人で過ごした。なぜかセカンド、サードの彼の誘いには、応じる気になれない。

月曜日に向こうの会社に電話をしてみたが、会議中ということだった。

夜になって家に電話をしたが、そちらは留守番電話になっていた。

翌日、再び会社に電話すると、出張中だと言われた。戻ったら電話をほしいと伝えて切る。しかし待てど暮らせど、岡崎からのコールバックはない。

夜の十時過ぎに、再び岡崎の家に電話をした。こうなると焦りがつのり、電話に出たら何を話そうかという知恵も回らなくなる。

呼び出し音が七回ほど鳴って、ようやく岡崎の声が聞こえた。ひどく忙《せわ》しない様子だ。タイミングが悪かった、というのが、その声の調子からわかった。

「ごめんなさい、忙しい？」

「いや」

相手は無愛想に答えた。

「今、帰ってきて、風呂《ふろ》に入ってたところ」

「ごめんなさい、かけなおすわ」

「あ、今でいいよ。何の用？」

何の用、と尋ねられたら、答えられるはずもない。

「あした日比谷《ひびや》まで行く用事があるから、もしもよかったら、フロリダでお昼でも、と思って」

ちょっとした間があった。

「会議が入っているから、確約できないんだ」

歯切れが悪い。

「いいわ。いずれにしても、お昼ご飯を食べるようだったら、あそこに行ってる」

その気があれば出てくるはずだ。

翌日、十二時きっかりにオフィスを飛び出しリサは日比谷に向かった。そして店のいつもの席に座った。

岡崎は現われない。リサは時計を睨《にら》みつけた。

ランチプレートが運ばれてきて、一人で食べる。食後のコーヒーが来る。しかし岡崎は来ない。とうとう十二時五十分になった。

リサは唇を噛《か》んで腰を上げた。そのときカウンターの奥から、中年のママさんが出てきて、いきなり封筒をさしだした。T火災という彼女の勤め先の名前の入った封筒だ。

「おたく、忘れていったでしょ」

「え……」

こんな封筒を持って、ここにやってきた覚えはない。

「いつ？」

「ほら、先週の金曜」

この二週間、岡崎に会ってないのだから、ここに来ているはずはない。

封筒の中身はと見ると、保険の新商品紹介のパンフレットで別に重要なものではなかった。

「あたし、彼と来てた？」

ピンと来て、とっさに尋ねた。

「そうよ、岡崎さんと来たじゃないの。彼氏の顔見たからって、ぽうっとして大事なもの忘れてどうするの」

リサは封筒を握ったまま、慌てて支払いを済ませ、店を飛び出した。

とにかく先週の金曜日、自分はここに来ていない。しかしだれかが岡崎とこの店に来て、この封筒を忘れていった。それはT火災の社員だ。同じ水色の制服を着ていたから、ママが自分と間違えたのだ。

T火災のOLで、岡崎と会ったとすれば、考えられるのは紗織しかいない。

紗織と岡崎のつきあいはまだ続いてて、岡崎の気持ちは紗織と自分の間で、揺れ動いている、ということか。

封筒を持って会社に戻り、更衣室に入ると、ちょうど紗織が戻ってきた。

紗織は勢いよくベストを脱ぎ捨てると、汗びっしょりの首筋をタオルで拭《ぬぐ》った。

このところ、紗織は太極拳《たいきょくけん》に凝っていて、昼休みになると、屋上に出て人目もはばからず、練習をしているのだ。

「これ、忘れ物だって」

リサは、封筒を紗織の鼻先に出した。

「何よ、いったい？」

「岡崎さんとデートして、フロリダって店に忘れてきたでしょ」

紗織は、大きな二重《ふたえ》の目で、瞬《まばた》きした。

「デート、なんで私が岡崎と？」

「昼食を食べたお店のママが、そう言って渡してくれたのよ」

「知らない、だれか他の人でしょ」

紗織は素っ気なく答えた。

そこに紀子が入ってきた。紗織が呼び止め、尋ねる。

「あ、ノリ、これ、フロリダとかいうお店に忘れてこなかった」

紀子は、ちょっと足を止め、しばらくそれに見入っていたが、すぐに手を顔の前で振った。

そういえば、紀子もテニス旅行に行った仲間だから、岡崎を知っている。とすると紀子か？ ゆるんだ口元に、淡いピンクの口紅がはみ出している紀子の顔を一瞥し、リサはすぐに自分の考えを否定した。

紀子のはっきりしない態度は、なんとなくイライラさせられるところがある。しかしときおり哀れっぽい目で見上げられたりすると、ついかばってしまう。しかし男の社員は、紀子など、はなから相手にしない。

「紗織は、岡崎さんとは、会ったりしてないの」

午後の始業時間を気にしながら、リサは小声で探りを入れる。

「そりゃ会うわよ、友達だから。個人的つきあいは、一年前で、すっぱり終わったわ」

「終わった？」

紗織は両手で制服の胸元を無造作に開き、ぬけるように白い肌に勢いよく消臭スプレーを吹きかける。きれいな顔に似合わないがさつな仕草だ。

「終わった相手と、どうして一緒にテニス旅行なんか行ったの？」

紀子とリサが一緒に尋ねた。

「ただの仲間だから。あいつね、就職した一ヵ月目の社員旅行で、先輩とファッションヘルスに行ったのよ」

「そんなことで別れたの？」

もったいない、とリサは思った。

「でも……」

紀子がくぐもった声で口を挟んだ。

「そういうとき、先輩に誘われたら、普通断れないものじゃないかしら、男の人同士のつきあいってあるし、彼女がいるから行かない、なんていったら、仲間はずれにされてしまうわ」

語尾がはっきりしない。

「冗談じゃないわ」

吐き捨てるように紗織は言った。

「仲間はずれを怖れて、買春行為をする男なんて最低。ファッションヘルスったって、性の売り買いには違いないんだから」

そのとき始業を告げるチャイムが鳴った。

午後のお茶の時間に、給湯室に行くふりをしてリサは岡崎に電話をかけた。今度は本人がオフィスにいた。

「ごめん、今、帰ってきた。急な出張が入って電話もできなかった」

「いいのよ。近いうちに会えるかな、と思って」

できるだけ軽く言う。数秒の沈黙があった。

「わかった。明日、六時半でどう？」

「吉祥寺？」

「いや、日比谷でいいかな。仕事があるんで、また社に戻らなければならないんだ」

別に避けていたのではなく、本当に忙しかったのだ、とその一言で納得させられた。

連絡がなかったのも、電話したとき必要なことしか話さなかったのも、みんな仕事がたてこんでいたからだった。

パブタイムのフロリダの店内は、昼と一変して店内が薄暗く、スタンダードナンバーが、

低い音で鳴っていた。

別れ話でもするのがぴったりの雰囲気だ。店内に一歩足を踏み入れたとたん、リサは嫌な感じがした。しかし一番奥のカウンター席にいた岡崎が、笑って手を上げたのが見えたとき、不安は消えた。淡い照明の下で、岡崎の前歯が白く光った。胸が熱くなった。打算も何もなく、その胸に飛び込みたかった。

高いスツールにリサがよじ登るように座ると、岡崎の顔が急に引き締まった。

「じつは……」

聞こえなかった。岡崎ははっきり言ったのだろうけれど、聞こえなかった。聞きたくなかった。リサの両耳はスピーカーから流れてくるサックスの音だけを拾っていた。

岡崎は言葉を続けた。

「式は再来月なんだ」

式。式といえば、つまりそういうこと。

なぜ？

私は何も聞いていなかった。

茫然《ぼうぜん》としながら、リサの口元は笑っていた。岡崎からは「ごめん」の一言もない。あるわけがない。リサとの間には、結婚の約束などない。肉体関係ももちろんない。はたして恋人同士といえたのかどうか、ということになると、これもよくわからない。結婚と違って恋人宣言なんてするわけではないからだ。

お茶を飲んで、食事をして、キスをして、ついでにおんぶしてもらった。それがすべてだ。それを結婚に結びつけたのは、自分の方だけだった、というのだろうか。

泣きたい気分なのに、笑っていた。

泣けるはずがない。

別にあなたを恋人だなんて思ってなかった。だからあのとき、拒んだのだもの。

最後のプライドだ。泣いたら自分だけがめちゃくちゃに傷つく。

笑いながら妙にはしゃいだ声で尋ねていた。

「おめでとう。で、相手はだれなの」

岡崎は照れたように笑い、答えなかった。

「すごい急ね。でも、どうしていきなり結婚を決意したの？」

この際、一番聞きたいことだ。

「子供がね、できちゃったんだよ」

岡崎は、天井を向いて自分の頰を撫《な》でた。

「子供？」

リサは茫然として、岡崎をみつめる。そんなことで、決意したのか。しばらくこのまま、あと三、四年は独身でいたいと言った男が。

「長いおつきあいだったの」

恋人がいながら自分とつきあっていたのだとしたら許せないと、自分のことを棚に上げて

リサは思った。

「いや、最近なんだけど、なんだかものすごくひたむきな子で」

恥ずかしそうに、岡崎は笑った。

「そう、ひたむき、なの」

ずきり、と胸が痛んだ。

「興味もなかったんで、何やかや断っているうちに、雨の降った日にうちにやってきたんだ。びっしょり濡れて。いや、据《す》え膳《ぜん》食うって感じじゃなくて、捨身でやってきたのがわかるだけに、なんというのか、ま、そういうわけで、そうなって」

「捨身……ああ、そう、捨身なのね」

「そうしたら『別に結婚してほしいなんて、思わない。ただ、すごく幸せ』って言われてしまって。そうするとなんて言うのか、いじらしいってああいうことなのかなって……。こっちとしては、それでも、うまいことしたなって感じしかなかったんだけどね、十日ほど前に妊娠したけどどうしようって、電話がかかってきた。でも、結婚してくれなくてもいい、って泣かれてしまった。それで堕《お》ろせって言える男は、人間じゃないよ。そう思うだろう」

「すごく……いい話ね」

目が潤んできた。感動の涙のわけがない。悔し涙だ。エリートということで類型化したために、岡崎の性格を読み違えた。認識不足からきた完全な作戦ミスだ。

やることとやって妊娠したら、責任とって結婚する。彼はそういう単細胞だった。

いや、違う。

ひどい頭痛がしてきた。

恋の駆け引きは、一途《いちず》な思いにはしょせんは勝てない、ということだ。なぜそんなことに気づかなかったのだろうか。

「いいお父さまになれるわ、きっと」

明るく言って、席を立つ。

「ありがとう」と岡崎は答え、カップの中のコーヒーを一息で飲み干した。

震える手でコーヒー代を置こうとすると、岡崎がたくましい手で押し止めた。

「なにしてるんだよ、ばかだなあ」

くったくなく笑っていた。

「あ、ほんとう、ごちそうさま。それじゃお幸せにね」

手を振って別れ、一人になったとたん、涙があふれてきた。

あのとき痛む膝に触れた暖かい手のひらを思い出した。たくましい背中を思い出した。岡崎は逃した魚なんかではない。

本当に、好きだった。こちらの気持ちだって、一途だったのだ。その捨身女と同じように。

策士、策に溺《おぼ》れた。

涙を拭きながら、リサは社に残ってまだ残業をしている紗織に電話をかけていた。

泣きつくほどの親友だとは今まで思っていなかったけれど、今、だれかに話を聞いてもら

いたかった。

「いいよ。すぐ行く」

紗織はそう答え、三十分後には、新橋近くのパブに現われた。

「どうしたのよ」

サマーウールのジャケットの袖口《そでぐち》をまくり上げ、ドライマティーニを注文しながら、紗織は尋ねた。

「ふられたのよ、たった今ね」

低い声でリサは答え、そしてあのテニス合宿の後にあったことを洗いざらい話した。

「へえ、気の毒に」

紗織は肩をすくめた。

「もうちょっと、言い方があるんじゃないの？」

リサはあきれて、紗織を見上げた。

確かに事実だけ取り出せば、これほど迫力に乏しい話はない。三ヵ月前に知り合い、一緒にお茶を飲んでキスしたことのある相手が、他の女と結婚する、という、たったそれだけのことだ。

「だって、気の毒じゃない。あんなゴリゴリの保守的な男とくっつくなんて」

「へ？」

「だから、相手の女が、よ。だれだか知らないけど」

「紗織から見れば、男らしい人はだれでも保守的になるんじゃないの。でも、私は好きだったのよ。それは、少し、打算もあったけど、それがこんな形で終わるなんて……なんだか自分で自分がやんなっちゃって」

リサは言葉を切った。これ以上何か言ったら、涙で声が消えそうだった。

「こんな形で終わるって？」

「ねえ、どうしてその気もないのに、キスなんかするのよ。なぜ、部屋に呼んで、あんなことしようとしたの？」

「前の男とは、最後までやってたんでしょ」

醒《さ》めた声で紗織は遮った。返す言葉がない。

「ねえ、紗織……やっぱり一途な思いを打ち明けられて、自分の子供ができたって思ったら、いとおしいものなのかしら」

紗織は鼻の先で笑った。

「ハメられたんだ、あれ、バカ男だから」

紀子の結婚退職が課長から告げられたのは、翌日の昼前だった。

「本当に、あのときテニス旅行に誘っていただいたおかげなんです」

茫然として言葉も出ないリサの胸中など何も知らず、恥ずかしそうに報告にやってきた紀子は、しまりの悪い唇に、あいかわらず少し口紅をはみ出させていた。

もうつわりが始まっているそうで、かさついた白い顔をしているが、それでもその様子には、まもなく花嫁になる人らしい初々しい華やぎが見える。

「うそー、でもよかったね、ほんとうによかったね」と一段と高い声で祝福して、やりすごした後、「ああいうことだったわけね」とつぶやいていた。

「意外と言えば意外だけどね」と、後ろで紗織が答えた。

「でも、考えてみると、最初から勝負はついてたな」

「どういうこと？」

「つまりね」と紗織は、一呼吸置いてから言った。

「あの旅行のとき、岡崎がビールこぼしたのを覚えている？」

「ええ」

「リサはすぐに厨房に飛んでいって、布巾、取ってきたでしょ」

リサはうなずいた。あのときは、これで女を上げたと思ったものだ。

「紀子はね、自分のハンカチをさっと出して、それもピンクの花柄のをよ、それで岡崎の足元にひざまずいて、ズボンを拭いたのよ」

「なんですって？」

「その後にかけつけて、テーブルと床を拭いてた自分は間が抜けてるって、思わない」

紗織は、そこまで言うと、けらけらと笑い出した。

「うれしそうじゃないの」

憮然《ぶぜん》としてそう言った後で、なんだか何もかもがこっけいに思えてきた。思わず無力な笑いをもらし、笑いながら涙がこぼれてきそうなのを堪えていた。

どこまでが、紀子の計算のうちだったのかはわからない。しかしその後、岡崎の気持ちがどんなふうに揺らいだものか、リサにはなんとなく理解できた。いまさら悔しがったところで、どうにもならない。

白い衿《えり》のついたクリーム色のゆったりしたワンピース姿で社内を挨拶《あいさつ》回りした紀子が、両手に抱え切れないくらいの花束を抱えて、T火災から去っていったのは、それから二週間後、九月の半ばのことだった。

シャトレーヌ《城主》

「どうです、こうして見ると、１ＬＤＫと思えない広さでしょう」

販売担当の男は、洗面所のドアを開けて中を見せた。

「本来なら、２ＬＤＫの広さのところを思い切りぜいたくに使ったわけですから」

康子は、体を横にして男の脇《わき》を擦り抜け、中に入る。

洗面台はシャンプードレッサーになっている。脱衣室もゆったりしていて、磨《す》りガラスのドアを開けると横長のこれまたゆったりしたバスタブがあった。

「ホテル感覚でしょう。従来の１ＬＤＫは、単身者だから、玄関なんか狭くていい、ユニットバスでいい、みたいな発想で作られていましたが、最近のＯＬの方はそんなことでは満足しなくなってますからね。たとえば、ですよ」と担当は、もう一度、康子を玄関に連れていった。

「こんにちはと、お客様が玄関に立たれる。リビングが丸見え、嫌ですよね。特に女の方の

一人暮らしなら、よけいに」

たたきに立てば、確かに正面がホールの壁だから、中は見えない。クロゼットは三ヵ所、半円形に突き出たバルコニーは狭いが、風呂場《ふろば》に乾燥機がついているので、不便はない。モデルルームの隣にあるマンション本体はすでに八分通りできている。井の頭線久我山《くがやま》駅から商店街を抜けて一分三十秒。隣はコンビニエンスストア。しかも斜め前が交番。家探しを始めて半年目。ようやく見つけた理想の物件だ。会社を休んで見にきたかいがあった。

問題があるとすれば、五千百万という価格だけだ。税金や諸費用含めて、二百万を上乗せして、五千三百万。

「金利が安くなっていますからね。しかも公庫融資がきく物件ですから。お値段の安いワンルームをお選びになる方がいますけど、あれはお薦めしません。公庫融資がついてないと今後、売りたいときに売れませんからね」

販売担当は、康子の顔色を読んだように、耳元で囁《ささや》いた。口中清涼剤のミントの香りがきつい。康子は電卓を叩《たた》いた。保険会社に勤めて十三年、堅実極まる生活で貯《た》めた債券や投信が三千万……。これを頭金として借金は二千数百万。六十まで勤めるとして、三十年ローンを組めば、家賃感覚で返せる。

私の家、私の城、なんと魅力的な言葉だろう。一日の仕事を終えて帰ってくる家がある、年を取ってもだれにも追い出されることがないという安心感。

時計を見た。午後の四時を回ったところだ。急いでモデルルームを出て駅に戻り、そのま

ま馴染《なじ》みの証券会社にかけつけた。

営業時間が終わっているので、通用口のインターホンを押して担当の証券レディの名前を伝える。シャッターが細く開いた。そこをくぐり抜け、客のいない店頭に入る。

「あら、いらっしゃいませ」

担当の証券レディが奥から走り出てきた。

「ごめんね、こんな遅くに」と謝ると、「いいんですよ、遠慮しないで」と笑ってお茶をいれてくれた。バブルの前も最盛期も、そして熱の引いた今も、少額ながら変わらずつきあってきた康子に証券レディの応対は良い。

「実はね、マンション、買うの」

「まあ」

相手は、目を丸くした。

「すごいですね。今の若い人たちはがんばりますね」

そろそろ中年にさしかかった証券レディは苦笑して続けた。

「うちなんか、一生、公団の賃貸から出られそうにないけど」

それから康子の話の先を予想したのか、緊張した表情になった。

バブル期に一気に膨《ふく》らんだ債券やら投信やらが、再投資されて、いったいいくらになっているものやら、康子に正確なところはわからない。

「頭金……必要なんですね」

「ええ」

証券レディの顔から完全に笑みが飛び、カウンター脇の端末をおもむろに叩き始める。

「一千万……」

相手は画面から顔を上げて答えた。

「一千万？　嘘《うそ》でしょう」

いくらバブルが崩壊したといっても、株に手を出していない康子の資産が、三分の一にまで減るわけはない。

「いえ……だから国債とか、クローズ期間が明けてない投信などがほとんどなんです」

血の気がすうっと引いていった。特に使い道がないために、クローズ期間が明けると、そっくりそのまま新たなものに再投資していたのだ。それらがみんな凍結している。

「あの、すぐ売れるオープン投信もあるはずです」

手元のお茶を一気に飲み干し、咳《せ》き込みながら尋ねた。

「それが、そのう……」

相手は口ごもった。

「お買いになったとき、日経平均が上がりきってたでしょう。全部、割れちゃってて」

証券レディは、プリントアウトされたものを躊躇《ちゆうちよ》しながら康子に渡した。

手渡された数字を見ても、一瞬意味がわからなかった。

４４５６　６６６２　５１３１……。額面一万円のオープン投信の今日の価格だ。

「これを今解約してしまうと、大幅に損してしまうんですよ。だから一応、それほど額面割れがひどくないのだけ売るとすると、一千万くらいに」

「私……株、やってなかったのに」

康子は泣きそうになりながらうったえた。

——元本保証はしてないですが、まず大丈夫ですよ。ええ、だってそうでしょ。危ない商品は、一般のOLの方にはお薦めしません。利回りはあんまり良くないけど、貯金感覚でできる安全な信託投資だから——

確か、そう言ったはずだ。働いて、毎月の給料日に十万、バブルの頃のボーナス時など百万もの現金をこの女性に渡してきた。そういえばたまに、「ねえ、新商品なの、五十口でいいから買ってくれない？」という切羽詰まった口調で電話がかかってきて、何かわからないものを買ったときもあった。しかし康子自身は、株で当てようなんて考えもしなかった。郵便局より、銀行より、利息のいい貯金。そう、投資ではなく貯金の感覚だった。

社内には給料天引きの貯金はあったが、利率は良くなかった。いや、例外はあった。財形貯蓄だ。この超低金利時代でさえ、7パーセントで回る預金。そして住宅購入のために、社員がその貯金を担保に金を借りるとき、なんと金利は3パーセントに抑《おさ》えられる。ただし利用できるのは、男だけだ。女は7パーセントで運用することも、3パーセントで借りることもできない。

康子は唇を嚙《か》んだ。女が家を持ってはいけなかったのか。あれができたら、自分だって証

券会社の馴染みになどならなかった。

萎《な》えていく気持ちを奮い立たせ、額面を二割以上割っているものを除き、一、二割の損に目をつぶって売るとして、全額をはじき出す。

一千五百万だった。胃がせりあがってきた。

「よくお考えになって……」

証券レディの口紅のはげかけた唇がしゃべっていた。この人だって辛いのかもしれないと、ふと思った。焼けつくような炎天下、季節はずれの大雪の中、十万そこそこの金を投資する者のために、毎月手《て》土産《みやげ》をたずさえ会社にやってきた。その結果がこれだ。

とにかく一千五百万あれば、五千万の物件の三割はカバーしている。しかし借金は四千万。常識的に考え、返す額は八千万以上。

「今日の百万は、来年の一千万や。あんた、現金ちゅうのは、そういうもんやで」

保険会社のカウンターに来ては、そう叫ぶ客が昔いた。バッタ屋の社長だった。内心軽蔑《けいべつ》して聞いていたその台詞《せりふ》の深刻な意味を、康子は痛切な思いでかみしめていた。今、現金以上に強いものは世の中にない。

証券会社を出て、家に急いだ。季節は秋に向かっていたが、今年は格別残暑が厳しい。照りつける西日に顔をしかめながら、アパートの階段を上った。異臭が漂っている。隣に住んでいるのは、子沢山の夫婦だ。回覧板を持っていったとき目にした家の中は、ポルターガイストの暴れ回った後のようで、すえたにおいが鼻をついたものだが、夏場はそれが廊下にま

で流れてくる。

自分の部屋に入り、シャワーを浴びようと風呂場に直行する。壁から天井までが、先週、掃除したばかりなのに黒かびでおおわれている。

ブラウスを脱ぎながら、気がめいった。四千万の意味を考えてみた。そこまでして、家を買う意味は、どこにあるのだろう。家というのは、いったい何なのだろう。鳥は卵を産むとき巣を作るし、人は結婚したり、子供が大きくなったとき、家を持つ。しかし自分は未だに一人だ。実家の両親は、とうとう家を持たなかった。県営住宅で一生を終えるつもりだ。そういう生き方もあるが、持ち家のないところで育ったからこそ、康子は帰る家がほしい。

お湯になったり水になったりするシャワーを浴びながら、どこから金を借りようかと思いをめぐらせる。

まずは住宅金融公庫、そして社内融資、残りは銀行というのが常識的な線だ。親に泣きつくことはしたくない。結婚もしないで何を言うかと、一喝されて終わりだ。第一、親だってそれほど金はない。

しかし社内融資については、退職したときに残金を一括返済しなければならない。職のない人間に金を貸す銀行はないから、つまり返し終わるまで会社を辞められないということになる。建前上は、そうして定年まで働けばいいのだが、会社幹部の本音としては、会社に「女の子」は必要だが、「おばさん」はいらないのである。さらに定年間際の「ばあさん」はもっといらない。家を買うために多額の金を借りようとした段階で、社内の「おじさん」

「じいさん」連から、有形無形の圧力がかかる。それが陰口、嫌味という心理的圧力か、家から遠い支店への転勤という実際的圧力か予想はつかない。

その会社がＰＲ誌に、総合職の女性社員の笑顔を載せ「女性の時代」などとうたっているのだから、世の中わからない。

電話が鳴った。慌ててバスタオルを体に巻きつけて出る。同じセクションのリサからだ。

「今度の日曜日、行きます？　稲尾係長の家の引っ越しがあるんですけど」

「引っ越し？」

思い出した。同期入社の稲尾は、大卒なので四つ年上だが、今年係長になった。調子だけはいいが、仕事をしない男だった。遊び人でならしたその男が、ついに結婚することになって、それに先立って住宅を購入した。

「引っ越しの片付けなんて午前中ですむんで、後は、豪邸で独身最後の大宴会やろうって話なんですけど。会社の男の人達も来るんですって」

「豪邸で、ね……」

「鶴見《つるみ》に一戸建なんて、夢ですよね。男の人って、遊んでいるように見えても、やるときはやるんですね」

スキー、パラグライダー、ゴルフ、もろもろの趣味と、女とのつきあいとそこから発生したトラブルで金を使い続けた男にも、会社は康子達の二倍近い給与を払い、７パーセントの財形貯蓄を許し、３パーセントで融資する。

「リビングなんか十六畳で、2階にサンルームはあるし、サウナまでつけちゃったんですって」

「すてきじゃない」

康子はあいづちを打ってから、つけ加えた。

「でもちょうど実家の親に呼ばれてて、そっち行かなくちゃならないの」

「もしかして、お見合いとか……」

「まさか」

笑って答えたが、ただでさえむかついている腹の中は、弾ける寸前だった。

「じゃあ、また、明日。誘ってくれたのにごめんね」と言って、置いた受話器は我知らず荒っぽい音がした。

気がつくとベランダのカーテンが開け放してあった。手を伸ばして閉める瞬間、数メートルしか離れていない向かいのマンションの窓から、男の顔が引っ込んだ。慌ててバスタオルを引き上げるが遅い。

ため息をついて、今日見てきたマンションのパンフレットに視線を落とす。広々とした独身女性用1LDKは手の届かぬ物件になっていた。四千万の借金というのは、年収四百五十万の身には重すぎるというのは、落ち着いて考えてみればすぐに判断がつく。

パンフレットの写真にあるオープンキッチンの大理石の天板や、白い飾りのある半円形のバルコニーなどを見ているうちに、ふと、何かが違うという気がしてきた。自分が求めたの

は、こんな風にしゃれて機能的な部屋ではない。第一、三つもクロゼットがあったって、入れる服なんかない。転がして一儲《ひともう》けするための家ならいらない。

気に入った民芸家具などを置いて、帰ってきて畳の部屋でくつろぐ。南側の広いベランダで休日は布団を干し、プランターにハーブを植え、将来、事情によっては親を呼んで一緒に暮らせる、欲しいのはそういう家だ。

これってイソップの酸っぱいぶどうかしら、と一人で苦笑した。


「どうでした？　マンションは」

翌朝、早めに出勤して給湯室でお茶を淹《い》れていると、紗織が顔を出した。康子は首を横に振った。

「せっかく、休暇取って見にいったのに」

「高すぎたわ」と答えると、すかさず「ビッドはいくらくらい？」と尋ねてくる。

「一千五百」

「すごい。貯めてるって噂《うわさ》はあったけど」と言ったきり、紗織は絶句した。

十三年も勤めていれば当たり前ではないか、と康子は思うが、彼女達の常識は少し違う。車、海外旅行、各種習いごと、洋服、外食。彼女達の金の出る先は無限だ。

康子が茶がら入れをたわしで洗っているのをぼんやり見下ろしていた紗織が、ふと思いついたように言った。

「そんなに持ってて、不動産屋で買うなんて、ばかですよ」

「不動産屋でなく、どこで買うのよ」

「裁判所に行けばいいじゃないですか」

「裁判所？」

「競売があるでしょ。バブルの後始末で捨て値で出てるのありますよ。今日、支店に書類届けにいくでしょ、その帰りに地裁に寄ったらどうですか」

倒産、ローン破産、夜逃げ、あらゆる形の人間悲劇を秘めた、格安物件。あることは知っていたが、人の不幸を安値で買いたたくようでなんとなく気がひけた。

しかしその日の午後、使い走りのその仕事が思いのほか早く終わった康子は、地下鉄を一駅手前で降り、紗織に言われた通り、東京地裁に行ってみた。しかしそうした物件は、どこにも貼《は》りだしていない。

玄関を入ってしばらくうろうろしてから守衛に尋ねると、3階の一室で閲覧させてくれると言う。

扉を押してその部屋に入ったとたん、康子は異様な熱気にたじろいだ。

狭い部屋に、人がひしめいている。汗とヘアトニックの入り混じったにおいが鼻をついた。びっしり並べられた長机の上で、男女入り乱れ争うようにファイルをめくっていた。サラリーマンのようではあるが、どこか堅気でない。スーツは着ているが、なんとなくやまっけを感じさせる、その筋のプロと見える人々の集団だった。

とにかくその満員電車のような人の群れをかき分け、物件目録に近づく。

「最低売却価格　1億5126万　練馬区大泉学園……」

別に安くはない、と思いながら次を見てあっと声を上げた。

「マンション一棟　賃借権あり」

一部屋ではない、建物一つが丸ごと売りに出されている。これで中身の住民ごと買えれば、家賃が入ってきて左うちわだが、一億何千万などというのは夢のまた夢だ。

次のページをめくる。1782万円のマンションが大崎にある。まず手始めに、この物件明細書の写しを見せてもらう。分厚い書類だ。間取りや評価額の算定法に続いて、添付されている内部写真を見て、康子は息を呑《の》んだ。

ソファや子供の机の上に積み重なった服、下着。破れた襖《ふすま》。半分開いたカーテン。台所のテーブルの上には、かじりかけの食パンが載っていて、手前に写っているのはミッキーマウスの絵のついたマグカップ。

胸をつかれた。この写真はどうやってとったものなのだろう。そしてこの一家はどういう事情があって、この部屋を手放すことになったのだろう。尋常でない荒れ方が、この子供のいる一家の追い込まれた状況を想像させる。

後ろめたい気分で、そのファイルを全部コピーし逃げるように閲覧室を出て、説明書に従い、書類をもらいに執行官室に行く。ここはそれほど混んでいない。

正面に座っている中年の執行官におそるおそる近づいていく。

「あの……初めてでよくわからないんですが」

相手はちょっとうなずき説明書きを見せ、入札に参加するには、最低売却価格の二割の金を保証金として振り込まなければならないこと、もし落札した場合、二ヵ月以内に残金を払い込まなければならないこと、等々を話した後、康子の顔をじっとみつめた。

「物件明細はよく読みなさいよ。不動産屋のとは違うからね。いいですか、特に別紙のところはちゃんと読みなさい」

少し怖いが、親切そうな人だった。康子は神妙な顔でうなずき、いったん部屋を出た。それから再び、閲覧室に入った。執行官と話して、少し落ち着いてきた。ここまできたついでだ。何件か見ていくことにする。

地下鉄南阿佐ケ谷《みなみあさがや》駅から徒歩二十分、最低売却価格1784万というのがあった。駅から遠いが、バスがあるかもしれない。明細の閲覧申込書を係員に出す。

今、他の人が見ているので少し待つようにと、係員は言う。しかも康子の前にも閲覧希望者が二人ほどいるらしい。

「人気物件なんですか」

そう尋ねると、係の老人は、眼鏡を片手でずり下げ、康子を見上げた。

「私達は、そういう質問に答えられんのですよ。状況は見ての通りです」

確かにその物件に人気があるかどうかなど、競売に携わるものが教えられるはずはない。1784万というのは、あくまで最低価格であって、いくらの値段がつくかわからない。人気があれば、価格は吊《つ》り上げられる。そうして見るとここの場所の異様な熱気の正体がわか

った。だれもが、最低価格に限りなく近い線で落札しようと、躍起になっているのだ。十五分ほどで、そのファイルは康子の手に渡った。

88・74平米。12階建の12階部分にある３ＬＤＫだ。駅から歩く距離が長い。バス路線はあるが、ひどい回り道で、雨の日などは間違いなく渋滞しそうだ。そして築十八年、南北に長い長方形という無愛想な間取り。この前のモデルハウスに比べて、条件はぐんと落ちる。

しかしこの値段だ。古くても大手建設会社の建てたものなので建物自体はしっかりしているし、メンテナンスも行き届いているだろう。むしろバブル期に建てられた半端に新しいものよりトラブルが少ないというのは、マンションを探すうちに仕入れた知識だ。

玄関を入るとすぐにＬＤＫとそれに連なる洋間。南側に八畳の和室と洋間がある。広いバルコニーのついた建物の南側は、庭になっていて、陽のさんさんと当たる生け垣に山茶花《さざんか》が咲いている写真がついている。生け垣の向こうは、善福寺川《ぜんぷくじがわ》に面した緑地だ。人気があるはずだ。これだけで、もう何も言うことはない。

古くて公庫融資は受けられないが、二千万以下で、しかも転がす目的で買うわけではないから関係ない。通勤に不便だが、深夜飲んで帰ったりしなければそれで済む。コンビニが遠くても、レストランがなくても文句は言うまい。

そのとき後ろから肩を叩かれた。

「ちょっと、おねえさん、それ早く見て貸してよ」

生臭い息が首筋にかかった。振り返る。模様入りのゴルフシャツに、茶色の上着をひっか

けた男が、太い指で康子の見ているファイルを叩く。とっさにその指を見る。一応全部揃《そろ》っている。しかし黒ずんだ瞼《まぶた》と、薄笑いを浮かべた分厚い唇に、思わず不穏なものを感じ震え上がった。

返事をせずにコピーを申し込む。

「おねえさん、それ本当に買うの？」

ねばりつくような声で男は囁いた。

「素人だろ。こんなとこに出るもんには、手を出さないほうがいいよ。おねえさんには無理だよ」

相手の顔を見ないようにして、急いでコピーする。

「人が住んでたらどうすんの？　追い出すのに二十年かかるよ。元の持ち主が庭先の植木にぶらさがったりすることもあるんだよ」

コピー機の隣にきて、体を押しつけてくる。混み合っているので、逃れようもない。

「ああ、ついでにこれもコピーしていきな」と入札方法を書いた紙を持ってきて渡す。

「ほら、保証金いるんだよ。選挙と同じ、だめなときは取られちまう」

「ずいぶん親切じゃないかよ」ともう一人の男の声がする。康子はもう振り返らない。黙々とコピーボタンを押す。

「人が親切に忠告してやっているのに、しょうがないんだよ、このおねえさんは」

「素人は怖いからな。相場知らないんで、えらい高い値段をつけてさらっていったりする」

コピーを揃えてカバンに入れ、金を払って部屋を飛び出した。廊下に出ても足が震えていた。

階段を下りかけると、不意に肩を叩かれた。ひっ、と悲鳴を上げて飛びすさる。スーツ姿の小柄な男が立っていた。

「閲覧室にいらっしゃいましたよね」

「はあ……」

胸を撫《な》で下ろす。変な人間ではない。

「物件明細の見方、わかりますか？」

眼鏡をかけて髪を七三に分けた、さきほどの執行官とよく似た雰囲気の男だった。

「あ、はい……」と康子は手にした封筒から明細のコピーを出した。先に見た方の大崎のマンションのが出てきた。カバンを左手に持ちかえ、男はすばやくそれをめくり、「ごらんなさい」と康子の前に差し出した。

――別紙　本件建物につき、田中成美は賃借権を主張し、石川道男は転借権を主張して居住しているが、この賃借権及び転借権は、次の通り正常なものと認めない――

「なんですかこれ？」

「つまり債務者が、執行を妨害する目的で人に貸してしまった。仮にあなたが競落《きょうらく》したとしても、居住権が発生しているときには、簡単には追い出せない。ちょっといいですか」

男はすたすたと裏口に向かうと、こちらを向いて手招きし、あるドアを開けた。地下へ下

りる階段があった。下は売店や食堂になっている。男は喫茶コーナーに康子を連れていった。

康子はテーブルの上に、もう一つの南阿佐ケ谷の方の明細を出した。欲しいのはこちらだ。祈るような気持ちでめくる。先程のような注意書きはついていない。

「いいですか？」

男は康子の目を覗《のぞ》き込んだ。

「明細にないということと、実際にだれも住んでないということとは別ですよ。はっきりと『認めない』とここにあるのは、まだ質《たち》がいいんです。ここに載ってないケースでは、強制執行もかけられないですからね」

「ここに載ってないなんて、そんなことあるんですか？」

「手続きが始まったとたん、妨害目的でこういうところに住みつく商売もあるんですよ。競売というのはですね、はっきり言ってもっとも効率のいい、やくざのしのぎなんです。素人が手をだせない、というのは、こういうことです」

うなだれて康子は明細をながめていた。それにしてもこの親切な人は、だれだろう。裁判所の人か、それとも弁護士か。男はしばらく沈黙していた。それから口を開いた。よく聞こえなかった。

「今、なんと？」

「私に任せませんか？　あなた、この物件が欲しいんでしょう」

「え？」

「トラブルなく、そしていかに安く競《せ》り落とすかが、競売のすべてです。あなた一人で複雑な法律関係がわかりますか、相場が読めますか？」

「はあ？」

「あなたに相場が読めるのかときいてるんです」

「そんな……相場だなんて」

「まかせなさい。私に八十万預けなさい。悪いようにはしません」

康子は腰を浮かせた。男は黙って康子の腕を摑《つか》んだ。男の実直そうな面影はいつのまにか一変し、目元にいびつな笑いが浮かんでいた。

「最後まで聞いて。何も今すぐとは言わないですよ。現金でなくてもいいです。私とつきあって損はありません。こう見えても永田町界隈《かいわい》には、顔がきくんですよ、私は」

康子は男の手を必死で振りほどいた。スカートのスリットも裂けんばかりに大股《おおまた》でかけだし、階段を一段抜かしに上り、そのまま会社まで走った。オフィスに戻っても、しばらくの間、動悸《どうき》がおさまらなかった。

隣で紗織が涼しい顔で端末を操作していた。この人には教科書で習った競売の知識しかなかったのだろう、と康子は思った。

日曜日の朝、うちわ太鼓の音で目がさめた。右隣は、悪臭を漂わすだらしない一家、そして左隣は、ある宗教団体の幹部夫婦である。

康子は、上半身を起こした。ベニヤ合板の洋服ダンスに朝日が当たっている。その脇に、やはり合板の折畳みテーブルが立て掛けてある。鈍い頭痛がした。発作的な虚《むな》しさがこみあげてきた。

昔、ここに来ては泊まっていった男がいた。薄汚れた壁も合板の家具も、その頃は気にならなかった。どうでもよかった。景色のすべては輝いて見えた。しかしそのカメラマン志望の男は半年かけて、ただの厚かましいヒモに変わっていった。

最後に大喧嘩《おおげんか》して追い出してから、四年が経《た》ち、部屋は元通りの安普請のアパートに戻った。いまさら恋という名のばら色のめくらましは、きかない。どんな部屋でも好きな人といられれば幸せという時期は過ぎてしまった。だれが訪れようが、砂漠は砂漠だ。一緒に住む人間に期待するよりは、自分自身の落ち着き場所をみつけたい。

康子は息を一つ吸い込むと布団を勢いよくはねのけた。入札期間はあと三日しかない。とにかく現地を見てみよう。買う、買わないはそのあとだ。

パンと昨夜の残りのマリネで朝食をすませ、例の競売物件目指して、南阿佐ケ谷に向かったのは、昼近くだった。

朝の晴れ間は、一時的なものだったらしい。十時すぎには、空はどんよりした雲に覆われ、大粒の雨が降り始めた。焼けつくような残暑の後だけに、秋雨と呼べるくらいの降りならむしろ心地良かったかもしれないが、嵐《あらし》を思わせる横殴りの雨だ。

丸ノ内線の階段を上りきり、外に出たとたん、歩道を叩く雨で膝《ひざ》から下がびっしょり濡《ぬ》れ

た。地図を頼りに南に歩き出す。車が追い越しざまにしぶきをかけていく。

次の曲がり角で歩道はなくなり、殺風景なブロック塀に貼りつくように歩く脇を車がひっきりなしに追い越していく。

ブロック塀の切れた先は、さらに道が狭くなる。脇は、と見ると墓地だ。他の道はないものかと地図で確認すると、広い道はあるがかなりの遠回りになる。しかしありがたいことに、墓地の脇をぬけるかぬけないかのうちに、交番があった。

吹きつける雨は薄手のジャケットを通し、下着までしみてきた。ぴったり二十分歩いたときに、住宅地の屋根ごしに、白っぽい高層建物が見えた。北側から眺める建物の壁は、雨の中で陰鬱《いんうつ》な色合を帯びていた。

小走りになって近づいていく、膝の上まではねが上がる。かまわず走る。

古いながらも大理石の堂々たるエントランスが見えてきた。その脇は半地下になった駐車場だ。しかし入り口脇に、黒塗りのリムジンが止めてある。ベンツだ。車体も黒いが、窓も黒。フロントガラスは辛うじて中が見えるか見えないかの黒。こんな邪魔な場所に止めても、だれも文句を言えない人種の乗り物だ。

1784万の意味を康子は、もしやと予想した。こちら関係の事務所がある、ということか。とりあえず中に入る。

エレベーターに乗って、12階で下りたとたん、黒スーツが目に飛びこんできた。薬物中毒とおぼしい異様に青白い顔の男だ。目が合った。何も言わない。やはりそうか？

小走りに廊下をいく。物件明細を取り出し、部屋番号を確認する。そのとき後ろに影が立った。振り返る。先程の黒いスーツではない。雪駄《せった》にゴルフシャツ、パンチパーマ、絵に描いたようなチンピラだ。無言のまま康子の肩ごしに、明細書を見ている。

慌ててそれを小脇に抱え、廊下の突き当たりまで走る。膝が震えた。

「その部屋ならここですが、何かご用ですか」

ばか丁寧な言葉遣いに凄味《すごみ》をきかせて、黒スーツがやってきた。建物の一番西端のドアにネームプレートが貼ってあった。

「山崎」という名字の脇に、何かの葉の紋章。康子は後退《あとずさ》りした。この前、あの裁判所にいた詐欺師とおぼしい男が言ったとおりだ。明細書に必ずしもすべてのことが記載されているとは限らない。

横合いから黒スーツの手が伸びてきて、康子が抱えた明細書をひょいと取り上げた。

「実は、我々が住んでましてね」

「おねえさん、不動産屋のバイト？」

パンチパーマがどす黒い大きな顔を寄せてきた。

逃げ出そうとしたものの、膝が震えて動けない。茫然《ぼうぜん》と男を見上げたまま、首を横に振った。

「そうか、自分で買うのか？」

男達は、顔を見合わせて笑った。

「このおねえさん、ここを買うんだと。そうか、女だてらに物件転がすのか」

パンチパーマがそこまで言って、いきなり声色が変わった。

「ふざけんな。人が住んでるところ、うろつきやがって」

康子は後退った。

「とっとと失せろ」

怒号が廊下に反響した。康子は凍りついたまま、男達と表札の代紋の間に忙《せわ》しなく視線を行き来させた。

「聞こえねえのか、うらなり茄子《なす》みたいな面《つら》しやがって、このドブスが」

反射的に背筋が反り返った。

今、何と言った？

逆鱗《げきりん》というものがある。人それぞれコンプレックスというものがある。

うらなり茄子だと、ブスだと。しかもご丁寧に「ド」までつけてくれた。

地味な顔をした人、気立ての良い娘、そう言われ続けてきた。そして馴染んだ男の、「性格と身体《からだ》はいい」という言葉。その言葉の裏の意味を否応なく感じ取り、そのつど傷ついて生きてきた。

親からもらった顔だ。細い目も、少し突き出た唇も、うらなり茄子の輪郭も、自分ではどうしようもない。どうしようもないことを今、このチンピラは口にした。

頬《ほお》がかっと熱くなった。康子はパンチパーマの顔を上目遣いに睨《にら》みつけた。

「返しなさいよ」

手を突き出した。相手は一瞬、ぎょっとした顔をし、すぐに薄笑いを分厚い唇に浮かべた。

「明細書、返せ、このドチンピラ」

叫ぶと同時に、相手が脇に挟んだそのコピーの束を力任せに引き抜き、くるりと背をむけてエレベーターのところまで走った。泥水を吸った革靴が、ぐちゃぐちゃと音を立てた。チンピラが耳元で何か怒鳴っている。聞こえない。息が弾んで、頭がくらくらした。恐怖などない。怒りだけだ。

エレベーターに乗った。彼らは追って来なかった。エントランスに戻ってすこし落ち着いた。

見に来て正解だった。知らないで落札したら大変なことになっていた。家と一緒に、中身のやくざまで買うところだった。

そのとき、本当に正解なのか？　と、疑問が頭をもたげた。

自分はなにも悪いことはしていない。真面目《まじめ》に働き、10《テン》パーセントの税金を納めて、独身ゆえ何の控除も受けられず、何の手当ても支給されず、なぜ自分だけがまともな家さえ持てないのだろう。その上、チンピラに「ブス」と罵倒《ばとう》された。

怒りが戻ってくる。止めてあるリムジンが目に入った。フロントガラスを叩き割るなりあの部屋に爆弾入りの宅配便を送り付けるなりしてやりたい。しかし残念なことにこちらは堅気だ。連中と非合法で張り合うノウハウがない。

ずらりと並んだ郵便受けに、なにげなく目がいった。ほとんどの郵便受けには鍵《かぎ》がついている。あの部屋は、と見ると鍵がない。康子は蓋《ふた》を撥《は》ねあげた。雪崩《なだれ》のように中身が落ちてきた。慌てて拾う。宅配ピザ、クリーニング屋の新規開店、健康食品、心霊占い、学習塾、ありとあらゆる広告が詰め込まれ、そのまま堆積《たいせき》していたが、郵便物の類はない。もうずいぶん前から、実質的には空き家になっているのだ。

郵便受けの隣にインターホンがある。部屋の番号を押せば相手が出るようになっている。さすがに、その部屋番号を押す気にはなれず、隣の番号を押した。

「はい」

女の声が出た。康子は尋ねた。

「あのすみません、隣の1207号室を買いたいと思っているものなんですが、ちょっと教えていただきたいことがあるんですが」

言い終えぬうちに、「うちは近所づきあいはありませんので」という答えが帰ってきた。

「あの、どんな人が住んでいるか知りたいんですが」

「だからつきあいがないんでわかりません」

何か言う暇もなく切れた。

康子は舌打ちした。ここの住民も、あのリムジンと黒スーツ、パンチパーマに完全に怯《おび》え、口を閉ざしている。

外に出たとたん、叩きつけるような雨が降ってきた。泥水が流れている道を歩いていると

泣きたくなった。ちょうど喫茶店があった。救われたような気持ちで、店に入る。

一時間ほどそこにいて出ると、雨は少し小降りになっていた。未練がましくマンションの方を振り返った。雨に霞《かす》んで、窓のいくつかに明かりがともっているのが見えた。康子は目を凝らした。しかしあの部屋、最上階の西の端の部屋から明かりが漏れているかどうかは、近すぎてわからない。

もしや、と思った。

建物の西壁の見える位置に移動した。出窓があった。しかしこちらも仰ぎ見る最上階の窓は見えない。下の方の階の窓には花瓶やぬいぐるみが置いてある。平和な光景だ。出窓の脇に、鉄製の非常階段があって、屋上に続いている。

康子は時計を見た。四時を回っていた。それからもう一度、そちらに戻っていった。

エントランスの階段を上りかけると、背後で車のドアの閉まる音がした。

12階で見たのと同じ種族の男たちがやってくる。はっとして郵便受けの方を向いてやりすごす。しばらくその場で様子を見ていると、五分ほどしてエレベーターが下りて来る音がした。柱の陰に身をひそめる。さきほどの黒スーツとパンチパーマの後ろ姿が外に出ていく。

しかしリムジンはそのままだ。

康子はエレベーターに乗り込み、再び最上階に行った。さきほど入ってきたチンピラ二人が携帯電話片手に、西端の部屋の前をうろついている。歩哨《ほしょう》の交替だったのだ。抗争の真っ最中で警戒中ということか。

いや、別の可能性がある。

歩哨の一人と目が合ったとたん、康子はきびすを返して今乗ってきたエレベーターに乗り込み一階下の11階まで下りた。11階の廊下を西端まで行き、突き当たりの鉄の扉を開けた。細かな雨が顔に降り掛かった。外階段は雨で濡れている。

足音を忍ばせて12階に上がる。階段はそのまま屋上に上がれるようになっているが、一番上のステップまで上ったとき、そこに柵《さく》が作られているのに気づいた。屋上へは中階段は通じていない。この外階段に高さ一メートルほどの金属性の柵があって開かないように鍵がかけられていた。屋上に上がれば、最上階のその部屋のベランダが覗けるはずだが、2階、3階ならともかく、こんな地上数十メートルのところの柵を乗り越える度胸はない。

鉄の手摺《てす》りの間から、目指す部屋の西側の出窓が見える。カーテンがかかってない。当然あるはずのカーテンはなく、明かりもない。身を乗り出して、中を覗く。暮れかけた空が映り込み室内はほとんど見えない。目を細くするとかすかにものの輪郭がわかる。

何もない、というのが第一印象だ。何もない、がらんどうの部屋だ。

あたりが暗くなれば、内部の様子がもう少しわかるかもしれない。いったん11階の踊り場に下りて、暗さを増してくる西の空をみつめていた。急に自分の執着ぶりがばかばかしくなった。さっさとあきらめて、分相応の物件を探した方がいいのではないか。

ちんまりとした小ぎれいな部屋を探し、老後の心配なく暮らせれば、それでよしとしなければならないのではないか。

そのとき金属の階段を踏んで上がってくる足音がした。ぎくりとしてドアに手をかけた。しかし開かない。焦ってノブを回そうとするが、回らない。防犯上の理由から、外から中には入れない仕組みになっているのだ。雨に濡れたドアに背中を押しつけ康子は身を硬くした。

人の頭が現われた。中年の女だった。

「おたく、どうかしたの？」

女はそう言いながら、片手でドアを開けようとして、あらためてそれが外から開かないことを知ったらしく軽く舌打ちした。

「そこの窓から見てたら」と女は10階の出窓を指差した。

「さっきからずっと、ここに立ってたでしょう。若いお嬢さんだから心配になっちゃって、余計なお世話かもしれないけど」

「すみません。飛び降りたりしませんから」

康子は慌てて言った。

「ここのマンションの部屋を買いたくて見に来ただけです」

女は驚いたように康子の顔を見て、それから照れたように笑った。

「あら、私ったら。でもすごいわね、おたくのようなお嬢さんが。ここも昔よりは少し安くなっているけど」

「本当にすみません、ご心配かけて」

女と一緒に康子は下り始めた。地上が近づくにつれて、下に止めてあるリムジンの黒い屋

根が、だんだん大きくなってくる。

「あれは、ずっと置いてあるんですか？」

「そう、二週間ばかり前からよ。なんだか知らないけど、やくざがうろうろし始めて。嫌よね。一度なんか同じエレベーターに乗り合わせちゃって、何かされるってわけじゃないけど」

「二週間前ですか？」

康子は物件明細の内容を思い起こした。評価年月日は、昨年の五月。差し押さえられたのは、確か三月あたりのはずだ。やくざがやってきたのは、ずいぶん最近ではないか。いや二週間前とすると……裁判所の物件の閲覧が開始されたときだ。

「警察に電話をかけて相談したんですよ。ほら、このごろずいぶん厳しい法律もできたでしょう。でも、ただここに出入りしているというだけじゃ取り締まれないみたいね。せいぜい駐車違反くらい。何か、発砲事件とかあれば別らしいんですけど。でもそのときは遅すぎるじゃないのね。おたくもここは買わない方がいいかもしれないわ。ああいう人たちが出入りしているとなったら、値段が下がって、もう売るに売れなくなっちゃうから」

ピンときた。

「すみません。私はここまでで。いろいろありがとうございました」

怪訝《けげん》な顔の女を残して、康子は再び最上階目指して鉄の階段を上り始めた。

12階の部屋は、まだ明かりがついていない。一筋の光もこぼれてこない。しんと静まり返

っている。人が息をひそめているのではない。長く人の住んでない家独特の、荒《すさ》んだ静けさが感じられた。歩哨はまだいるだろうか。

台帳で物件を確認し、買いたいと思った者は、個人だろうと業者だろうと、必ず現物を見にくる。

閲覧開始から、入札終了まで、約三週間。その間、ずっとサングラスリムジンを玄関先に横付けし、パンチパーマが交替でうろうろし、部屋の前に代紋を飾っておけば、いくら人気物件とはいえ、だれが買うだろう。こうして競争者を排除し、一円でも安く、限りなく最低売却価格に近い金額で落札しようというやつがいても不思議はない。

しかし空き家だという確証はない。もしも本当に住んでいたとしたら……。民事で対抗できる相手ではない。

確認するために12階のあの部屋の前に居座って、あのドアが開いて人が出てくるか否か、一日見張っているわけにもいかない。

康子はいったん地上まで下りて、駅の方に向かって歩いていった。交番までは十分足らずだった。巡査が一人、地図を広げて、老人に道を教えている。老人が、何度も頭を下げて、交番を出るのと入れ違いに、康子は中に入った。巡査に向かい、買いたいマンションがあるので見に来たのだが、家の前にやくざがいて近寄れないのだが、なんとかならないだろうか、と相談した。競売物件はもともと中に入れないのだが、中に人が居住しているのか、確かめたいのだと言うと、いとも簡単に同行してくれた。

玄関前の黒いリムジンを横目に見ながら、エレベーターに乗り込む。12階で下りたとき、例のチンピラ二人組はいなかった。巡査の姿を見てどこかへ消えたのだろう。

表札もない。ノックする。相変わらず内部は静まり返っている。慌てて外してどこかに消えたのか。巡査はインターホンを押した。返事はない。

「いないようですね」

「いえ、さっき、暴力団風の二人組がいて、ここに住んでいると言ったんです。下にリムジンもあったでしょう」

「居留守使ってるのかもしれないですが、わかりませんねえ」

「どうしたらいいんでしょう」

巡査は、もう一度ノックした。

「しかたないですね、何かあったらまた来ますが」

「何かあったらって、私、ここ買いたいんです」

康子はすがるように言った。

「危ないと思ったら、やめた方がいいんじゃないですかね」

そんな言い方ってあるか、と言いたいのを抑え、「ご迷惑をおかけしました」と神妙に頭を下げる。結局、おまわりも役に立たないというのがわかった。

長い二日が過ぎた。入札期間はいよいよ明日までという夜、康子はもう一度、あのマンションまで行った。リムジンはまだ止まっていた。

この前と同様、11階までエレベーターで上り、外階段で最上階に上がる。相変わらず、室内には一点の明かりもない。非常扉に耳を押しつけ、廊下の様子を探る。鉄板の冷たい感触を通して、人の話し声が聞こえてくる。内容は聞き取れないが、チンピラはまだドアの前に貼りついているらしい。

康子は腕時計を見た。闇《やみ》の中で年代物のデジタルウォッチの数字が緑に光った。さらに足音を忍ばせて上っていく。屋上に通じる柵のところにまで来て、康子はちらりと下を見た。遥《はる》かな地上のコンクリートの階段に、エントランスの明かりが滲《にじ》んで広がっている。数台の車の屋根が駐車場の水銀灯に白く浮かび上がっている。これからすることを思うと二の腕が鳥肌立った。

下を見ないようにして、柵を両手で摑んだ。下の明かりが目に入ってきた。足首が硬直した。小さなショルダーバッグを肩から斜めにかける。息を吸い込む。爪先《つまさき》を柵の下の部分にかけた。一気に体を引き上げる。

下を見るな。そう自分に言い聞かせ、素早く跨《また》ぎ、下りようとしたとき、ぐらりとバランスを崩した。柵の鉄パイプの一本に、スカートの裏生地が絡まった。無我夢中で取り外し、崩れるように屋上のコンクリート面に着地した。しばらく肩で息をしたまま、恐怖のあまりうずくまっていた。やがてよろよろと立ち上がり、バッグの中の物を確認した。ごく小さな玉が入っている。子供のおもちゃだ。それを握りしめ、目指す部屋のベランダの真上に向かう。手摺りから身を乗り出し覗き込んだ。隣の家から漏れる光でうっすら明るんでいる中に、

物干しが見えた。ぼろぼろに錆《さ》びた物干しが、二本、枯れ木のように立っているきり何もない。てのひらの中の豆のようなものは、汗でぬるぬるし始めた。

落ち着け、と自分に言い聞かせ、それを力いっぱい投げた。

しかし勢い余ってそれは、長い放物線を描いて、はるか遠方の緑地の闇に吸い込まれていった。もう一度、こんどは身を乗り出し真下に叩きつける。一瞬遅れて、パンと音が弾《はじ》けた。続けて投げる。連続した破裂音が聞こえる。

確認する間もなく、階段方向に走り出す。スカートをまくり上げ、パンストのゴムに挟んで止める。柵を摑み、よじ登り、注意深い動作で跨ぎ越す。そのまま非常階段を一目散に逃げる。闇のなかをまっすぐ地上に向かって走り下りていく。途中でスカートが捲《まく》れ上がったままだと気づき、慌てて元に戻す。息が切れ、膝が笑い出す。パトカーのサイレンの音が近づいてきた。

芝生の上に下り立ったとき、サイレンはマンションの正面でぴたりと止まった。数人の巡査がエントランスの階段をかけ上っていく。

ごめんね、と康子はかけつけた巡査と癇癪《かんしゃく》玉《だま》の音を銃声と間違えて通報した住民に、心の中で謝った。玄関で待ち構えていた住民と巡査が上っていくのを見届けてから、康子は隣のエレベーターで再び12階に上る。

野次馬とおぼしい住民が数人集まっている。例の部屋の前では、やくざと巡査が押し問答していた。

最初の日に見た黒スーツが、自分達はただここにいただけだ、と抗弁している。別の警察官がドアを叩く。内部からの応答はまったくない。

「危ないですから、住民の方はここにいないで、下がって」

巡査が叫んだ。

管理人とおぼしき中年の男がかけつけ、ここが空き家になっていることを告げ、マスターキイらしいもので鍵を開ける。

ドアが開かれた。康子は近づいた。カーテンのないベランダから差し込む月明かりか、町の遠いネオンかさだかではないが、淡い夜の光に室内がかすかに明るんでいる。

荒れ果てた部屋だ。落ちかけた棚板が一枚、ぶらさがっているのが見えるきり、何もない。

「ほら、下がって。危険だから」

警察官の鋭い声が飛んできた。すみません、と頭を下げてエレベーターに戻った。何も危険でないことを確認した。これで十分だ。目的は達せられた。

翌日の午後、有給休暇を取った康子は、地裁3階にある入札場所に入った。ドアを開けると、ちょうど入札を終えてきた男と肩がぶつかりそうになった。

息を吞んだ。ここに来たときに、いろいろ難癖をつけてきたゴルフシャツ姿の中年男だった。

「やめろって忠告してやってんのが、まだわかんねえのか」

すれ違いざまに、潰《つぶ》れた声でささやき、赤く血管の浮き出た目で康子を見た。あのパンチパーマだの、リムジンだのの茶番劇はこいつの仕業だと、一瞬のうちに悟った。

執行官の前に行き、札をもらう。

「あの……初めてでわからないんですけど」

執行官はちょっと舌打ちした。

「これって人気のある物件なんですか？」

答えられる内容でないことくらいわかっていた。が、相手はちょっと眉《まゆ》を上げただけだった。ふうっとため息をつくと、首を左右に振った。

何か理由があるらしくて、だれも手を出さないよ。素人のあなたはやめといた方が、いいんじゃないですか、そう目で伝えていた。

上等だ。すれ違ったあの不動産屋だか、やくざだかわからないあの男より、ちょっとだけ高い値段をつければいい。いったいあいつはいくらをつけたのだろう。

最低売却価格、１７８４万。常識的に考えて百万のプラス。しかし相手は、競争者はない、と見込んだはずだ。限りなく最低価格に近い金額をつけているに違いない。

すると自分は……。１８５０、いや、少々けちって、あの努力を無駄にはすまい。１８８０と、康子は札に大書した。

翌週の水曜日、康子は一時間だけ、職場をぬけ出し再び東京地裁の3階を訪れた。十時半

に開札は始まる。

場所は、「少年講習室」という二百人は入れそうな広い教室のようなところだ。正面に六十間近の男が二人と、若い男が一人座っている。席の順序からいって、歳《とし》のいった一人と若い男が執行官、もう一人が立会人らしい。

時計を見ると、すでに開札時刻を過ぎているが、席はほとんど埋まっていない。せいぜい五、六人といったところだ。

執行官は、封筒と札をせっせとホッチキスで留めている。あの中に自分の書いた数字があるのか、と思うと胸苦しいほどの期待と不安を感じる。

裁判所の説明によれば、自分が落札したかどうかということは、ファックスサービスを利用すれば数時間後には知ることができるので、必ずしも開札の場に来なくていいことになっている。それでも、康子は来ずにはいられなかった。

十時四十分をしばらく過ぎてから、歳のいった方の執行官が、「それではただいまより、開札結果を発表いたします」とごく事務的な調子で宣言した。

格別緊張した雰囲気でもなく、物件は番号順に読み上げられていく。この場に来て発表を待っている人はやはり少ない。そして何より、入札に参加したのは、ほとんど法人で、一個人というケースはほとんどないというのが、読み上げられる入札参加者名からわかった。

途中から次第に後方の席が埋まってきた。遅れて入ってきた入札参加者がけっこういるようだ。

康子は黙って、あの南阿佐ケ谷の物件について発表されるのを待つ。二十分あまり執行官の単調な声を聞かされた後、「平成三年、コ、第162号物件、杉並区高円寺マンション、鉄筋コンクリート12階建、専有部分、12階部分……」と言うのが聞こえてきた。「入札人は二人います。株式会社IOマネージメント、入札価格は1790万。斉藤康子、入札価格は、1880万円」

とっさに意味がわからなかった。入札価格が安い方から順番に発表していくとは思わなかったので、自分が後になったことに、ああだめだったのか、と思ったりもした。

「以上の結果、最高価買い受け申し出人は、斉藤康子さん、入札価格は1880万円と決定いたします」

あまりにも事務的な声だった。ようやく事態が呑み込めたとたん、くらくらとめまいがした。執行官は同じ言葉を繰り返した。何の抑揚もなく、1880万と読み上げるのを康子は万感の思いで聞いていた。

次の瞬間、思わず振り返った。後方に例のゴルフシャツが、携帯電話を片手に座っているのが見えた。しかし今日はゴルフシャツ姿ではない。銀色に光るスーツを着込んでいる。そして康子と目が合うと、白目に血管の浮き上がった目をかっと見開いた。康子は、鼻の穴から勢いよく息を吐き出した。

「ええ……斉藤康子さん、斉藤康子さん、この場においでになってますか」

執行官が呼んだ。

「はい」

我知らず甲高い声で返事をして、立ち上がっていた。

「あ、どうぞ、お座りになっててけっこうです。のちほど、調書に署名してください」

これまた抑揚のない調子で執行官が言った。

「はいっ」と返事をしたきり、康子はふらふらと座った。その後の物件の入札結果が読み上げられるのを夢の中のことのようにぼんやりと聞いていた。

開札は終了した。調書に署名して裁判所を出たとき、あのゴルフシャツの姿はどこにもなかった。

残金の支払いは、二ヵ月後。借金はわずか。楽勝だ。

マンションの鍵は、その残金の支払いを終え、二週間ほどした十月の半ばに康子の手に渡った。これでようやく部屋に入れる。

その日、仕事が終わるまでの時間は限りなく長かった。残業も若い子達に誘われたお茶も断って、康子は真っ先にオフィスを出た。

「どうかしたの？　なんかうきうきしちゃって」

鶴見に豪邸を建てた稲尾が、康子の肩をぽん、と叩いた。

「無遅刻無欠勤の斉藤さんが、この頃、よく休むじゃない。もしかすると、いいことあったのかな？」

康子は笑いながら、先を急ぐ。

「けっこう、クリスマスあたりにコーブキ退社……だったりして」

残念でした。だれが辞めるものか、と肩をすくめて行き過ぎる。

マンションは静かだった。リムジンもパンチパーマも何もない。康子は一息吸い込んで、ドアの鍵穴に渡されたばかりの鍵を突っ込んだ。二回転させると手の中でかちりと音がした。

ドアが開く。黴《か》びたにおいが鼻を突いた。フローリングの床は、埃《ほこり》でざらついている。棚板は半分落ち、部屋の中央に衣装箱のようなものが、蓋を開けたまま放り出してある。壁には、何かをぶつけたと見える傷が多数。破れた襖。ひびの入った洗面所の鏡。

前の住人が夜逃げ同然に逃げ出したか、あるいは借金を抱えた生活が、想像を絶するばかりに荒廃していたのだろう。

廊下をぬけ、リビングに入る。まぶしさに思わず目を細めた。南側バルコニーから夕暮間近の淡い金色の空が見える。眼下遥かに善福寺川の曲がった川筋と細長い森が、煙ったようにある。その向こうに続く低い家並み。暮れていく町に灯がともり始めた。

西側の窓からは、まさに丹沢山塊に沈もうとする夕陽が差し込み、荒れ果てた部屋をオレンジ色に染め上げている。

康子は深い息を吐き出し、分厚く埃の積み重なった床の中央に、へたへたと腰を下ろした。

涙がこぼれそうになった。

ついに手に入れた自分の城だった。自分で選び、自分で買った城。

両手を伸ばした。何にもぶつからない。だれにも邪魔されない。両手を広げたまま、康子は立ち上がり爪先でくるりと一回転した。広かった。88・74平米。今まで見たこともないくらい広い家だった。くるりくるりと回転しながら、キッチンのところまできた。笑いが浮かんできた。だれに気がねすることもなく康子は笑った。人生最良の日だった。

アダムの背中　2

コーヒーの香りがする。康子は布団の中で、何度かまばたきをした。冬が近くなっているせいだろう。レースのカーテン越しの朝日が部屋の奥まで這《は》い入っている。

ぼんやりした頭で、昨夜あったことを思い出し気が重くなった。

「斉藤さん、起きられましたぁ？　コーヒー入ってますよ」

灰色の気分を吹き飛ばすように、リサの声がした。そういえば今日は勤労感謝の日で会社は休みだ。それでリサが泊まっていったのだった。

中野の汚いアパートを出て、ここに来てから半月しか経《た》っていないというのに、従兄《いとこ》の娘の高校生から、職場の同僚まで、いったい何人の人間が泊まっていったことだろう。

引っ越しのときは、頼んだわけでもないのに、職場の女の子たちが手伝いに来てくれた。十年以上使っていた塗りの剝《は》げたテーブル、ガムテープで補修したカラーボックス、そして恋人のために編み始めたものの、途中で恋が終わってそのままになっていた前身ごろだけの

セーター。そうしたもろもろの物を彼女たちは、「斉藤さん、これ、もういらないですよね」という言葉とともに、いとも簡単に捨ててくれた。

代わりに真新しいしゃれた品々が、このマンションに収まった。

インスタントコーヒーしか飲まない康子に、リサは「この方が絶対おいしいから」と、ミルつきコーヒーメーカーと、豆を持ってきた。みどりはある有名な現代作家の手によるリトグラフ、そして紗織は今度の買い替えに当たって不要になった彼女の古いコンピューター一式を、モデムつきで引っ越し祝いにプレゼントしてくれた。

それ以来、一人で住むには広すぎるこのマンションに、何かというと人が集まるようになった。

「今度、飲もうか？　店より斉藤さんのところがゆっくりできていいね」

「遅くなって帰れないんです、ごめんなさい」

ケーキの包みやワインを下げて、彼女たちがやってくる。一回、二回ならともかく、度重なれば「うちはホテルでも宴会場でもないわ」という言葉が、喉元《のどもと》まで込み上げてくる。しかしいざとなると断れない性格なのだからどうにもならない。

「どうぞ。でも、何もしてあげられないわよ」と言いながら、せっせとトイレの掃除をしたり、茶わんの茶しぶを落としていたりする。

康子は伸びを一つすると、布団から抜け出しジーンズとセーターに着替えた。

ダイニングに足を踏み入れたとたん、まあ、と小さな歓声を上げた。

ナプキンがわりの白いレースペーパー、その上に、紺の縁の皿が載っている。中身はきのこ入りベーコンエッグにグリーンサラダとプチトマト。グラスになみなみと注がれたオレンジジュース。鮮やかな色彩がテーブルに躍っている。

「ちょっと待っててください。今、パンケーキ、焼いてますから」

こちらに背を向けたまま、歌うように軽やかな調子でリサは言った。北西向きのダイニングいっぱいに、朝日が差し込んできたような感じだ。

「早く起きてたの？」

「ちょっと前ですよ」

リサはフライパンを火から下ろすと、驚くほどの手早さで中身を皿に移した。

「ねえ、朝からこんなにいろいろ作っちゃったの？」

リサは長い髪をふわりと揺らせて振り返った。

「簡単なものばかりですよ」

「でも、すごいよ。ホテルみたい」

「うち、母がずっと勤めてましたから」

微笑《ほほえ》んだ顔に化粧気はない。会社にいるときの甘いピンク色の顔を見慣れていた康子は、リサの頰骨《ほおぼね》の尖《とが》った鋭い雰囲気の素顔に驚いた。

「わたし、わりとパパパパッて、作っちゃったりするんですよね」と言いながら、本当に「パパパ」とフライパンを洗う。調理器具は食べ終えてから洗うのではなく、作り終えたらその

場で洗う習慣らしい。てきぱきした仕事ぶりは職場で見て知っているが、キッチンにいるときの手早さにも、あらためて目を見張る。

焼きたてのパンケーキも、卵もサラダも、おいしかった。康子は蜂蜜《はちみつ》のひとしずくまで、パンケーキの生地で拭《ふ》き取って全部食べた。

長い間一人暮らしをしていると、人に作ってもらうというだけで、心が豊かになる感じがする。朝、コーヒーの香りで目覚め、だれかが朝食を作ってくれて、向かいあって食べる。その相手が男であれ女であれ、なんと満ち足りた気分なのだろう。

「どうしたんですか、ぼんやりして。コーヒー、おかわりします?」

ポットを片手に、リサは尋ねた。

「ありがとう」とカップを差し出し、思わずつぶやいた。

「幸せだろうな、リサちゃんと結婚する男の人って」

とたんに、リサの顔が曇った。何か気に障ったのだろうか、と康子は口をつぐんだ。

リサはテーブルの上の空の皿に視線を留めたまま、少しの間何か考えていたが、やがて、

「結婚っていうのも、ま、大変ですよね。紀子みたいになると」と早口で言って、気を取り直したように汚れた皿やカップを流しに運び始めた。

「ああいうのを見ちゃうとね……あれで新婚一ヵ月だものね」

康子は、昨夜のことを思い出し、気が重くなった。

ボジョレーヌーボーの解禁日だから飲もうと、空輪物の安ワインを抱えてリサがやってき

たのは、昨日の夕方のことだった。

相棒の紗織は、つまみのブリーチーズとバゲットを買ってから、少し遅れて来ることになっていた。しかし一時間も遅れてやってきた紗織は、セントフュベルのブリーとルノートルのバゲットの代わりに、二ヵ月前に結婚退社した紀子を連れてきたのだ。新宿のデパートの地下をぼんやり歩いていたのをみつけたと言う。

晩秋とはいえまだ今年は暖かい。しかし紀子はフェルトの帽子を目深に被《かぶ》っていた。

「あら、久しぶり。元気？」と玄関先で迎えた康子を見上げた紀子の顔は、二十歳という歳《とし》にはまったく不釣り合いの厚化粧をしていた。しかしよく見れば厚化粧というよりは、単なるファウンデーションの厚塗りで、もともと覇気のない目はますます輝きを失って、口元にはくっきりと縦皺《たてじわ》が寄っていた。

「つわり、まだ続いてるの？」

康子は紀子が五ヵ月で結婚したのを思い出し、まっさきに尋ねた。

「いえ……」

紗織が緊張した表情で、代わりに答えた。

「とにかく上がって。遅くなったら、ダンナに電話して迎えに来てもらえばいいんだから」

康子がそう言ったとたん、紀子は怯《おび》えた表情になった。ペキニーズのような丸い目の脇《わき》に、ファウンデーションに隠れた小さな傷があるのに、康子は気づいた。もしや、と思ったが、すぐに心の中で否定した。いまどき、妻を殴る夫なんているはずがない。それに相手は一流

会社のエリートサラリーマンだ。

「帽子、そこにかけて」と康子は玄関のフックを指差す。紀子はちょっとためらってから、おずおずと帽子を脱いだ。康子は危うく声を上げかけた。紗織が視線を合わせ、「しっ」と言うように唇の前に人差し指を立てた。

首筋のあたりに艶《つや》のない髪がもつれていた。しかし頭頂部に、ほとんど髪がない。周辺も網のように薄くなって、青白い地肌が丸見えになっている。

康子は言葉に詰まった。こんなとき向こうからその話題に触れないかぎり、そ知らぬ顔をするのが礼儀だ。

リビングから出てきたリサも、ぎょっとして足を止めた。

「まあ、とにかく」と康子は促し、リビングに置いた座卓の周りに座った。

「飲めるよね、ノリちゃん」と、康子は尋ねた。紀子のはいているピンクのギャザースカートはたっぷりしていたが、ウエスト部分は細く、ソックスもはいてなかった。

「ええ、だめになっちゃったから……」

紀子は半ば開いた唇に淡い笑みを浮かべた。背中を丸めて両手で持ったグラスに、康子は半分だけワインを満たした。

だめになったのが、子供だけなのか、あるいは結婚それ自体なのか、康子には想像がつかない。

正面に座ったリサは、紀子の一挙一動をじっと見守っていた。

「あいつが、やったんだって」

紗織が、こぶしを固めて何かを殴るまねをした。

「うそ……」

リサが低くつぶやき、何かを言いたげに康子に顔を向けた。

「じゃあ、その頭……」

小柄でぼおっとした顔の紀子が、髪を摑《つか》んで引きずり回される様を想像し、康子は戦慄《せんりつ》した。

「いえ……」と紀子は口ごもって、むき出しになった青白い頭皮に触れた。

「酒乱なの、ダンナは？」

「しらふよ。しらふのまま、難癖つけては殴るんだって。料理がまずいとか、玄関に靴が散らばってるとか、シャツの汚れが落ちてないとか」

代わりに紗織が答える。ひっ、とリサが悲鳴を上げ、両手で口元を覆った。

「いまどき、そんな人いるの？」

康子は信じられなかった。相手が、この前このマンションを買うときに出会ったような男たちなら、まだわかる。たまたま父の入院と重なって、披露宴には行かれなかったので紀子の夫を見たことはないが、話で聞くかぎりまともな人間だ。

また、やられるのが紗織のような女であるなら、それも理解できる。しかし従順でひたむきで、およそ口答えなどしそうにない紀子のような妻を殴る理由などどこにあるのだろう。

「いつからなの？」

　康子は尋ねた。

「すぐなんです。妊娠してたから、新婚旅行は近いところにしようって京都にしたんですけど、とてもいらいらしてて……」

「つまり、できなかったから？」

「そうでもないみたい……」

「なんで東京駅で、さっさと逃げなかったのよ」

　紗織が早口で言った。紀子は戸惑った様子で紗織を見た。

「旅行から帰ってきてから毎日？」

「そんなことなくて、私がちゃんとしたこと、できないときだけ」

「ばかなこと言ってるんじゃないわよ、何がちゃんとしたことなの」

　紗織が、目の前のボジョレーを一息で飲み干し、グラスを叩《たた》きつけるように座卓に置いた。

　リサは沈黙したまま、顔色を変えることもなく、手酌でワインを注いでは喉に流し込んでいる。信じられないようなハイ・ピッチだ。

「あのバカ男の岡崎ね、友達の話によると、ここんとこの不況のあおりをくって、営業から総務系に飛ばされて、仕事がおもしろくないらしいのよ。家でそんなこと言ってない？」と紗織は紀子の顔を覗《のぞ》き込んだ。

「岡崎さん、仕事の話はしないから……」

紀子は眉根《まゆね》にしわを寄せて、片手で涙をふくような仕草をした。

「ふうん、夫のこと、岡崎さんって呼んでるんだ」

押し殺した声で紗織は言った。

「私、家事、だめみたいです。お母さんもちゃんと教えてくれなかったし」

「そういう次元の問題じゃ……」と怒鳴りかけた紗織を止め、康子は尋ねた。

「ご両親には、このこと言ったの？」

「家は福井で遠いし、お兄さんが跡を取ってるから。お母さん、後妻なんです。だから高校卒業してから、私、すぐ家を出てお姉さんと東京で住んでたんですけど」

そこまで話して、後は啜《すす》り泣きに変わった。

「わかった、わかった、ごめん」

聞いてはいけないことを聞いてしまったと気づき、康子は謝った。

「泣くな」

とたんに紗織が、平手で座卓を叩いた。

「殴り返せばいいじゃないの」

「そんなこと、できるはずが……」

紀子は、涙に濡《ぬ》れた顔を上げた。

「素手でかなわないと思ったら、手近にあるビールびんでもラケットでもいいから、それでぶん殴り返せばいいのよ。怯えたり、泣きっ面《つら》なんか見せるから、ますます殴られるんだか

ら。気迫の問題よ」

「殺されちゃう……そんなことしたら」

息を呑《の》んで、紗織は言葉を止めた。康子は無意識につぶやいていた。

「あたしなら……たぶん、殴り返すと思う。殺されてもいい。それで死ぬ直前に、相手を一緒に地獄に引きずり込んでしまうと思う」

しんとなった。正面でリサがじっと康子の口元をみつめていた。紀子があんぐりと口を開いて見ていた。紗織が尻《しり》をついたまま、ちょっと後ずさるような格好で言った。

「斉藤さんって、そういう人だったんですか」

「え……いえ」

慌てて立ち上がり、台所で湯気を立てているポトフの火加減を見にいった。

「家事ができるできないなんていうのは、結婚とどういう関係があるの？　それがそんなに大事なことなの？」

紗織が怒鳴っている。キャセロールに移したポトフを康子はリビングに運んできた。肉と月桂樹《げっけいじゅ》の香りが部屋いっぱいに広がったが、食欲は出ない。

「結婚を男の経済力と女の家事能力の結合だと思っているかぎり、日本の夫婦関係は変わんないのよ」

紗織は言った。リサが、またか、と言わんばかりの白けた顔で視線をそらした。紀子は眉を寄せたまま、怯えた視線を紗織に向けている。

「毅然《きぜん》としなさいよ。なぜ別れないの。なぜ出ていかないの」

「それほどのことではないし……」

今度は康子が仰天した。殴られたり、髪を持って抜けるほど引きずり回されたり、流産させられたりするのが、「それほどのことではない」というのだろうか。

「それに出ていくところがないし、お姉さんは今年の五月に結婚っていうか……正式じゃないんですけど、結婚していて、お義兄《にい》さんが家にいるし……」

「なんでその人、家にいるわけ？」

「ええ、なんか会社やってたらしいんだけど、倒産しちゃって」

康子は両手で頭を抱え、ため息をついた。家庭の不幸というのは再生産されるものなのだろうか。

「だから私も早く結婚してお姉さんのところを出なくちゃと思っていたら、岡崎さんが現われて……」

「まっ」

黙々とワインをあおっていたリサの目が急に険しくなったが、康子にはその理由がわからない。

「とにかく甘ったれたこと考えてないで、アパート借りて仕事みつけて働くべきよ。幸いっていっちゃなんだけど、子供も生まれなかったことだし」

紗織が言った。紀子は小さく首を振った。

「もう会社は辞めちゃったし、いまから仕事みつけるなんて大変だし」

「じゃ、どうするつもりよ」

「もう少しがまんして、ちゃんと家の中のことできるようになって、あの人の言うようにできるようになれば」

「そういう問題じゃないでしょ」

「まあまあ」と康子は、紗織をなだめる。

「だからやだっていうの、体育会系の男って。サークルテニスと違って、あいつのやってたのは、ラケットで後輩を殴るのがあたりまえって世界だもの」

「まあまあ」

「まあまあ、じゃない！」

紗織は目をすわらせて、三本目のワインにオープナーを刺し込んだ。そのとき紀子は飛び上がるように席を立った。

「大変、帰らないと……」

「なんで帰るのよ」

紗織は両腿《もも》でびんを挟み、ぽんと音を立ててワインのコルクを抜いた。

「残業を終えて、岡崎さんが帰ってくる時間なの」

結婚しても、なお夫を姓で呼ぶというのが、この夫婦らしいと康子は思った。

「ちょっと、待ちなさいよ。あんた、ほんとにどうする気なの？」と紗織は引き止める。康

子は再び「まあまあ」と制して、テーブルの上に並べた手料理をタッパーに入れて、紀子に持たせた。

「これ、お夕食。できてないとまた何かされるでしょう」

紀子は泣きそうに顔を歪《ゆが》めて頭を下げると、夜道にかけ出していった。

「マゾヒストか、あいつ」

頬を赤く染めて、紗織が吐き捨てるように言った。

リサだけが、紀子が来てからずっと沈黙している。

「気分、悪いの？」と康子は、そっとその肩に手をかけた。

「いえ」

リサは社交的な笑みを浮かべて首を振り、「夫婦間のことって、他人にはわからないですものね」と冷めた口調で言ったきり、自分のグラスにウイスキーを注ぐ。そしてオンザロックと見まごうような濃い水割りを黙々と口に運ぶ。もらいもののワイルド・ターキーのボトルはすでに半分以上空いていた。

「ちょ、ちょっと、どうしたっていうのよ？」

さすがに心配になって康子が尋ねると、「え、なんでもないですよ。私、バーボンってわりと好きなんです」とリサは、いつもの礼儀正しい後輩の声で答えた。

「いいの、いいの、リサは、ボトル一本くらい軽い人だから」と紗織はリサを残し、さっさと帰ってしまった。そして本当にボトル一本を空にしたあと、リサは康子に勧められるまま

に、泊まっていったのである。

そしてその翌朝、何事もなかったように早起きして朝食を作り、康子と向かい合ってちゃんと一人分平らげることのできるその体力に、康子は七歳という歳の差を感じる。

「あの、リサちゃん」

遠慮がちに康子は尋ねた。

「何かあったの、昨日？」

「えっ」

リサは、唇の両端を引き上げ、アナウンサー風のきれいな笑みを作り、お天気お姉さんのような声で答えた。

「そんなことないですよ。ええ、ただ、てっきり幸せになってると思っていた紀子ちゃんがあんなことになったんで、ちょっとショックだったし、かわいそうになって、私まで落ち込んじゃったみたい」

「ええ……そうね」

半信半疑で返事をしているとリサは流しの前に立った。

「後はあたしやるから、いいわよ」と声をかける間もなく、食器はきれいに洗われ、水切りかごに整然と並べられていた。

布団を上げ、部屋まで掃除してリサが帰っていった後、午後も遅くなってから紗織から電話がかかってきた。

昨日のお礼の電話をしてくるとは、紗織にしては気がきいていると思っていると、果たしてそうではなかった。

「すぐ来てくれませんか」

有無を言わせぬ調子で紗織は言った。

「どうしたの」

「あいつを呼び出したんです」

「あいつって？」

「岡崎、ノリのダンナ」

「なんでまた？」

康子は呆《あき》れて言った。

「ノリちゃんが、自分で別れたいって言い出すまでは、他人が出てもしかたないんじゃない」

「そうはいかないんですよね。ノリに、あいつを紹介しちゃったのは私なんで、責任あるんですよ。紹介したっていうか、私が企画したテニス旅行にノリを誘ったのが原因なんで」

「とにかく、私は、人のダンナにお説教する勇気はないわ。何をどう言ったらいいかわからないし。それにノリちゃんの気持ちをちゃんと聞いてあげないと」

「来てくださいよ。別に、お説教とかじゃなくて。近くにいるんですから」と紗織は、今、自分がいるところを言った。マンションのすぐ裏手にある、ある大手企業のテニスコートだ

った。

「なんでそんなところにいるの？」

受話器を持ったまま、康子はリビングのガラス戸の方を振り返った。善福寺川沿いにあるそのテニスコートまでは、ここから歩いて二、三分だ。

紗織は、紀子の夫、岡崎と大学の同窓生で、先輩のコネがあってそこのコートを使えるのだと、説明した。

「じゃあ、そこでテニスをやってるわけ？」

「ちょっと言いたいことがあるから、出て来いって言ったんです。そうしたらテニスのついでならいいって言うから」

「ノリちゃんは一緒じゃないの？」

「あいつは、自分が遊ぶときに妻を連れて来たりしませんよ」

康子は、ほうっとため息をついた。私が行ってもしかたない、と断ったが、紗織は近くにいるんだから、とにかく来てくれといってきかない。康子は電話を切り、重い腰を上げた。

ジーンズにハーフコートをひっかけ、紗織に指定されたクラブハウスに向かう。

シャワールームを併設したクラブハウスは、四方がガラス張りの明るい建物だった。

中央のテーブルに、七、八人の若者が集まっている。康子はちょっと足を止めた。気後れした。若い盛りの匂《にお》い立つような、生命の香りが感じられた。育ちの良さ、頭の良さ、そして精神の健全さ、とにかく自分とは無縁の、なにかひどく眩《まぶ》しく輝かしいものが、塊になっ

て笑いさざめいているような感じがした。

突っ立ったまま、康子はしばらくその一団をながめていた。

「あ、斉藤さん」

その中から紗織が立ち上がり、手を振った。紺のラインの入った淡い藤色《ふじいろ》のセーターが、ぬけるような色の白さによく映える。

紗織は傍らの男の腕をいきなりひっつかみ立たせた。男は、紗織に何か言い、それから二人で康子の方にやってきた。

康子は息を呑んだ。

すらりとした背丈、広い肩幅。自信にあふれた明るい色の目。そして真っすぐこちらに歩いてくる足取りの力強さ、軽やかさ。

甘く、不思議な胸苦しさに襲われた。

「こちら……」

……が、聞き取れなかった。聞き取れたが、それがあの紀子の夫の名字とは、少しの間、納得がいかなかった。

「こちら、斉藤さん。職場の先輩」と、紗織は、その男に紹介した。

「どうも、家内がお世話になりまして」

男は、礼儀正しくはっきりした口調で挨拶《あいさつ》し、頭を下げた。一挙一動が目に心地よかった。

康子は、これが妻を殴る男とは何かの間違いに違いない、という気がした。世間知らずの

紗織は、何かを誤解しているのだろうか。

「で、どうしたんだい？　斉藤さんにも向こうに入ってもらえば」と仲間のいるテーブルを指差し、それから康子の方をくるりと振り返り、「テニス、されるんでしょう」と白い歯を見せて笑いかけた。

「あなたの問題なのよ」

紗織は鋭い声で遮り、仲間から離れた一番端の席を指差した。岡崎は、苦笑して康子に話しかけた。

「うちの夫婦仲が悪いんじゃないかって、言いがかりをつけてくるんですよ、こいつ」

「あれは、夫婦仲が悪いって言うんじゃないの。夫婦間暴力って言うのよ」

「どこに暴力があるんだよ」

岡崎は憤慨するように言った。その表情には、嘘《うそ》が含まれているようには見えない。

「紀子がそう言ったのか？」

紗織は首を横に振った。

「でもね、髪の毛引き抜いて、子供を流産させて、顔にあざつくって、これが暴力でなくてなんなのよ」

岡崎は、ちょっと息を吐き出した。

「髪の毛って、ありゃ、病気だぜ」

「へえ？」

康子はきつねにつままれたような気持ちで岡崎の顔を見た。

「結婚して二週間くらいしたら、ぼろぼろ抜け始めたんですよ。それからあっと言う間に、はげになってしまった。聞いてみれば、彼女のお母さんも、同じ症状になったそうじゃないですか。遺伝病なんですよ。正直な話、気味悪いし、普通、はげの女房なんて離婚ものだと思いませんか。でも俺はちゃんと彼女を車に乗せて医者に連れていって、会社の帰りに薬をもらってきたりしてたし」

それから紗織の方を向いて岡崎は毅然とした口調で言った。

「ついでに流産についても、俺が腹を蹴《け》ったみたいな言い方するのは、よせ。おまえ、だいたい思い込みが激しいんだよ」と岡崎は、紗織の頭をつるりと撫《な》でた。紗織は片手で乱暴にその手を払った。

岡崎は、少し深刻な顔で康子を正面から見た。

「体調崩してて、急に腹痛起こしましてね。夜中の二時過ぎだったんですが、車に紀子を乗せてかけこんだんですよ。医者が言うには、赤ん坊は、もうほとんどだめになってるんで、たとえ無理して保《も》たせても、母体に負担がかかるだけだから処置しましょう、って話になりまして。朝までつきそいました。産婦人科病棟で白い目で見られながら。それで病院から戻ったその足で、翌日、コペンハーゲンまで出張したわけです。参りましたよ、こっちの方が。正直な話」

「まあ」と康子は、岡崎の引き締まった顔を見上げた。

「それじゃ、誓って、何もしてないわけ？」

紗織はなおも食い下がった。

「誓うもなにも、それがおまえと何の関係があるわけ？　他人の家庭の心配するより、早く嫁に行けよ」

そのとおりだと、康子は思った。

「関係は大ありよ。私があなたを紹介したんだもの。それが暴力亭主だったなんて、私の立場はどうなるのよ」

「あのなあ」

岡崎は、ちょっと肩をすくめた。

「夫婦の間だから、手が出ることもあるさ」

康子は、はっとして岡崎の目を凝視した。相変わらずそこには一片の粗暴さも陰険さも、淡い翳《かげ》りさえない。岡崎は続けた。

「口で言ってもわからないとなれば、だれかが教えてやらなきゃならないし、あいつの家は……いや、こういうことは言ってはまずいな。ようするにちゃんとしたしつけができてない女だというのが、結婚してからわかったんだよ」

康子の神経がびくりと震えた。岡崎という男の別の顔が見えたような気がした。見たくないと思った。

「殴るなんていうのは、他人にはできないことだろ。俺だって、紗織は殴らないよ。なぜな

ら、こう言ってはなんだが、どうだっていい女だからだ、俺にしてみればね。しかし紀子は女房なんだ。わかるかな」

「わかるわけないじゃないの」

紗織は怒鳴った。

「第一、紀子が、別れたいとおまえに言ったか？」

「それは……」

紗織は言葉に詰まった。

「何度も言うようだけど、ほんと、おまえ、嫁に行った方がいいよ。人間に丸みが出てくるし、少しは大人になる」

「わかった」

紗織は椅子《いす》を蹴るように立ち上がり、ポケットから小銭を取り出し、テーブルの上に置いた。

「あ、いい、いい」と岡崎は押し戻す。

「結婚はしても、嫁になんか行かないわ。ついでに、あなたみたいなのとは、絶対一緒にならないからご心配なく」

そう言い捨てると、紗織はまだ一言も発していない康子を引ったてるように、クラブハウスの外に連れ出した。

康子は自分が何のためにここに来たのか、さっぱりわからないまま、紗織の後に続き、岡

崎の方をちょっと振り返った。康子と目が合うと、岡崎は険しい目を和らげ、礼儀正しく会釈した。それは好青年というよりは、責任も常識もわきまえた、大人の男の姿だった。

「最低」

外に出ると、吐き捨てるように紗織は言った。

康子はふうっと息を吐き出した。

「どうしたらいいと思いますか？」

歩きながら紗織は、深刻な調子で尋ねた。

「どうって、夫婦のことだからね。友達とは言っても、他人が口を出すことではないんじゃないかしら。それにこんなことして、ノリちゃんの立場が悪くなったらどうするの？」たしなめるように康子は言った。それには答えず、紗織は「ああ、なぜあのとき、うちの会社のコ、誘っちゃったんだろう」と髪に指をつっこみ、首を振った。

そして紗織は紀子と岡崎がどうやって出会ったのか、手短に話した。大学ＯＢのテニス合宿に、紗織が紀子たちを連れていったのがなれそめらしい。

「それって、でもあなたの責任じゃないと思うよ」と康子はなぐさめるでもなく言った。

夜更けに康子の家のインターホンが鳴ったのは、それから二週間目の土曜日のことだった。

夕方から降り続いた雨に、白い物が混じり始めていた。

編みかけのテーブルクロスをテーブルに置いて、康子は受話器を取り上げた。

「岡崎です」

女の声がした。紀子だ。

「あの……今、マンションの前です……ごめんなさい、タクシー代、お借りできますか」

「あ、いいよ、いいよ」と答えたが、相手は沈黙している。

「どうしたの？」

「…………」

タクシー代を康子に借りてこれからどこかに行くのではなく、タクシーでここまで乗ってきたが金がないのだ、とそのとき気づいた。

尋常でないことが起きたと思った。財布を摑んで部屋を飛び出し、エレベーターに乗る。

降りしきる霙《みぞれ》の中に、タクシーが止まっていた。後部ドアが開いて、小柄な女の上半身が見えた。

あっと、声を上げ康子は後ずさった。

殴られたのか、それとも泣きはらしたのか、むくんだような顔に濡れた髪がはりつき、頭頂部に露出した青白い皮膚は、この前よりもさらに広がっている。

紀子はそろりと足を出した。ギャザースカートに半ばかくれたふくらはぎから膝《ひざ》にかけて、夜目にも白く包帯が巻かれている。

「いくら？」

康子は運転手に尋ね、素早く金を支払った。それから肩を貸して、紀子を車から降ろした。寒さかそれとも恐怖からか、小刻みに震える紀子の体を抱くようにして、部屋まで上がって

きた。

明るいところで見ると、紀子のこめかみから頬にかけて、うっすらとあざが広がっている。一言うめいて、康子は寒さで真っ赤になった紀子の手を両手で握りしめた。

岡崎に初めて会ったときに、紀子の言動を一時でも疑ったことが悔やまれる。

座布団を出そうとして足の包帯に目をやり、座るのも辛かろうと、隣の部屋から籐《とう》椅子を持ってきてかけさせる。

「お医者さん、行く？」

「もう行ってきたんです」

小さな、まったく抑揚のない声で、紀子は答えた。確かに、包帯の巻き方は素人ではなかった。

「岡崎さんの車で連れていってもらって」

「やったのは、彼じゃないの？」

「ええ、だから……」

ええ、というのが、否定なのか、肯定なのかわからない。

「それで岡崎さんが支払いをしているのを見ていたら、家に帰るのが急に怖くなって、どうしたらいいかわからなくなって……そのまま走って病院の裏門から通りに出て、ずっと歩いて、それで凍えそうになったら、タクシーが通ったんで乗ってきたんです」

「どうしてよ？　どうしてこんなことになっちゃったの」

それ以上、何か言おうとしても言葉にならなかった。

「今日、彼の友達と上司の人が遊びに来て、私、家にちゃんとしたお客さんが来たことなんかなかったから、ぜんぜん気がきかなくて……。それでお客さんが帰った後で……にこにこしていたあの人が、急に真っ青になって、恥をかかせたって……」

テキストを棒読みするような、まったく感情の感じられない声で、紀子は話した。丸い目はぼんやりと見開かれ、表面に蛍光灯の青白い光を映しているばかりだ。

「本当だったのね、この髪を引き抜いたのも、赤ちゃんを流しちゃったのも彼なのね」

「これ……」と紀子は自分の青白い頭皮に触れた。

「円形脱毛症」

「いいのよ。本当のこと言って、いいの」

康子は紀子の肩を抱きしめ、その髪のない皮膚に優しく触れた。

「本当なんです。またぶたれる、また怒られると思うと、怖くて、それで髪をとかすたびに抜けるようになってきたんです。前にも、うちで、お母さんとお父さん、仲があまりよくなくて、そのときも、小学生だったけど髪がみんな抜けちゃって」

「そんな」

涙がこぼれそうになるのを康子は、半うじて堪えた。岡崎の物理的暴力で抜けた髪ではなかった。しかし髪が抜けるほど、毎日悩み、怖い思いをしていたとしたら、それとどういう違いがあるだろう。

「赤ちゃんのことも、そうなんでしょう。蹴られたの、それともどこかから突き落とされたの？」

紀子はかぶりを振った。

「二度も、三度も言われたのに、ねり歯磨きを買っておくのを忘れて、それで、夜中に起こされて買ってこいって、パジャマのまま外に出されて。でもお金持たせてくれなかったからそのまま……すごく寒くて」

「パジャマのまま、外に？」

「それからお腹が痛くなって」

康子は、目を堅く閉じてかぶりを振った。クラブハウスで見たあのさわやかで、礼儀正しい青年の顔が、瞼《まぶた》の裏に浮かぶ。

いざというときには、自分が防波堤になって弱い者を守ってくれそうな、あの颯爽《さっそう》とした姿、あの男らしさ……。紀子には悪いが、二人並べたら、これほど不釣り合いのカップルも少ないと思った。

「別れるよね」

康子は尋ねた。

紀子は返事をしない。

「生活のこと心配してるの？」

かすかに頭を動かした。否定なのか肯定なのか、わからない。

「まさか、そんなになってまだ愛してるなんて……言わないで」

ぽつりと紀子は言った。

「怒っていないときの、岡崎さんは優しいから」

「どこが」と言いかけ、房子は口をつぐんだ。岡崎はけがをした紀子を病院へ連れていった。髪が抜けたときも、流産したときも……。

この前の別れ際の岡崎の言葉を思い出した。

——殴るのは、他人にはできないこと。どうだっていい女なら殴りはしない、紀子は女房なんだ、だから……——

愛しているから、殴るとでも言いたかったのか？　どこにそんなむちゃくちゃな理屈があるのだろう。

「仲直りのセックスなんて……するわけ」

躊躇《ちゅうちょ》しながら、房子は尋ねた。紀子はかすかに首を動かし、うなずいた。

房子は舌打ちした。人の品性などというものは、大企業のエリートもやくざもさほど変わりないものなのだろうかと思った。

「今夜、泊まっていくでしょう」

紀子は、泊まるとも帰るとも答えない。房子は立ち上がって、タンスから自分のパジャマを取り出した。こたつに客用ふとんをかけて暖めにかかる。

「お夕飯は？」

紀子は、遠慮がちに首を横に振った。康子は冷蔵庫を開けた。ありあわせの材料で雑炊を作る。土鍋《どなべ》に入れて運んで来ると、紀子はおずおずとれんげを手にして、すすり始めた。そして二口ほど食べると、れんげを置いて涙をこぼした。そっとタオルを手渡すと、それで拭《ぬぐ》い、また口をつける。

「斉藤さんといると、お姉さんといるみたい……」

紀子の複雑な家庭環境を思い浮かべ、康子は黙ってうなずいた。

「お姉さんと東京で二人で暮らしていたときが、一番幸せだった。お義兄さんは、ちょっと怖かったし」

「いいよ、怖くて家に帰れないなら、しばらくの間ここにいて。そうして落ち着いて結論を出したらいい」

康子は、椀《わん》に入りそうな紀子の髪をそっと摘《つま》んで、肩の方に流す。

紀子はれんげを置いた。土鍋の中身はからになっている。

「おなかいっぱいになった？」

うなずいて紀子は、ごく自然に康子の肩に頭をもたせかけてきた。康子はその痛々しい地肌に頬を押し当てた。胸に小柄な紀子の体の重みを感じる。心の底に、暖かく湿った思いが、満ちてきた。

「ここにいる？」

紀子の背中を撫でながら、康子は尋ねた。紀子はかすかにうなずいた。

一人で住むにはいささか広い家に、だれかがいる。それが男でなければならぬ理由などどこにあるだろう。傷ついたもの同士、一緒に住んで何が悪いのだろう。

この部屋に紗織がいるとしたら、違和感があってたまらないだろう。リサは、よく気がつくいい娘だが、本音が見えず落ち着かない。しかしぼさっとして、一見何の取り柄もないような紀子には、なんともいえない素朴さと人の好《よ》さが感じられて一緒にいると心が安らぐ。

「いいよ、いつまでいても」

康子はささやいた。洟《はな》をすすり上げ、紀子はうなずいた。

いつまでいるかわからないが、少なくとも彼女がいるかぎり、だれもいない家に戻ってきて、明かりをつけたりしないですむ。納豆に、切り身魚と野菜いためなどという夕食を一人でかっこむわびしさからも解放される。

帰ってくると、だれかがいる。深夜や早朝、慌てふためいて広いリビングに掃除機をかけたり、夜遅く帰ってきて、すっかり冷えて湿り気の戻った洗濯物を取り込むこともない。つまり男が妻を持つのと同じだ。その安逸さ、その豊かさ、その安らかさに、康子は憧《あこが》れにも似た気持ちを抱いていた。

翌朝、目覚めると紀子は眠っていた。

康子はそっと起きだし、冷えきった台所のエアコンを入れた。ありあわせのもので朝食を作ってから、紀子を起こした。

紀子は、しばらくぼんやりしていたが、テーブルの上の食べ物を見て、泣きそうな顔をして、「すみません、すみません」と何度も頭を下げた。それから顔を洗ってくると言って、洗面所に入った。が、それきり、出てこない。出勤時間が迫り、康子は先に食べ始めた。

歯磨きの音がやんで、しんとした。何をしているのかわからないまま、康子は食べ終わり、自分の皿を洗う。昨夜洗って中に干しておいた洗濯物をベランダに出す。

バッグをひっ摑み、合鍵《あいかぎ》と多少の現金を渡そうと、洗面所に入った。紀子は頭に康子のホットカーラーを巻いているところだった。

「すみません。勝手に使って……」

「別にいいけど」

はげた部分をなんとか隠したい気持ちはわかるし、自分のカーラーを使われたのもいっこうにかまわない。しかし起こしてからとうに四十分以上経っている。やることがのろいのは、普段の仕事ぶりや、職場旅行で知ってはいたが、それにしても、と呆れて、康子は家を飛び出して駅に向かった。

その日仕事から帰ってきた康子は、リビングに足を踏み入れ、むっとする熱気に顔をしかめた。

紀子は料理を作っているところだった。しかし鍋の熱気だけではない。

「これ、ずっと入れてた？」

康子は、南側の部屋のエアコンを指差して尋ねた。

昼になれば、部屋は日光で暖まる。何よりもこの広い部屋を一日中暖房していたのでは、電気代がたまらないので、康子は休日でも夜の数時間しかエアコンはつけない。

スイッチをオフにして、開けっぱなしになっているカーテンを閉めようとベランダの方に行く。真っ暗な中で洗濯物がひらひらと揺れているのがガラス越しに見えた。今朝、出したものだ。取り込んでおいてくれればいいのに、と独り言を言いながら、手早く入れて畳む。

紀子は調理台に向かったままだ。何かを懸命に作っている。そっと覗き込むと、人参を花型に刻んでいる。まないたの上の野菜は、彫刻のように美しいが、いったいいつまでかかるのだろう。

テーブルの上に料理の本が、油と水と粉にまみれて置いてある。

「手伝うわよ」と、手を洗って隣に立つと、思いのほか強い調子で、「あ、いいです」という答えが返ってきた。康子は空っぽの胃に少しばかり痛みを覚えた。

流しに行って小麦粉にまみれた丼《どんぶり》や、油だらけの鍋などを洗う。

その隣で、紀子は真剣な顔で何かをこね始めた。糊《のり》のようなものが、あちらにつきこちらにつき、飛び散る。康子は黙って調理台から離れた。

三十分経っても、何も出てこない。果たして日が変わらぬうちに、夕飯にありつけるのかといぶかりながら、急《せ》かすのも、そのひたむきな姿からして気の毒で、黙って待つ。

「あ、はい」

他人の家の慣れないキッチンなのだからしかたない、と情けない音を出して鳴る腹をなだ

めながら、つまむものでもないかと冷蔵庫を開けた。

扉を開けたとたん、ビニール袋が落ちてきた。スナック菓子だ。それも二袋。こんなものを冷蔵する必要はないのにと、外に出す。

ハム、サラミソーセージ、漬物、時季外れのトマトとキュウリとレタス、高価なズッキーニと生のバジリコ、鶏の腿肉と蟹《かに》。とにかく中は紙一枚入る隙間《すきま》さえない。

買物に行ってくれたのはありがたいが、これでは朝方渡していった一万円が一回で飛んだのではないだろうか。

食品をかきわけ、ようやく買い置きのビールの缶を一つ引っ張り出し、康子は尋ねた。

「宴会でもする気？」

「お料理作ろうと思って買物に行くと、いろいろ材料を揃《そろ》えなくちゃいけないから、ついついたくさんになっちゃうんです」

康子は、半ばやけのようにビールをグラスに注ぎ、テーブルの上の料理本を見る。材料が書いてある。そのとおりに全部買えば、確かに今の冷蔵庫の中のような状態になる。

「それはいいんだけどね……」

口の中でつぶやきながら、紀子の背中を恨みがましい目で見上げる。

空っぽの胃壁にビールがしみて、刺すような痛みが走った。

「あのね……嫌なこと思い出させてごめんね。きのうもダンナのお客のために、こんなふうにして買物をしたの？」

「きのうだけじゃなくて、いつも午後からちゃんと買物に行ってたんです。手抜きとかしないで、本に書いてあるとおり作ってたんですけど、でも、おいしくないって、怒られて……」

紀子は片手でちょっと瞼を押さえた。もう一方の手は、さやいんげんを持っていた。

そういうのは、料理にかかる前にするものよ、という言葉が喉元まで出かかったが、康子は黙って手を出してさやいんげんを摑み、紀子の三倍ほどの速さで筋を取った。

「これ、もらうわよ」

空腹に耐え切れず、さきほどのスナック菓子の袋を破る。

「あ、どうぞ。これって新発売の梅しそ味なんです」

とたんに声が明るくなった。

「ほんと、おいしいね」と強《こわ》ばった笑みを浮かべながら、「結局、あんたにできるのは、子供作ることだけなの？」という言葉を心の中で吐いて、自分の意地悪さに慄然《りつぜん》とする。この子は、まだ二十歳、遊びたい盛りなのだ。岡崎もあと一年も辛抱してやれば、家の中のことくらい、切り盛りできたのではないか。それを岡崎は、体育会系のノリで、殴って体で覚えさせようとした。それがかなわぬと思ったとき、爆発的な暴力になった。そんなことを想像すると気が滅入《めい》る。

「あなたのお姉さんって、どんな人なの？」

空きっ腹のビールにめまいを覚えながら、康子は、いくぶんろれつの回らない口で尋ねた。

「優しいんです……」

さきほどこねまわしていたものを、鍋に放りこみながら、紀子は答えた。湯がはねて、慌てて手を引っ込めている。

「ねえ、できたものから食べない？」

康子は、ビールの中にスナック菓子が浮かんでちゃぷちゃぷいっている胃を片手で押さえながら言った。

「もうちょっとでできますから、待っててください」

鼻の頭に細かい汗を浮かべて、驚くほど険しい調子で紀子は言った。

「ごはん、お姉さんが作っていたの？」

「はい」

悪びれた様子もなく、紀子は答えた。

「お仕事、してたんでしょう」

「スナックなんで、昼間は家にいたんです」

「そう……」

ふうっと息を吐き出した。ビールがきいてテーブルの上の景色が揺らいでいる。

「ノリちゃん、考えてみた？　岡崎さんのこと……」

グラスを置いた。それほど強く置いたつもりはなかったが、中身がこぼれた。

「大丈夫ですか」と紀子が飛んできて、康子の前にひざまずき、濡れたスカートを拭いた。

そのうつむいた首筋に、胸をつかれるような哀れさとも色気ともつかぬものを感じた。ひざまずいた紀子の、濡れたような黒く丸い瞳《ひとみ》が、康子をすがるように見ている。

「岡崎さんのこととか……今、考えたくない……」

「で、どうする？　これから」

昨日とは打ってかわって、解決を急ごうとしている自分が、ひどく器の小さな人間に思えてくる。

「私、もう男の人は、いいんです」

「いいって、まだ二十歳だし、将来の問題とかあるから」

紀子は目を伏せた。

「将来なんて、ないみたい。もう、だめ……こんななっちゃって、結婚式して、たった一ヵ月で……」

そう言うと肩を落として、調理台の前に戻っていった。いらつく気持ちを康子は必死で抑《おさ》えていた。

帰ってきて、もうどのくらいの時間が経ったのだろう。皿はまだ並んでいない。空腹感などどうになくなって、今はさし込むような痛みと、吐き気があるだけだ。

こちらに背を向け、紀子は最後の仕上げをしている。

確かに紗織の言うとおり、家事能力など、結婚という人間と人間の結びつきに関しては、本質的な問題ではない。

しかし最低限、自分のことが自分でできない人間に、結婚する資格などあるだろうか。

「ねえ、あたし……」

三本目のビールを空にしたとき、康子は自分の体がぐらりと傾くのを感じた。ひじをテーブルの角にぶつけた。少し遅れて痛みを感じた。

紀子が飛んできて、体を支えた。甘く湿ったなつかしい匂いがする。体のぬくもりが伝わってくる。

「ねぇ……あたし、あなたのお姉さんじゃないわよね。そうよね」

それだけ言って、気が遠くなった。

ヘッドホンから流れてくる声に、紗織は耳をすませる。ネイティブのごく短い英文が聞き取れた。次にそれに形容詞がつく。これもどうにかＯＫ。さらに関係代名詞がついて別のフレーズがつながる。きつく目を閉じて、神経を集中させる。

だめだ、と乱暴にテープを巻き戻した。もう一度聞く。やはり聞き取れない。

大学を卒業して三年しかたってないのに、完全に頭がさびついている。自分の会社の資本金額も、経営状況も、業務内容さえ把握してないＯＬの間で伝票整理ばかりしていればこうなるのもあたりまえだ。このままでは自分が腐ってしまう。

バブルの弾《はじ》けた後の就職難で、たまたま一般職で入社してしまったが、いずれは総合職にうつり調査部門で働くのが夢だった。しかし職種替え試験などというのは所詮《しょせん》、絵に描いた餅《もち》だとわかったのはいつのころからだっただろう。第一、試験なんてものはない。上司が推薦した者に簡単なレポートを書かせ、人事部が面接でふるいにかけるだけのものだ。つまり

キャリアが欲しければ、なによりオヤジ達のお気にいりにならなければならないということだ。しかも人減らしの嵐《あらし》の中、昨年の合格者はゼロ。一昨年の合格者は総合職の辞令と一緒に四国地方への転勤辞令をもらって、結局退職した。女性総合職などというもの自体が、バブル時代のあだ花だったのだ。

もちろんリストラ対象者は総合職だけではない。つい最近、康子と同期入社のみどりが、同じビル内にある関連子会社に出向になった。同じ会社にいる夫の昇格と引き替えに、退職を打診されて、断ったためだ。

「会社に期待してもだめ。頼りは自分の能力だけ」

自分を励ますようにそうつぶやき、長い髪をかきあげる。

つまらないOLなんか一生やってはいない。もちろん結婚なんかに逃げ込んだりしない……。

そのとき親子電話の子機が鳴っているのに気づいた。慌ててヘッドホンを外して受話器を取る。

「何してたの、さっきから呼んでいるのに」

と母親が出て、すぐに男の声に替わった。岡崎だ。

「夜遅く申し訳ない」と一言、謝った後、「つかぬことを聞くが、紀子と会わなかったか」と尋ねてきた。

「それ聞いてどうする気？」

康子の家に紀子が逃げ込んだことをこの日の昼に知ったばかりだ。たまたま話題が紀子のことになって、「彼女、どうしているんでしょうね」と康子に話しかけると「四日前からうちにいるわよ」という答えが戻ってきて驚いた。いったいどういう経緯なのか尋ねたが、康子は憮然《ぶぜん》とした表情で「しょうがないでしょ。行き場所がないんだから」と言うだけで、とりつくしまもなかった。

電話の向こうで岡崎が「紀子が家を出た」と短く言った。

「だから？」

「そっちに行ってないかと思って」

「連れ戻して殴るわけ？」

「いや、そんな気はないね」

「信用できないわ」

「けじめはつけなければと思ってた。昨夜、おふくろと兄貴が上京してきて話し合った。実のところ、こんな形の結婚には、初めから家族や親戚《しんせき》連中が反対していた。こちらもこの件については望んだわけではないが、男なら責任を取らなければならないと思ったから反対を押し切って結婚に踏み切った。しかし結果がこれでは、解消せざるをえない。結婚のきっかけになった子供もいなくなったし、これ以上中途半端な状態でいてもお互い良くないので、早めにけりをつけたい」

「あ、そう」

岡崎らしい。上昇指向の強い紗織にとって、青春の一時期、並みはずれて優秀な岡崎が魅力的に映った時期があった。人間としての迷いや感情の揺らぎを、必要とあらばさっぱり切り捨てて、新しい事態に対応できることが有能さの条件であろうということは知っているが、こんなやつに一時でも惚《ほ》れたのだろうか、と思うと不思議な感じがする。

「つまり話し合いの場を持ちたいってこと？」

「いや、結論は出ている。書類一式を送るから、あとは向こうが判を押して送り返してくればいい」

「財産分与とかは？」

「あるわけないだろう」

紀子が何も持たずに体一つでやってきたこと、家具や披露宴の費用など一切を岡崎の側で持ったこと、それどころか挨拶《あいさつ》回りのための訪問着まで岡崎の家で作ったことを岡崎は、手短に、何の感情も込めずに語った。

こんな結婚はさっさと解消するにかぎる。全部聞き終える前に、紗織はそう判断した。

「紀子は私の同僚のところにいるわ。斉藤さん、覚えてる？　この前クラブハウスで会ったでしょ」

「あのおとなしそうっていうか、地味な人だろ」

「そうそう。住所と電話番号は……」

岡崎との話を終えた後、紗織はすぐに康子のマンションに電話をした。一応このことを紀

子や康子に伝えておいた方がいいと思ったのだ。ところが話し中だ。数分して再び電話をした。まだ話し中。舌打ちしてコートを羽織り、車のキイを摑《つか》んで家を飛び出す。

「おい、どこへ行く」

ガレージのシャッターを開けていると父親の声がした。新聞社に勤める父の帰りは連日遅く、このところほとんど顔を見ていなかったが、この夜に限って鉢合わせしてしまった。

「友達の家」と答えながら、運転席に乗り込む。

「時間を考えろ」と父は自分の腕時計を指差してフロントガラスを叩《たた》いた。

「たいへんなの。離婚話が持ち上がってるのよ」

父はちょっと眉《まゆ》をひそめた。

「おまえの方は結婚話の一つもないっていうのに、もう壊れたところがあるのか」

「あたしより五つも若いっていうのにね。じゃ、なるたけ早く帰ってくるから、心配しないでね」

言いながら、アクセルを踏み込んだ。

ルームミラーにちらりと目をやる。父親譲りの彫りの深い顔が、こちらを睨《にら》みつけている。この顔と百七十三センチの身長で、学生時代にはずいぶんファッションモデルのスカウトが来た。

彼らの名刺が三十枚を超えたとき、少し心がぐらついたが、見てくれで商売することには抵抗があったし、その業界の男達の顔がなんとなくバカ面《づら》に見えて、いま一つ乗れなかった。

しかし今、少し後悔している。仕事の能力など関係なしに、「細やかな気配りと職場を明るくする雰囲気」だけを求められるくらいなら、いちかばちかパリコレでも目指した方がよかった。

いずれにしても後ろ向きの生き方は、ごめんだ。今年で二十五。転職を考えるなら今年あたりがラストチャンスだ。能力を磨き、何か資格を取らなければならない。

人の世話を焼いている暇などない。わかってはいるが、紀子のことを放っておくわけにもいかない。その気はなかったとはいえ、岡崎のような男を紹介してしまったのは自分なのだ。

深夜なので交通量は少なく、世田谷にある紗織の自宅から康子のマンションまでは、三十分足らずだった。

建物の入り口にあるインターホンで名前を告げ、エレベーターに乗り込み、康子の住んでいる最上階に上った。ノックすると鎖の向こうに、下唇を突き出した康子の不機嫌な顔がのぞいた。この時間に来られたことに腹を立てているのかと思ったが、すぐに別の理由だとわかった。紀子が電話をかけていた。先程からお話し中だったのはこのせいだ。

「どこにかけてるの？」

小声で尋ねる。

「実家よ、福井のお母さんとこ。さっきはお姉さんのスナック」

康子は紀子の方を一瞥《いちべつ》した。康子の一重瞼《ひとえまぶた》の細い目が、さらにぽってりと細く吊《つ》り上がって、ふくれたような唇の端が下がっている。言いたいことを言えない性格の康子の忿懣《ふんまん》は、

顔にたまってくる。

お茶をいれている康子の背中に向かい、紗織は岡崎からの電話の内容を伝えた。とたんに康子の手が止まった。くるりと振り向いて低い声で言った。

「私や紀子ちゃんに一言も言わないで、ここの住所を教えたわけ？」

「何か不都合でもあるんですか？ 岡崎は、離婚届を送るだけだって言ってましたよ」

「口で何と言ったって、いるとわかったとたん、おさまらなくなってここに乗り込んでくるかもしれないじゃない」

「そんなことはないと思います」

紗織は断定的に言った。

「岡崎は、アホだけど、腹に一物ある男じゃないから」

そのとき洟《はな》をすすり上げる音が背後でした。紀子が突っ立っていた。

「そう、言ったんですか。岡崎さん……本当にそう言いましたか」

「良かったじゃない。執念深く付きまとったりされなくて」

そう紗織が言ったとたん、紀子の頬《ほお》を涙が伝って、ぽとりとテーブルに落ちた。紗織には何がなんだかわからない。

「なに、泣いてるの？ ひょっとしてまだ岡崎が好きなわけ」

康子が困ったような顔で紀子にタオルを差し出した。紀子はそれを受け取り、康子の胸に顔を埋めた。

「斉藤さん、私、どうしたらいいかわからない。岡崎さん、あんなに優しかったのに……私、何にもできなくって、情けなくって、捨てられたってしょうがないんです」

「ちょっと、どうなってるわけ？」

この子の頭の中はさっぱりわからない。康子は紀子の髪を撫《な》で、諭すように言った。

「ねえ、大事なことだからね、お母さんかお姉さんに相談した方がいいよ。明日にでも帰って、それでこの後の身の振り方話し合ってね」

紀子はうなずいたが、まだ泣いている。康子は紗織の腕を掴み、玄関の方に押し戻すように連れていくと、「わざわざ来てくれてありがとうね、でも、今夜はこれで。紀子ちゃんの方は、私、なんとかするから」とささやいた。そして帰ってくれ、と言わんばかりに、紗織の手に殻つきピーナツの入った袋を押しつけた。

「これ、実家から送ってきたんだけど、ね、家族で食べて」

紗織は釈然としないまま、康子のマンションを出た。


「今夜、暇？」

向かいの机の康子が、紗織に小さな声で尋ねたのは、その二日後のことだ。

「あまり暇じゃありませんけど」と答えた後に、ふと気づいて「岡崎関係？」と尋ねると、康子はうなずいた。

「あいつ、また何かしたんですか？」

いくことになった。

「ちょっとここでは……」と康子は言葉を濁す。結局その日、康子のマンションまでついていくことになった。

紀子は、岡崎の字で必要事項が書き込まれ捺印《なついん》された離婚届の前で、赤く腫《は》れ上がった瞼をこすっていた。

前日の午後、紀子は姉の元に行き、事の次第を報告してきたのだという。しかしそこに義兄がいたことから問題がこじれた。岡崎の暴力を知った義兄が義憤にかられたまではよかった。しかしそこはまともな世界で生きてこなかった人間らしく、あまり頭の良くない解決方法を提示したのだ。

「別れるな。判を押したら丸損だぞ」と彼は紀子に言ったそうである。

「子供作ったあげく、殴って追い出されたんだ。血が繋《つな》がっていなくたって、おまえは俺の可愛い妹だ。そんなことまでされて黙っていられるか。五百万でも六百万でも、ふんだくれるだけふんだくれ。こんなところで女が出たらなめられる。裁判なんかやってたら時間ばかりかかるし、ここは俺にまかせろ」とその場で岡崎の会社に電話をした。電話に出た岡崎が、どういう受け答えをしたのか、義兄が話さなかったので知る由もないが、彼はいきなり受話器を叩きつけると、激高した様子で家を出ていったそうである。そしてその日の夕方、「あのガキ、たたっ殺してやる」と息巻いて戻ってきた。

会社の応接室で応対した岡崎に、知らないうちにやりとりを録音され、警察に届けるぞと反対に脅されたらしい。

「お義兄さん、岡崎さんからお金を取って、自分のサラ金の穴埋めにするつもりだったんです」

紀子は消え入りそうな声で言った。

紗織はため息をついて、頭を抱えた。

「あなたのところ、もうちょっと、まともな親類がいないわけ？」

紗織が言うと、それ以上しゃべるな、というように、康子は唇を真一文字に結んで首を振って見せた。かまわず紗織は続けた。

「でも、そのお義兄さんというか、お姉さんの同居人のことはともかくとして、慰謝料の請求は考えていいと思うよ。ちゃんと弁護士さんに相談して」

紗織が言うと、康子は立っていって、部屋の片隅の段ボール箱を三つ引きずってきた。中身を見て紗織は息を呑《の》んだ。

真新しいバッグと洋服と靴、化粧品とヘアケア製品は美容室で売っている高級品、ピンクのノブカバー、花の飾りのついたコーヒーカップ、ケーキ型、クリスタルのパンチボール、羽根布団、スワトーのテーブルクロス、ありとあらゆる日用雑貨が出てくる。しかもかなり高額で、特に生活に必要とは思えないものばかりだ。

「岡崎さんが、離婚届と一緒に送り返してきた彼女の財産。紀子ちゃんが買い込んだものだそうよ。ダンナのカードで」

康子はささやいた。

「あなた、家裁へ行って準禁治産者宣告してもらった方がいいんじゃない?」と紗織は、テーブルクロスの一つをつまみ上げた。

「ジュンキン……?」

紀子は涙のたまった目を離婚届から上げ、首を傾《かし》げている。浪費家という点では、紗織も人のことは言えない。しかし専門学校の授業料も、週末ごとのスキーやゴールドコーストでのスキューバダイビングにかかった費用も、自己投資という点では、紗織にとっては意味がある。しかしこの不用品の山は、彼女の理解を超えている。第一、会社にいた頃の紀子はさほど金遣いが荒い方ではなかった。

「なんでこんなに買い込んだの?」と康子がため息まじりに尋ねた。

「だって結婚すると、いろんなものがいるんです……お客さんとか来るし」

洟をすすり上げながら、紀子は離婚届に判を押し、宛先《あてさき》が書かれた返信用封筒に入れた。

「で、これからどうする気?」

がらくたの詰まった段ボール箱の蓋《ふた》を閉め、紗織は尋ねた。

「わからない」

ピンクの口紅を唇の周りに滲《にじ》み出させ、虚《うつ》ろな目で紀子は首を振った。

「とにかく仕事みつけなきゃ、生きていけないわよ」

「できることなんて、何もないし」

「OLやってたんだから、一般事務ならできるでしょ」

「辞めちゃったから」

康子が、また一つため息をもらした。

男性社員はつぎつぎと支社や営業所に出向させられ、一般職の女性も勤続年数の長い者を狙《ねら》い打ちにするように、懲罰的とも言える異動辞令が出る。とにかくリストラの名のもとに、会社の生き残りをかけたなりふり構わぬ首切りが始まったこの時期、いったん辞めた女子社員が、たとえパートタイマーとしてでも再就職するのは難しい。

「福井には、帰れない？」

遠慮がちに康子が尋ねた。頑《かたく》なな様子で紀子はかぶりを振った。康子は顔を上げ、紗織と視線があったとたん、泣き笑いのような表情を浮かべた。

お姉さんのところへ帰れ、とは、先程の話からしてもさらに言いにくい。

「みどりのところで仕事、ないだろうか」

康子がぽつりと言った。みどりの出向先は、「T火災ビジネスサービス」といって、データの入力などの周辺業務処理を行なう会社だ。正社員が少なく、アルバイトと派遣社員が主な戦力だ。アルバイトの場合、給料も労働条件も悪いが、次の就職口が決まるまでは、そこで食いつなぐという手もある。

「だってあそこ、T火災ビルの中ですよね。知ってる人に会ったら、どうしよう。結婚の挨拶して辞めたのに……」

紀子は泣き出しそうな表情になった。

「離婚したって言えばいいじゃない」

紗織は答えた。このあたりの感覚は、紗織にはまったく理解できない。

「たしかに、見栄張ってる場合じゃないと思うよ。生活がかかっているんだから」と康子も言う。紀子はこくりとうなずいた。

康子がさっそくみどりに電話をする。結果はＯＫだった。ちょうどアルバイトの女性が一人辞めたところなので、明日、みどりから上司に話しておくということだ。

ただし時給七百円そこそこのアルバイト料では、部屋代までは払えない。まだしばらく紀子は康子のマンションから出られそうにない。

「いいのよ、少しずつでも貯金しながら、どこか探そう」と康子は、紀子の肩に手を置いた。

紀子は他人事《ひとごと》のようにぽかんとした顔で、康子を見上げた。

翌日の昼休み、屋上で太極拳《たいきよくけん》の練習を終えた紗織が、更衣室に戻ってきたときだ。ロッカーの陰から、甲高い声が聞こえてきた。みどりが興奮した口調で康子と話をしている。何があっても余裕の笑顔を崩さず、出向が決まったときさえ「ま、しかたないわね」と肩をすくめただけだったみどりのこんなヒステリックな声を、紗織は初めて聞く。

口を挟む雰囲気ではなく、ロッカーの扉についている鏡に向かって、黙って化粧直しをしていると、いったん出向したみどりが、今度はその会社の甲府支社に飛ばされることになったという話の内容が聞き取れた。

「辞めろってことなのよ。共働きの女は、いつ子供ができるかわからないしね」

声を震わせたみどりの目が潤んでいるのが、小さな鏡の向こうに見えた。

「悔しいのはわかる。でも、みどり、ダンナ様が課長になったんでしょう。人生は長いんだし、いったん辞めてしばらく脚本の勉強に精出すのもいいんじゃない」

康子は、慰めるような調子で言った。

「養ってもらって当然とか、夫のお金で好きなことするとか、私、若い子達と違って、そういう考え方に抵抗があるのよ」

みどりはバッグからハンカチを取り出し、顔に当てた。

紗織は、やりきれない気分で更衣室を出た。今年の秋で二十五になった。このままでいれば、あと二年か、三年か……自分の明日が見えてくる。業績はこの二年落ち続け、部課長クラスも片道切符を持たされて、次々に関連子会社に出向だ。

まるで沈みかけた船じゃないか、と「T火災」のマークが印刷された廊下のくずかごを蹴《け》飛《と》ばす。

これで紀子の就職話もなくなったということに気づいたのは、しばらくしてからだった。いったいどうするつもりだろうか。いずれにしてもどこか別の就職口を探してもらうしかないが……。

夕方、帰りがけに駅ビルの中のヘアサロンの前を通りかかったときだ。康子と紀子がそこから出てきたのに出会った。紀子の頭頂部に見えていた地肌は豊かな髪に隠れている。

「あれ」

「うん、ヘアウィッグ。自毛部分と区別つかないでしょ」と康子が、笑いながら紀子の頭を撫でた。

「明日から必要になるもんね」と康子が言うと、紀子は照れたように笑った。康子の手には就職情報誌が握られている。みどりのコネがなくなったので、いよいよ職探しをするのだ。しかし情報誌を手にしているのが康子で、紀子はかつらを載っけただけで手ぶらというのも、妙な感じだ。

せっかくだから食事でもしよう、と駅ビルの中の店に入った。

「もっと美しく、もっとはばたいて」「人に出会った分だけ自分が磨ける」「新しい女性のための仕事です」「あこがれのベイエリアでワーク！」

情報誌をめくると元気のいい文字が躍っている。一般事務から営業、販売、経理、エステティシャンまで、不況のただ中でさえ紀子の年齢なら就職先に不自由はしない。

康子は運ばれてきた料理には手もつけず、食い入るように広告の文字を追っている。

「T火災でやってたから、保険関係の書類作成事務があれば一番いいわね。ノリちゃん字だけは」と言いかけ、「字がきれいだから」と言いなおした。

「オペレーターだってできるじゃない」

紗織が口を挟んだ。普通の人間なら二十分で嫌になるような、コンピューターに数字を打ち込むだけの単純作業を紀子は文句も言わず続ける。考えようによっては特技である。紗織と康子が、広告をピックアップして、赤丸をつけていくのを紀子はぼんやりと見ている。

「ねえ、ノリ、あなた何したいわけ？」

紗織はふと尋ねた。紀子は哀《かな》しげなものうい目で、紗織を見上げた。

「将来設計とか、夢はないの？」

「別に……パンケーキと紅茶の小さなお店なんか開けたらいいな、とか。テーブルクロスとか手作りで……」

「あ、そう」と、それ以上ものを言う気を無くして、紗織は再び就職情報誌に視線を落とす。こんなやつの面倒を見てる暇があったら、英語教材の一ページでも読んでいたい。それにしても、あの半年あまり前、なぜ紀子なんかテニス旅行に誘ってしまったのだろう。紀子が何か言った。

「え？」

「みどりさん、これから毎日お家にいて、かわいい赤ちゃんなんか産んで、幸せになるんですよね」

康子がまたため息を一つもらした。それから百円玉を三枚、紀子の前に置くと、いつになくきつい調子で言った。

「ノリちゃん、食べるのはあと。お店閉まる前に、履歴書用紙、買ってきて。自分のことなんだから」

翌日、二、三の会社に面接に行った紀子は、その一つに即決採用となった。生活雑貨の企

画開発販売を行なう会社の営業補助だ。従業員数は十二人で、固定給は月十五万。ぜいたくをしなければ暮らしていける金額だ。採用が決まった後、その日のうちに営業担当者が得意先回りに連れていき、その夜はその営業マンが食事をおごってくれたという。

「小さな会社で、ちょっと不安だったけど、みんないい人で家庭的っていうのか、とってもふんいきがあったかいんです」と紀子は喜んでいたらしい。

しかしその一週間後、紗織は紀子の再スタートがそう好調なものでなかったことを康子から知らされた。

数日前遅くなってから戻ってきた紀子は、もうあの会社に行きたくない、と泣きじゃくった。営業マンと一緒に外回りに行った紀子は、「営業をスムーズに進めるための手伝い」と就職情報誌に書いてあった通り、得意先の社長に差し出されたのだ。それでどうなったのか、紗織が根掘り葉掘り尋ねても、康子は答えない。しかし紀子が毅然《きぜん》とした対応ができるとは思えないので、結果は想像がつく。

いずれにせよ、これで紀子の就職活動は振り出しに戻った。しかしそれから紀子は怯《おび》えてしまい、新しい就職口を探しにいこうとしないのだと言う。

「出ていってもらった方が、彼女自身のためじゃないですか」

紗織はいらついて言った。岡崎のことでは、確かに気の毒だった。しかし病人でも年寄りでもない人間が、自分の食いぶちを自分で稼ぎだそうとしないのは、怠慢か甘えであって、結婚しているか否かは関係ない、と紗織は思う。

「いつまでも斉藤さんところに居候しているから、自立しようって気になれないんだと思います。結局、彼女ってスポイルされてきたわけでしょ。この上、斉藤さんまでスポイルしてどうするんですか」

「スポイルじゃないわ」

康子は眉間《みけん》にしわを寄せて自分の胃を押さえた。それから躊躇《ちゅうちょ》するように低い声で言った。

「世の中にはね、強い人と弱い人がいるの。弱い人に強い人の生き方を押しつけることはできないってこともわかってよ」

「そんなこと言ってもですね」と反論しかけ、ふと顔を上げた康子の一重まぶたの目に出会った。そこにある何ともいえない美しさに気づいて紗織は口をつぐんだ。

そのとき湯沸器の脇に、一枚のビラがあるのに気づいた。紗織たちもときどき行く弁当屋の広告だ。それの片隅に「社員募集」とある。時給千円。時間帯は、午前七時から十一時までだ。加工食品や食品添加物をなるべく使わず、おいしくて安い弁当を作ろうということで、主婦達が始めた店だ。そこならまず安心、セクハラなど起こりようもない。

康子はそのビラを手にすると、廊下の公衆電話に走った。家にいる紀子に電話をかけている。やがて受話器を置いた康子は、口を尖《とが》らせ、肩をすくめた。紀子は「お弁当屋さん？」と憂鬱《ゆううつ》そうな声を出し、「私、血圧が低いし……朝、弱いから、自信ない」と答えたのだという。

紗織が何か言いかけたのを制するように、康子は「でも他のところにこれから面接にいくそうよ」と答えた。

どうせ一時の逃げ口上だろうと思っていると、紀子はその日、本当に自分で仕事をみつけてきた。レジャー関係の調査の仕事だった。

「時間と曜日は、あなたの自由。ちょっと、おいしい仕事です」というキャッチフレーズだそうだ。三度目の正直、と康子と紗織は、祈るような気持ちで視線を交わしあった。

再び紗織が康子のマンションに行ったのは、残業続きで英語の学校を四日連続で休んだ金曜日のことだった。配置転換や組織改革で、仕事量はそのまま人員だけが削られ、紗織達のセクションは五時を過ぎても未処理の書類が山積みになっていた。

「ノリみたいに、おいしい仕事がみつかったら、こっちも変わりたいわ」と、コンピューター端末を叩いていると、康子が例によってぶすりとした顔で「おいしいかどうか、うちに来てみたら？」と言ったのだ。

紗織たちが着いてから、十五分ほどして帰ってきた紀子の顔を見たとたん、紗織は「おいしい仕事」がどんなものかわかった。

寒さで頰にひび割れを作り、下瞼の黒ずんだ紀子の顔には、表情さえなかった。仕事内容がアンケート調査だとは聞いていたが、こんな顔で「アンケートお願いします」と言われた人は、内容も聞かずに逃げ出すだろう。

街頭に立って通行人を呼び止め、アンケートをするふりをしながら、旅行を名目にしたね

ずみ講式の組織に誘う。それで契約を成立させ、多額の入会金を収めさせられれば、報奨金が支払われる。ローンを組ませたら、さらに報酬は上がる。しかしアンケートの回答だけで相手に逃げられれば、給料はほとんどない。おいしい仕事の中身はこれだった。

客の方も、こうしたキャッチセールスの手口はたいてい知っており、契約どころかアンケートにも応じない。

北風の吹き荒ぶ交差点に鉛筆とバインダーを持って立ち、紀子は道ゆく人々に「ちょっとすいません」と声をかけては、何百人もの人々に無視され続けたのである。

「かりに契約を成立させたとして、ほとんど犯罪だよ、その仕事」と紗織が言うと、紀子は哀しそうに、首を振った。

「何も資格がないから、だめなんですよね。何か、取ったほうがいいですよね」

「え……」

紗織と康子は顔を見合わせた。

紀子にしては、やけに前向きな答えだ。辛い体験が続いて、少し人間がしまってきたのだろうか。紀子は再び情報誌をめくる。

各種資格取得のための専門学校案内が後ろの方に載っていた。

「やりたいことがあるの？」

康子が尋ねた。

「フラワーコーディネーターとか、ペットの洋服のデザイナーとか……」

「なに考えてるわけ？」

紗織は我知らず冷ややかな口調になっていた。

「授業料はどうするの？」

康子が尋ねる。

「やっぱりお金……かかりますよね」と紀子は小さな声で言った。

ふう、と三人三様のため息をついた。

そのとき、紗織はただで取れる資格があったことを思い出した。無料で、簡単な講習で取得できて、即、仕事に結びつく。安定していて、引く手あまたで、さらに将来的ニーズは限りなく大きい。最近、銀行に勤めていた同級生が、生きがいを求めて転職したばかりだ……。

「ホームヘルパーですって？」

紀子より先に康子がすっとんきょうな声を上げた。

「そう、在宅福祉サービスの一環として、お年寄りや身障者の介助とか身の回りの世話をする仕事」

「ちょっと、それってきつい仕事じゃない。お給料も安いし」と康子は紀子の方を一瞥した。この子にできる？　という疑問の調子がその言葉に含まれていた。

「安いって言ったって、収入も身分も安定しているし、社会保険もしっかりしているし、一生一人で食べていくなら一番じゃないですか？」

紀子は真剣な顔で紗織を見た。

「お年寄りとか、人のお世話をするのって好き。……でも自信ない」

「それはあなた次第よ。本当にお金稼いで一人で生きていくなら、それなりの覚悟しなきゃ」

康子に言われると紀子はこくりとうなずき、それからつぶやくように言った。

「でも、一人で生きていくとか、自立って、とっても淋《さび》しいことのような気がする。私、そんなに強くないから」

康子は、困ったというような、半ば肯定するような、複雑な表情をした。

紗織は電話を借りて、銀行のテラー係からホームヘルパーに転職した友人に連絡をして講習会の日程について尋ねた。ちょうど東京郊外のK市で翌週の月曜日から開始されるということがわかった。講習は二、三日おきに行なわれ、一回あたり、四時間ないしは七時間。講義、実技、施設実習の合計四十時間を終えると三級の資格が取れるということだ。

「楽勝じゃない」と紗織が言うと、相手は「人生観、変わるわよ」と意味ありげに答え、続けて「取ったところで、必ずしも就職口があるとはかぎらないし」と言う。

「だって、今、ヘルパーって不足してるんでしょ」

「必要だって、金払うところがなければ雇えないのよ」

紗織がうなっていると、そのホームヘルパーの彼女は、講習は連続して行なわれないため、資格取得まで一ヵ月近くかかると付け加えた。

「それで、後の就職につなげるためにも、その間、ちょっと顔つなぎのバイトをしてみな

い」

「バイト？　あるの」

渡りに船だ。紗織は紀子の詳しい事情を話した。

「ちょうどいいわ」

相手は言った。現在、彼女がホームヘルパーとして勤務しているK市の福祉事務所でアルバイトを募集しているというのだ。仕事は簡単な書類の整理。時給七百円。交通費は片道三百円まで負担する。

これ以下はないような低賃金だが、犯罪的な仕事であったり、セクハラされたりする可能性はない。何よりここでコネを作っておけば、資格を取った後はヘルパーとして採用されやすいという。ただし、性格も良く使いものになる、と印象づけることが肝心だそうだ。

「性格の方はともかくとして……かえって就職が不利になりそうだわ」と紗織はついもらしていた。

とにもかくにも、紀子も納得し、その夜のうちに履歴書は出来上がった。

翌週から、紀子のアルバイトと講習会の受講が同時に始まった。

電車で四十分近くかかる会場まで行くのに紀子は毎朝七時には家を出て、康子より少しだけ早めに帰ってくる。一週間目は張り切って出かけていった。しかし二週目にかかった頃から、足取りが重くなった。

「疲れが出てきたのかな、と思って最初見ていたんだけどね」と、向かいの机で伝票を整理

しながら、康子は小声で言った。

「役所のアルバイトに行く日はそんなでもないんだけど、講習の日に限ってぐずぐずしてるのよ。それで何か嫌なことでもあるのって尋ねたわけ、そうしたら雰囲気が暗いんですって、周りがおばさんばかりで」

そばにいた男性社員が噴き出した。

「ふざけた言い方じゃないですか、それって」

紗織は思わずキーボードを叩く手を止めた。

「中高年の女性が日本の貧弱な福祉を支えているわけですよ」

「ま、実際はそうなんだけど」

康子は口ごもった。

「講義のときはまだ良かったのよ、実技になると準備だの後片付けだのと当番が回ってくるわけ。あの子ぼけっとしてるでしょ、浮いちゃうのよ。いじめられるっていうか……なんとなくおばさんたちの気持ちもわかるけどね。私もここでは同じような思いをしたから」

またくすりと笑い声が聞こえた。

「まさか途中で投げ出すなんて言ってないでしょうね」

「いいえ」

康子は首を振った。

「健気に通ってる。今日は初めての施設実習だっていうから、私の方が早く起きて、ごはん

食べさせて出してあげたの」

「相変わらず優しいお姉さんをやってるわけですか」

「好きでやってるわけじゃないわ」

うんざりした様子で康子は首を振った。

「勘弁してほしいのよ、本当に……」と、再び伝票の山と格闘を始める。

紀子からの電話を受けたのは、そろそろ残業を終えて帰り支度を始めようかというときだった。

「斉藤さんいますか？」という声が切羽詰まっていて、思わず「何かあったの」と尋ねた。

そのときになって紀子は初めて、相手の声が紗織だと気づいたらしく、少し沈黙した後、

「私、自信ないんです」と小さな声で言った。

「何言ってるの。今、どこ？」と尋ねると、この近くだと言う。とにかく仕事が終わったら、一緒にご飯でも食べようと伝えて電話を切る。

康子と一緒に待ち合わせた店に行くと、紀子は先に来て待っていた。テキストの入った大きなカバンを持った手には青く静脈が浮き出て、むくんだような顔に血の気はない。しかしどこか今までと様子が違う。丸く飛び出した目に、真剣で、思いつめたような光がある。離婚といくつかの仕事の体験が、こんな風に人の容貌《ようぼう》を変えるものなのか、と紗織は少し驚いた。

この日、紀子は特別養護老人ホームに行った。そこで寝たきりの老人の姿を初めて間近で

見た。その匂《にお》い、その肌の感触……。職員の指導のもとに、シーツの交換をし、その口元に食事を運び、おしめの交換をした。

「人間って、最後、ああなるんですね。お母さんの姿とか、私の姿とか、将来が見えたみたいで。好きな人とかいたけど、あそこのおじいちゃんみたいになるのか、と思うと、おしめ替えたんですけど、おちんちんとか、本当にしわしわにちぢこんじゃうんですよ。おばあちゃんの体を拭《ふ》いたんだけど、全身がドレープになってるんです。そのひだひだの間に指を入れて、きれいにするんですよね。テレビドラマに出てくるおじいちゃんとかおばあちゃんとか、あんなのは嘘《うそ》だって思った。嫌だけど、みんなこうなるんだ、目を背けちゃいけないんだって思っても、暗くなるんですよね。なんだか恋とかおしゃれとか、みんな嘘っぽく見えてきちゃって。人が生きていくのって、何なんだろうと思って……」

紗織は、まばたきして紀子の唇をみつめた。化粧直しの暇もなかったのか、ピンクのルージュははげかけている。少し寄せた眉のあたりに、大人びた表情がある。

負けるな、最後まで頑張れ。甘えちゃだめ。資格取って自立しなくちゃ。そう檄《げき》を飛ばすためにやってきた。しかしどうやらそんなレベルの話ではない。

何も言えない。言えるはずはない。社会福祉も老人介護も、家でしじゅう話題にしている。問題意識は高いつもりだ。しかしあるのは役にも立たない「意識」だけだ。

父も母も元気で若い。祖父母は、病院で亡くなった。祖父が死ぬまで三ヵ月間、病院に詰めていたのは母だった。祖母を看取《みと》ったのも嫁である母一人だった。父は外せない会議があ

って実母の臨終に立ち会わなかったし、紗織はスキーに行っていた。人の終焉《しゅうえん》を目のあたりにしたことなど一度もない。

紀子は視線をテーブルに落とした。手にしたグラスがぶるぶると震えている。

「ちょっと、どうしたの？」

紗織は紀子の手首を握りしめた。

「死んじゃったんです……ちょうど今日、そこの老人ホームで、おじいちゃんが。偉い人だったんですって。N商事の重役をやったことがある人で。家族がだれも面会に来なくって。本当に子供に戻って、看護婦さんにだだこねたりしてたんですって。それが体を拭いてあげようと思ったら死んでたんです。朝は、生きてたんだけど、いつの間にか、だれも知らないうちに死んじゃって。だあれも気がつかなくて。それで息子さんに寮母さんが電話したんだけど、出張が入ってて来られないって。一人ぼっちで死んじゃって、一人ぼっちで火葬場へ行くって、そんなのしょっちゅうだって」

見る見る紀子の丸いペキニーズのような目に涙がたまる。見慣れた泣きっ面だが、今日のは違う。

「私、そんなの見る仕事なんて自信ない。確かにそういうものかもしれないけど、そういうのをしょっちゅう見て暮らしていけるほど、強くないから……」

「でも……」

何か言おうとしたが、紗織には続ける言葉がみつからない。

それが現実なんだから、私たちの将来の姿なんだから、受けいれるしかないじゃない。私たちがやらないで、だれがやるの。

白々しい言い草だ。マスメディアが報道する仮想現実としての老いしか知らない自分が、どうしてそんな口を叩けるだろうか。

紀子の見てきたのが老いの現実だとすれば、それはやがて確実に自分のものとなる。恐怖と無力感で、紗織は二の腕が鳥肌立つのを感じた。今日、その様を実際に見て、直接関わりあった紀子はその数十倍、数百倍の衝撃を受けているだろう。

「ああ、太く短く生きたい。心筋梗塞《しんきんこうそく》でもガンでもいい。七十になる前に、ぽっくり死んじゃいたい。それがだめなら薬でさっさとあの世へ行きたい」

紗織は逃げ出すように、そう叫んでいた。隣のテーブルのサラリーマンが、怪訝《けげん》な顔でこちらを見ている。

「だれだってそれを望んでるけど、そうはいかないのよ」

それまで黙っていた康子が、冷静な調子でつぶやいた。それから紀子の方を向いて、その手を握りしめた。

「よくがんばったね、きょう一日」

「え……」

紀子は、泣きとも笑いともつかない顔をした。

「本当に、がんばったね。私には、とてもそんな勇気なんかないと思う」

紀子の顔に、恥ずかしそうな笑みが広がった。

「そんな、私、実習に行っただけだから。家で、何年もお世話してる人もいるし……。それに寮母さんも、看護婦さんも、暗い顔とかしてなかったし……私なんか、本当に一日だけだから」

ちょうどビールが運ばれてきた。康子は紀子のグラスに注《つ》いでやった。

「乾杯」

康子は小さな声で言って、それから付け加えた。

「あしたからも、がんばろう。朝ごはん作ってあげるから」

「あ……」

紀子は戸惑ったように康子をみつめ、小さくうなずいた。なんだかわからないが、紀子は康子のペースにはめられてしまった。

その夜は、翌日のこともあるので、早めに切り上げた。紀子は少しふっきれたような顔をして、康子と二人で帰っていった。

その数日後には御用納めで、その年は暮れていった。

年末年始の休みを挟み、その後紀子は順調に講習の単位を取っていった。楽しいこと、辛いことを逐次康子に報告し、ときには、康子をモデルに使って、体位転換や食事の世話の練習をしているという。

アルバイト先の話はあまりしないが、そちらにも慣れたらしい。ときおり役所の人々に誘

われて、遅く帰ってくることがある。そんなときは淋しいのか、康子は紗織やリサを誘って飲みにいく。

講習開始から一ヵ月半が経《た》ち、講習会の終わる頃には、紀子はほとんど外で夕飯を終えてから帰ってくるようになったらしい。仲間とその日習ったことについて話し合ったりしているのだという。ときおり姉の元に寄ったりして、深夜に戻ることもある。

「まるで親離れみたいですね」と紗織が冷やかすと、康子は「これでホームヘルパーとして採用されれば、自分で部屋を借りられるくらいのお給料もらえるから」と、少しほっとしたような表情をした。

一月も末に入った講習会最後の夜、紗織は康子のマンションに行った。紀子の再出発を祝って、小さな宴会をすることになっていた。

康子は簡単な手料理を作り、紗織はワインと惣菜《そうざい》をデパートで仕入れてきた。テーブルにはクロスをかけ、来客用のグラスを三つ用意した。

チーズをたっぷりとかけた茄子《なす》と挽肉《ひきにく》のグラタンは、オーブンレンジの中で狐色《きつね》に焼け、冷蔵庫の中のポテトサラダはひんやりと冷えて、あとはインターホンから、紀子の「ただいま」という声が聞こえてくるのを待つだけだった。

ところがインターホンのかわりに電話が鳴った。

「ごめんなさい。本当にごめんなさい。一緒に講習を受けた人たちと打ち上げ会をすることになっちゃって、抜けられないんです。みんなで食事したらすぐに帰りますから」

謝っているのが、康子の手にした受話器から紗織の耳に届いた。

「いいのよ気にしないで」と康子は穏やかに言って電話を切った。それから「せっかくだけど、二人で食べ始めよう。もう少ししたら帰ってくるだろうし」と微笑した。

しかし紀子は帰ってこなかった。みどりの退職やら、人員削減のあおりを食っての連日のサービス残業やら、景気の悪い話題で盛り上がっているうちに、十時半を過ぎた。それでも紀子は帰ってこない。

「講習会のメンバーって、おばさん連だって言ってませんでした？」

紗織は尋ねた。

「子供が手を離れた年代だし、そんなに急いで帰らなくってもいいんじゃないかしら」

「けっこうナンパされてたりして……」

「まさか。あの結婚で懲りたことでしょうし」

康子が言い終わる前に、電話が鳴った。紀子だ。遅くなったので、姉の家に泊まるという。

「あれっ、お姉さんの家って、K市から行くとここより遠くない？」

紗織は尋ねた。

「打ち上げ会は、K市じゃなくて別のところでやったんでしょ」と康子は取り合わない。

「ためしにお姉さんところに、電話しちゃいましょうか」と紗織が言うと、康子は唇を引き締め、いつになく厳しい調子で「やめなさい」と言った。

翌日の昼休み、今度は会社の方に紀子から電話があった。今、隣のビルの一階にいるので

会いたいと言う。康子と二人で行ってみると、少し気まずい顔をして紀子は立っていた。

「今日、お姉さんのところから、アルバイト先に行ったんじゃなかったの？」と康子は尋ねた。

「もうバイト、しなくていいんです」と紀子は、微笑した。

「結婚することになったんです」

紗織はとっさに意味がわからなかった。康子はあんぐり口を開いて、紀子を見ている。

「ヨリを戻したわけ、岡崎と」

ようやくそれだけ尋ねた。

「いえ、バイト先の市役所の人……」

「また子供ができたの？」と尋ねた紗織の手を康子がぴしりと叩いた。相手は三十七歳、初婚。「優しい人」と紀子は言う。

「あたしより、五つも年上？」と康子が目をむいた。

「つまり十七も年上のおっさん？」と紗織は重ねて尋ねた。

「面接に行ったときに、一目惚れしたって言ってくれて。それからずっと一緒にいて、いろいろ親切にしてくれて……。前のこととか考えたんだけど、私、やっぱり一人で年取る勇気ないから」

「きのうもその人が講習会終了のお祝いをしてくれたわけね」

康子がいつになく鋭い声で言った。

「ごめんなさい、うそついて」と紀子は悪びれた様子もなく頭を下げた。

「いいのよ、そういう話なら、私もうれしいから」

微笑《ほほえ》んだ康子の口元が、少々いびつになっている。

「ノリがホームヘルパーになっても、公務員の夫婦なら子供産んでも勤められるね」

紗織はつとめて話を建設的な方向にもっていこうとしていた。

「ううん」と紀子は首を振る。

「そんなことしないでいいよって。すぐに子供が欲しいし、彼、歳《とし》が歳だから収入もいいの」

「だって、苦労して取った資格……」

「すごくいい経験できたから……。おかげで彼のお母さんやお父さんが病気になったときとか、面倒見てあげられると思うし。斉藤さんが、年取って倒れたりしたら、私、すぐかけつけて、看病します」

「ありがとう」

康子の口元は、ますますいびつになった。

「それにいつまでも斉藤さんに迷惑かけちゃいけないって、彼も言うし、今夜から彼のアパートに行くことにしたんです」

「あ、そう」と康子は言った。

「ごめんなさい。彼を紹介しなくちゃいけないんですけど、今月いっぱい、忙しいっていう

から」

「それはいいけど、あの荷物はどうするの？　段ボール箱三つ分の」

康子が尋ねると、紀子は眉を寄せてかぶりを振った。

「あんまり見たくないんです。辛い思い出がしみ込んでいるから……」

「それじゃ洋服なんかは後で送るけど、他のものはいらないなら、使わせてもらうわ」

「はい」

紀子はにっこり笑って頭を下げた。

足早に立ち去っていく紀子の後ろ姿を、康子は全身の力が抜けたように両手をだらりと垂らして見送っている。

「斉藤さん、ねえ、斉藤さん、しっかりしてくださいよ」

紗織は思わずその肩に手をかけて揺すった。

康子は紗織の方を向き直った。それから「今夜、暇？」と尋ねた。

暇なわけはない。紀子にかまっただけで、大きな時間のロスだった。何より今夜は英語の学校がある。しかし……。

「もちろん、暇。エンドレスで暇」

やけっぱちな口調で紗織は答えていた。

扉を開けて

リサに異動の内示があったことを紗織が知ったのは、三月も下旬、子会社に出向したみどりに転勤辞令が出て、単身赴任もままならぬまま、退職していった直後のことだ。行き先は広報部。秘書室と並んで一般職の女子社員のあこがれの職場で、リサは女性にとってのエリートコースに乗ったのだった。奇《く》しくも、明暗二つの人事異動が、紗織の身辺で起きた。

「女子の採用が氷河期だといっても、会社のホンネは、新しい人を採用して、私達には辞めてほしいのよね。この間の会議で、女子社員の新陳代謝をはかりたいって、部長がぽろっと洩《も》らしたそうよ。若いうちの異動は上昇で、三十過ぎての異動は下降ってとこかしら」

内示のニュースがどこからともなく伝わってきたとき、康子がぽつりともらした。

「若さだけじゃないわ」と反論したのは、リサと同期のOL達だった。

身ぎれいで、気立てが良くて、よく気の回るリリは、どこにいっても部課長にかわいがら

れる。噂《うわさ》によると、彼女は部課長クラスの「息子の嫁にしたい社内ＯＬ」ナンバーワンだし、残業していても、リサだけが上司から帰りに夕食に誘われる。

「結局、オヤジ達の好みが人事に反映されるわけよ。やってらんないわ」

この先もずっと伝票処理と電算入力作業に追われる他のＯＬ達は、口をとがらせる。

しかし紗織にとっては、正直な話、社内の人事などどうでもよかった。

Ｔ火災にいる自分は仮の姿。いつか会社を飛び出すつもりだ。そのためには自分を磨かなくては……。

しかし現実には、「Ｔ火災のＯＬ」である「浅沼紗織」がいる。残業やら社内のつきあいやらに振り回され、ステップアップのための勉強もいつとはなしに怠りがちになり、結局この年度も何の成果も上がらぬまま終わろうとしている。

毎年、この季節になると紗織は焦りを感じる。何か新しいことを始めるのもこのころだ。しかし気がつくと、夏も越さないうちに中途半端なまま投げ出しているのだ。

入社一、二年目は、総合職をめざして、通信教育の経営学の講座を取っていた。昨年の今頃は何の脈絡もなく宅建試験の勉強を始めた。いずれも気がついたときには、ほとんど白紙のままの教材がほこりを被《かぶ》っていた。

就職してから免許が取れたものといえば、キャリアアップには何の役にも立たないスキューバダイビングだけだ。

それでも大学のときに専門だった英語の勉強だけは続いているが、こちらも特技というに

は、いささか心許《こころもと》ない。

この年度末で、専門学校の翻訳講座が修了し、一応修了証はもらったが、即、仕事を回してもらえるということはない。会社の海外保険事業のセクションに異動できるという見込みもない。

ただし、一つの可能性は開けた。

講師の細田健吾から声がかかったのだ。彼の翻訳事務所の手伝いをしながら、指導を受けないか、ということだった。

細田は四十代半ばの翻訳家で、彼に言わせると「見込みのありそうな生徒」、四人をスカウトしたそうだ。いくつかある細田の講座を受講した生徒は、この年だけでも百人以上いる。そのうちの四人に、紗織は入っていた。

同じクラスには、紗織より明らかに優秀な男性や、実績のある年配女性もいたが、スカウトされたのは二十代の女性ばかりだ。

「僕が見るのは、人間としての可能性と柔軟性だ。悪く固まってしまった人はいらない」というのが細田の口癖だった。

事務所の手伝いというのは、細田の仕事の下訳をすることだ。宅配便で送られてくる原稿を訳し、決められた日までに事務所に届ける。細田はそれに詳細なチェックを入れ、不適切な箇所を指摘する。

もちろんギャラはない。しかし今まで通り、細田の指導を受けられる。やがて実力がつい

てきたときにそれに見合った報酬が支払われ、最終的には一人立ちできる、と細田は紗織を励ました。

課内は、年度末の繁忙期を迎えている。しかしそうした慌ただしい雰囲気に振り回されてはならない、と紗織は自分をいましめ、就業時間が終わりしだい、だらだらと仕事を続けている同僚、先輩に、「お先に」と声をかけてオフィスを出る。紗織の一、二年後に入社した女子社員に多いパターンで、紗織もこれを見習った。

「割り切ってるわよね、最近の若い子は」と康子は、一人でファイルの後片付けをしながらぼやいていたが、一日は二十四時間しかない。効率の悪い生き方をしているわけにはいかない。

一目散に家に帰り、母親の作ってくれた夕食を食べ、Ａ４判用紙二枚にびっしり印刷された英文の翻訳を始める。もらった時間は三日間。仕上げるまでは、だれに誘われても飲みにいったりはしない覚悟だ。

英文科出身の上、専門学校で二年も翻訳講座を取っていたから、紗織は英語についてはまあまあ自信がある。

それでも毎回、細田の赤が入る。

細田の渡すテキストは、主に雑誌記事だ。翻訳された外国雑誌の記事を、契約した日本の出版社が編集しなおし、日本で発売される雑誌に掲載するのだ。

「翻訳は、むしろ日本語の能力を問われる。言外の意味を汲《く》み取り、流れるような自然で心

地よい日本語に乗せられるかどうかが勝負」と細田は言う。

紗織がアメリカの女性作家、クリス・ランバートのインタビューテープの書き起こし原稿を頼まれたのは、細田の手伝いを始めて一ヵ月が過ぎ、下訳のための原稿をもらうのも四回目になったときだった。

この作家の人柄と雰囲気が、読者に生き生きと伝わるように、と細田は注文した。難しい注文で、少しばかり腰がひけたが、そのインタビュー記事を読んでいると、これが感性にぴたりとはまった。

「なぜ官能的なものを書くか、ですって？　私はこれを女性のために書いているのよ。すべての女性は、読みたいものを読み、見たい夢を見る権利がある。そう思わない？　レイプ場面？　もちろん書くわ。超一級のね。それによって現実にレイプ犯罪が起こるなんてことはありえない。人の根源的な欲望と欲望から発するイマジネーションを排除して、自分の信じる正しい世界を確立できるなんて考えるのは、ナンセンスの極みだわ。偏狭な倫理観をふりかざす一部のフェミニズムって、私、嫌いなのよ。わかる⁉　私はファンタジーを書く。何のためかって？　美しい夢を共有するためよ、多くの読者と」

興味深い内容にもかかわらず、その単語と言い回しは、平易だ。

日焼けした頰《ほお》で微笑《ほほえ》む彼女が、紗織の心に熱意のこもった日本語で語りかけてくる。いける、と直感した。紗織はインタビュアーになりかわり、ランバートと日本語で対話していた。

三日で仕上げる仕事は、その夜のうちに終わっていた。そのことを察知したかのように、翌日、会社に細田から電話がかかってきた。

「実は、締切が早まったんだけど、ちょっと今日中になんとかならない？」

細田は、早口で言った。必要もないのにいつも急いでいるような感じの男だが、この日は格別忙しそうだった。

「もう、できてます」と紗織は、勢い込んで答えた。

「それはよかった。今日の六時までに届けてくれる？」

細田はそう言ったが、原稿は家にある。いったん帰って、それを持って五反田《ごたんだ》にある細田の事務所に届けるのでは、間に合わない。

そのことを話すと細田は、「それじゃファックスで送ってよ。後で僕がチェックを入れた物を君に渡すから」と言う。

言われた通り、紗織はその日、終業ベルとともに会社を飛び出し、原稿の最後の見直しをした後、六時ぎりぎりにそれを細田のもとに送った。

しかしその翻訳について、細田は何も言ってこなかった。届いたという一報さえない。首を傾《かし》げているうちに、別の原稿が送られてきた。ファックスで下訳を送ってくれれば、後日チェックすると、細田のメモがついていた。

その仕事も完成させ、下訳を送ったが、あいかわらず細田から連絡がない。電話をするといつも女性が出て、「先生は今、打ち合わせにでかけています」と言う。

昼休み、たまたま入った書店で何気なく立ち読みした文芸誌の中に、クリス・ランバートのインタビュー記事を発見したのは、それからさらに一ヵ月あまりたった六月の初旬のことだった。

たまたまその号は、ランバートの特集号だった。

「私はファンタジーを書く。何のためかって？　美しい夢を共有するためよ、多くの読者と」ぎょっとした。その口語訳は紗織のものだ。あわてて全文を読む。下訳どころか、紗織の訳そのままだ。細田はノーチェックで通したのだろうか。

見出しの下にインタビュアーの名前、その下に訳者名があった。「細田健吾」と。

何度見なおしても「細田健吾」の名前しかなかった。

喜びと悔しさが半々に入り交じった複雑な気分がこみあげてくる。自分の訳が活字になった。自分の翻訳力は、雑誌記事としてそのまま通用するほどの水準に達しているらしい。しかしそこに「浅沼紗織」の名前はない。

大方、そうしたものだということは聞いている。しかしどこをどうチェックしても直しの箇所がみつからないのに、なぜ細田の名前が出るのだろう。ギャラを欲しいとは思わないが、せめて隣に「協力　浅沼紗織」くらい入れてくれてもいいではないか。

買うつもりだったその雑誌をさっと棚に戻し、紗織は書店を後にした。

憮然《ぶぜん》として席につくと、前の席に座っていた康子が、月刊の女性誌を差し出した。

「何、これ？」

「まあ見て」とうれしそうに康子は笑う。

ぱらぱらとめくって、えっ、と声を上げた。

「この人とおしゃべり」というコーナーに、ニュースキャスターやエッセイストの女性達のカラー写真と並んで、見慣れた顔があった。

リサだ。

「不況の今こそ、企業ボランティアの質が問われるとき」という、硬派の見出しがついているが、内容はT火災の広報部に勤めるリサの紹介だ。

長い髪の両サイドを後ろに流して留めた制服姿のリサは、一見素顔風の入念な化粧をほどこして、隣のページのニュースキャスター顔負けの、好感度百パーセントの微笑を見せていた。

「おお、すごいじゃない」と普段ならはしゃぐところだが、言葉が出ない。割り切れない気分だ。

「ミスT火災ってとこね」

同意を求めるように、康子が紗織に笑いかけた。

つい最近、国外の地震被災地にT火災が大量の毛布や食料を送ったのだが、そのための事務局が広報部にできた。リサはその広報部の顔、企業ボランティアの顔なのである。

「むずかしいことじゃないんです。困っている人がいたら、だれでも手をさし伸べたくなるじゃありませんか。まず私達一人一人の心と行動力の問題だと思います」と、リサは語って

いる。

「今日は、新聞の取材。あさっては有線テレビにも出演するんですって。ビデオ録ってくれるようにさっき、課長に頼んだのよ」と康子は自分のことのように喜んでいる。

「ふうん」と紗織は口をとがらせた。

自分の書いたものがそのまま活字になったことへのうれしさと自信、それをあっさり細田にかすめとられ、何の評価も得られないことへの悔しさ。それはほんの少し前まで、紗織の心の中で微妙な均衡を保っていた。どちらかといえばその自信を将来につなげようかという前向きな気分が勝っていた。

しかし今、法外に華やかなリサの記事に出合って、バランスがいっぺんにマイナスの方向に傾くのがわかった。

その日の夕方、梅雨のはしりのうっとうしい空模様の下を紗織は五反田にある細田の事務所に向かった。

老朽化したマンションの一室にある細田の事務所では、女性二人がまだ残って仕事をしている。

奥の机に座っていた細田の前に、紗織はつかつかと歩み寄った。

「あれ、どうしたの？」と細田は、薄い眉《まゆ》をひょいと上げた。

「クリス・ランバートの記事、雑誌で見ました」

挨拶《あいさつ》もなく、そう切り出したとたん、細田は遮るように言った。

「ああ、あれ。なかなかよくできてたね」

「ですから、訳者名が入っていたのが」

「そう。めずらしいよね。普通は雑誌記事にネームは入らないんだけどね。だからどうってこともないんだけど、やっぱり宣伝になるし、ありがたいよ」

「それが先生の名前だけで」

不思議そうな顔で、細田は瞬《まばた》きした。数秒たった後、意図がわかったらしく、怒ったように眉をひくつかせ、それから口元を歪《ゆが》めて笑った。

「あのね、君の名前はまだ載せられないよ。忘れちゃ困るんだけど、あれは君の勉強であって、仕事をしたわけではないんだから」

「私の訳そのままで、どこも直してなかったじゃないですか」

呆《あき》れたように細田は、紗織の顔を見た。怒ることさえばかばかしいというように、縦皺《たてじわ》の寄った青白い頬に笑いを浮かべ、首を振った。

「おもしろい人だね。あのね、そういうこと言ってきたの、あなたが初めてよ。僕もこの仕事始めて長いけど」

紗織は、黙って立っていた。名前を載せろというのが無理なことはわかっている。仕事は細田のところに来たものだ。また報酬をよこせという気もない。

それでは自分は何を要求しにやってきたのか？

抗議をしに、だ。単純に。

「下訳そのままノーチェックで出すのって、まずくないですか」

「チェックは入れたよ。あれでいい、と僕は判断したから、通したのよ。いい訳だよ。二年間、面倒を見たかいがあったと思ったもの。自信をもってやりなさい。ただし焦っちゃだめだ」

「別に焦ってるわけじゃありません。私の訳があのまま載っちゃって、何のコメントもなかったから言ってるだけです」

紗織は詰め寄った。

細田の薄い眉の端が、ひくひくと痙攣《けいれん》するように動いた。

「言っておくけど、これ以上、僕を怒らせない方が、いいよ。笑っているけど、ホントは、怒ってるんだから。ちょっときくけど、君が一人で仕事取れる？　それ以前に、プロとして通用する仕事ができると思う？　今回のあれは、たまたまよ。君の翻訳力はまだまだ。今は、英語なんて特技でもなんでもなくて、並みの教育受けてれば、だれだってあの程度は読むのよ。だから日本語の感性がどれだけ研ぎ澄まされているかの問題になるわけ。それが君はまるでだめなの。今だってそうでしょ、その口のきき方。あなたは見込みがあると僕は信じてるからこそ言うんだけど、これ、最後ね。あなたのその性格、直した方がいいよ」

性格ですって？　あなたのやったことは何なのよ、と心の中でののしりながら、「わかりました」と紗織はことさら大きな声で答えた。「すみません」の一言は、絶対言うつもりはない。

くるりと背をむけ、そのまま帰ろうとすると細田が呼び止めた。

「これ」とテキストを手渡す。

「僕は、世間の男ほど心が狭くはないよ。四日後に持ってくれれば、また見てあげるから」

細田と切れてしまったら、翻訳家としての芽は、たぶんもうない。二年間の講座の成果は無駄になる。そのことはわかっていた。

叩《たた》き返したい気持ちをぐっと収めて、「どうも」と受け取って事務所を出た。

エレベーターホールまで来たときだ。

「浅沼さん」と、四十代半ばの小柄な女性が追ってきた。さきほど細田の事務所にいた中村さんという人だ。銀行の支店長の奥さんで、ここの事務所を手伝いながら勉強している。えんじ色のスーツがよく似合う、清楚《せいそ》な感じの人だ。

「ね、落ち着いて聞いて」

中村さんは、ほっそりした小さな手で、紗織の手を握りしめ、真剣な表情で言った。

「もし将来、翻訳の仕事をしていきたければ、あと少し、何年か、辛抱してね。ほら、学者の世界なんかも一緒でしょう。出版物には先生の名前しか出ないのが普通なの。でも、もう少したてば、ギャラはもらえるようになるわ。少しずつ少しずつ実績を作って、いずれは、あなたの名前で仕事ができるようになるのよ。先生も見込みがあるとおっしゃってるし、あなた必ずいいお仕事するようになるわ。まだお若いんだから、くれぐれも焦っちゃだめ。先生は、あなたを本気で育てるつもりでいるわ。今、先生は、『僕の言い方は悪かった？』っ

て私に尋ねられたのよ。『投げ出さなければいいけれど』って心配なさってたのよ」

「すいません」

紗織は頭を下げた。細田ではなく中村さんに。

「がんばってね、短気起こしたりしないで、ね」

淡いピンク色のルージュの唇に笑みを浮かべて、中村さんは言った。

「ええ」と一礼して紗織は、エレベーターに乗った。

しかしどう考えても納得がいかない。

ランバートのインタビュー記事の後にも、何回か下訳をして細田に送ったが、細田は何も言ってこなかった。本気で指導する気があるのなら、どこがどう悪いのか、どう直すべきなのか、ちゃんと指摘するはずではないのか。たまたまランバートの記事を発見したが、他の物も同様にそのまま記事になっているのではないか？

どうも自分の可能性が、握り潰《つぶ》されているような気がする。

あと数ヵ月で二十六。転職するなら三十前だ。知力も体力も、どんどん落ちていく。今のうちになんとかしなければ、と中村さんの顔を思い出してみる。

あの歳《とし》をして彼女は未だ、細田の事務所で下訳をやっている。いったい何年前から、あそこにいるのだろう。わずかばかりのギャラで、頭脳も若さも吸い取られたのではたまらない。

駅に出て、キヨスクで雑誌を買ってから電車に乗る。車内でページを開くと無意識に求人

広告に目が行く。

やる気があってもなくても、転職は厳しい。だからと言って、結婚してゲームセット、というのだけは避けたい。

人材派遣会社の広告に何気なく目をやる。一般事務、ファイリング、コンピューターオペレーションというその職種に加え、翻訳というのがあった。もしそれが新たな仕事への足がかりになるなら、今の会社を辞めてもいいかもしれない、と紗織は思った。派遣社員という身分は、もちろん正社員より不安定だ。しかし身分ではなく、仕事の内容を選ぶという考え方もできる。

会社の場所は、と見ると品川だ。ちょうど電車がさしかかったところだった。時計は六時半を指している。閉まりそうになったドアから、素早くホームに飛び下りる。

もうオフィスは閉まっているだろうが、社員は残っているはずだ。ホームからその会社に電話した。先方はすぐに出た。

履歴書などはまだ用意していないが、話だけでも聞かせてほしいと伝えると、相手は、あまり時間はないが、すぐ来てくれるなら応じると答えた。

人材派遣会社のオフィスは、駅前の真新しいビルの8階にあった。壁にひび割れの入った雑居ビルにある細田の事務所とは大違いだ。コンピューター端末の並んだ室内には、まだほとんどの社員が残っている。

小太りの中年男が、パーティションで仕切られた面接コーナーに紗織を案内した。

「いや、最近の若い女性は、大きくなりましたな」などと、紗織を見上げ愛想を言いながら、経歴や派遣会社に登録する動機などを尋ねてくる。

紗織の話を一通り聞くと、相手は「申し訳ないんですが」と首を横に振った。

「一応、派遣社員としてうちに登録できるのは、実績のある人だけなんですよ」

「あの、私は就職後も二年間英語の学校に通ってましたし、今は翻訳事務所の下訳をやらせてもらっています」

紗織は慌てて言った。

「下訳でお金はもらえないんですよ」

男は苦笑した。

「未経験者の方には、まずこちらで翻訳だけでなく接遇その他の基本的な講習を受けてもらってから、登録していただくシステムになっていまして」と男がおもむろに出したのは、この会社と同じ名前が頭についたビジネススクールのパンフレットだった。

「二年間通うと、自動的にうちに登録されます。学費は一年分一括納入で、たとえば、あなたのやりたい翻訳者養成コースですと……諸費用込みで、三十二万七千三百円ですね」

授業料は独身で自宅通勤の紗織の感覚からして、格別痛い出費ではない。しかし何かだまされたような気がした。

それに英語の専門学校の二年間を考えると、ここでまたスクールに通う気にはなれない。せっかく来たが、どうも紗織が期待したようなところではなさそうだ。そのビジネススクー

ルがいかに企業の求める有能な人材を育てるところか、そして大学の授業などというものがいかに実社会で役に立たないか、と熱弁をふるっている中年男から逃げるように、紗織は「どうもおじゃましました」と席を立った。

「ま、ぜひ検討してみてください」という男の言葉に送られ、オフィスを出ようとしたとき、「浅沼さんじゃない？」と声をかけられた。

振り返ると、学生時代に同じテニスサークルに所属していた武内が立っていた。少し太ったようだが、がっしりした体と人なつこい目はそのままだ。

「どうしたの？　面接室の話、聞いてたよ。まさか浅沼さんとは思わなかった」と声をひそめる。

「聞いたとおりよ」と紗織は、応対した中年男の方を見て肩をすくめた。

「じきに仕事終わるから下の喫茶店で待ってて」と武内は早口で言った。

デートならごめんだが、口ぶりからして、そうではなさそうだ。うなずいて、一人で下りる。

二十分ほどして、武内は店にやってきた。

「翻訳やりたいんだって？」

卒業以来、三年半ぶりの再会だが、武内はすぐに本題に入った。

「うん」

「経験は？」

「専門学校へ二年、そこの翻訳講座の先生に引き抜かれて、下訳をちょっと。そのまま直しなしで、雑誌に載ってるわ」

武内は、腕組みした。

「前はうちも希望者には簡単に登録させたんだけど、バブルが弾《はじ》けてから仕事が減っちゃってね。本業の人材派遣業だけでは経営が成り立たなくなったんだ。それで登録希望者相手に学校を始めた」

そこまで言って武内は、ぐっと体を寄せてきた。ヘアリキッドのにおいがつんと鼻につい て、紗織は顔を背けた。筋肉質な胸が、暑苦しい。

「忠告したくて来たんだけど、はっきり言って、うちになんか来ない方がいい。学校の授業はまるでいいかげんだ」

「ま……」

「生徒は大抵二年もいないでやめちゃうから、前納させた学費は丸儲《まるもう》けだし、初めからそれを当て込んでやってるんだ」

「なんですって？」

「で、翻訳の仕事、本気で欲しいの？」

武内は小声でささやき、それから紗織の目を正面からみつめた。

紗織はこくりとうなずいた。

「腕には自信があるんだよね」

躊躇《ちゅうちょ》している気持ちを押し隠し、「ええ」と紗織は短く答えた。

一週間後、梅雨に入ったのか、それともただの低気圧かわからない、叩きつけるような雨の中を紗織は日比谷に向かっていた。指定されたエスニック料理店に着いて傘をすぼめていると、武内が薄暗い店内から走り出てきた。

出身高校の卒業生が、それぞれ知り合いを連れてきて異業種交流会を開いているので来ないか、とこの日、武内が会社に電話をくれたのだ。その中に外資系企業の顧問をしている弁護士がいて、翻訳の仕事をしたいのなら相談に応じると言ってくれたらしい。

いくぶん緊張気味に中に入ると、スーツ姿の男女が数人いた。とたんにベストにボックススカートというとびきり野暮ったい自分の制服姿を呪《のろ》った。

「こちらT不動産の開発部の青山さん、こちらにいる秋月さんは自民党の議員の秘書、それからこちら新見清美さん、日航のスッチー」

武内は紹介していく。

それにしても弁護士らしい男はいない。やがて武内は、紗織を奥まったところで談笑している長身の男のところに連れていった。ウェーブのかかった髪を後ろに流した男のスモーキーグレーのスーツは、抑制のきいたラインからして、たぶんニノ・セルッティ。それを少しもきざにならずに着こなしているセンスは大したものだ。

男は紗織を見ると、武内が紹介する前に「どうも、笠原です」と挨拶した。

紗織は目をしばたたいた。例の弁護士だ。想像していたよりはるかに若い。武内が高校時代所属していた陸上部の先輩ということだ。

「T火災というと、ああ、すぐ近くだね。でも、けっこう濡《ぬ》れたでしょう、この雨だと」

なんとも軽やかな口調で笠原は言いながら、紗織のために椅子《いす》を引いた。それから手際よくテーブルのうえの食物をサービスしてくれた。

笠原は天気やスポーツの話におりまぜて、さりげなく紗織の翻訳の仕事についての希望などを尋ねてくる。

「特技を生かせる仕事につきたいと思っています。基本的には英語で食べていきたいので。今の仕事は損保ですが、ビジネス文書の翻訳のスペシャリストとしてやっていけるといいんですが」

普通の男にこんなことを話すと、ふん、と笑うか、さっさと結婚しろと説教するかのいずれかだが、笠原は違う。微笑を浮かべて紗織の言葉の一つ一つにうなずいている。

「必ずしも今すぐ、僕のところの仕事をしてもらうことはできないと思うけど、何か足がかりを作るための協力ができるといいね」

それだけ言うと、またすぐに他の人も交えて旅行の話を始めた。三十分もしたころ立ち上がり、紗織と武内に一緒に来るように言った。

そのビルの12階に、笠原の事務所があった。そこに二人を招き入れると、机の引き出しから書類の束を出した。

何かの報告書だ。

「とりあえず、これやってみて」

文章中の固有名詞が、XとかYという文字に置き換えられている。テストだというのはすぐにわかった。

「期限はそうだね、三日。そうしたらビジネス文書の翻訳がどんなものか、だいたい感じがつかめると思う」

「そんな……」

A4判にぎっしり印字された文章は、全部で十六枚。単なる読解ならともかく、翻訳するとなるとかなりの分量だ。

「だいじょうぶ。がんばってやってごらん」

笠原は長身を折るようにして、紗織の目を覗《のぞ》きこみ、励ますように微笑した。

「はいっ」

反射的に背筋を伸ばして返事をしていた。すぐにでも仕事にかかりそうな気配で、机の上を片付けはじめた笠原に一礼し、武内とともに事務所を出る。

封筒に入ったその宿題を紗織は抱き締めていた。なんだか胸が高鳴った。

「すてきな人ね。ああいう人だと思わなかった。ずいぶん若いし」

エレベーターのボタンを押しながら、紗織は武内の方を振り返る。

「僕の四つ上。夏合宿なんかにときどき顔を出したんで、よく知ってるんだ。学部在学中に

司法試験に合格してるんだってさ」と武内は、不機嫌な顔で言った。

「頭がいいだけじゃなくて、明るくて優しくて」

「ああいうやつに限って、仕事じゃ鬼に豹変《ひょうへん》するんだよ」

「熱血なんだ」

「鬼って、そういう意味じゃなくてね。友達にもしたくないけど、敵にはもっとしたくないね」

「独身？」

「ああ、女に不自由はしないだろうからね」

昼休みは、あと数分で終わる。ビルを出て、笠原から渡された封筒を濡らさないようにしっかり抱え、紗織は会社に向かってしぶきを上げながら雨の歩道を駆け出した。

三時過ぎに営業先から帰ってきた男性社員にお茶をいれるために給湯室に行くと、異動したはずのリサがいた。

「どうしたの？　こんなところに来て」

「別に……なんとなく疲れちゃって」と、リサは唇の片方を引き上げ、写真とはうって変わった退廃的な笑顔を見せた。丁寧に塗ったファウンデーションの下で、瞼《まぶた》が黒ずんでいる。

「このごろ、大活躍じゃない。見たよ、雑誌に載ったやつ。リサがあんなふうに自分の意見を世間に言うタイプだと思わなかった」

そう言いながら紗織は急須にお茶の葉を入れようとした。

「待って」とそれを止めて、リサは急須を紗織から取り上げ、まずお湯を張って温める。

「自分の意見であるわけ、ないじゃない」

急須のお湯を流しにあけながら、リサは言った。

「私はただのスポークスマンなのよ。こういう質問にはこう答えなさいっていうマニュアルがあって、しっかり暗記させられるの」

「へえ」

お茶をいれるリサの鮮やかな手元を紗織はつっ立ったまま見ている。総合職の女性でさえ、出世の是非はこういう部分にかかっているのだ、とだれかが言っていたことを思い出した。

「今夜、暇？」

茶わんの濡れた糸尻《いとじり》をさっと拭《ふ》きながら、リサは尋ねた。

「なんで？」

「飲みたい……」

「だめ」と紗織はあっさり答えた。

「リサの大酒につきあっていたら、体がいくつあっても足りない。部課長と飲みに行ったら？　リサ、御寵愛《ごちょうあい》受けてるんだから。いくらでもつきあってくれるわよ。もっとも彼らと一緒じゃ、カクテル一杯で、もうだめです、とか言わなきゃならないか」

とたんにリサは、きつい視線を上げた。

「変な言い方やめてよね、御寵愛なんて」

「…………」

「プライベートでまで、オヤジのつきあいする気はないわ。私は、生産的でない恋はしない主義だし、噂が立つのもごめんなんだから」

「あ、そう」

生産的でない恋、というのは、結婚に結びつかない恋、あるいは結婚するに値しない男との恋である。不倫などリサには無縁だ。こうして清純娘の評判はますます上がる。

「とにかく、私は今日、帰ってしなきゃならないことがあるの。しばらく飲みには行けない」と紗織は答えた。

「しなきゃならないって、何を？」

紗織は、自分が今、翻訳業への転職を考えていることを話した。隠すべきことは何もない。華やかなセクションで注目を浴びているリサへの対抗意識が、少しばかりあったかもしれないが、ことさら詳しく、今日の昼休みにあったことを話していた。

「それで外国企業の仕事をしている弁護士さんを紹介されたわけ。彼に宿題出されてきたんだけど、その人、シングルなの。見た目もすてきだった。リチャード・ギアみたいな雰囲気で。もっと若いけど」

紗織の話を黙ってきいていたリサの目がきらりと光った。

「ねえ、その弁護士さん達に会うことって、これからもある？　異業種交流会って、私も参加してみたいの。こういう仕事していると、社会のことをいろいろ幅広く知らないといけないのよね。そりゃいろんなセミナーに会社から行かされるけど、それだけだとどうしても限られるじゃない」

「燃える下心！」と紗織は遮った。

リサは、肩をすくめて微笑した。

「女子社員のあこがれのセクションで、T火災の顔やってんだから、しばらくは仕事のことだけ考えてたら」

「いろいろあるのよね、はたからは、楽で華やかな仕事に見えるかもしれないけど」

リサは歳に似合わぬさめた声で答えた。

その日定時に会社を出て帰宅した紗織は、机の上にこの日笠原から渡されてきた報告書を置いた。Ａ４判ぎっしり十六枚。十分すぎる量だ。これを三日で仕上げる。一日あたり、五・三枚。気が遠くなった。

やってできないことはないと、自分を励まし辞書を手元に置いて、パソコンのワープロソフトを立ち上げる。

ASSET AND LIABILITY ON MR. X & Y INC.

「X氏とY会社の資産と信頼」

信用調査機関から上がってきた調査報告書だ。

At your request, we conducted a COMPREHENSIVE ASSET AND LIABILITY INVESTIGATION on Mr. X and Y inc.

「ご依頼にしたがって、X氏とY会社についての総合的な資産・信頼調査を行ないました」

と、だいたいこんなところか？

Our investigator was specially instructed to search for assets in order to assist in the recovery of approximately ＄1,000,000.

「私どもの調査員には、特に約１００万ドルの返済能力に関して、注意深く調べるよう指導しました」

けっこうすらすらいける。

つまりこの後に続く十五枚は、その信用調査の内容だ。それがわかれば、あとはやさしい。文章の背景となる文化や行間に流れる人の心理まで捉《とら》えねばならない文学作品ではないし、文章のリズムやテンポで読者を引きつけることが要求される雑誌の記事でもない。きちんと意味が通っていればいいのだ。

端から直訳していく。二時間ほどで一枚を終える。

文体や言い回しのパターンが決まっていて、微妙なニュアンスがないから楽だ。できあがったものをもう一度、日本語らしい日本語に置き換える作業もおこたりない。しかし、一日分のノルマの三分の二も終わる前に、午前一時を回った。明日の仕事があるので寝る。今日は初日だが、明日はもう少し慣れてくるはずだ。

ベッドに入って目を閉じると、いくつもの単語が瞼に浮かんでは消える。その先に未来が開けているような気がする。

眠りに落ちる直前に、リサの憔悴《しようすい》した顔が浮かんだ。茶わんの糸尻を布巾《ふきん》でちょっとぬぐいながら、「飲みたい――」と言った。

あのとき頭の中は自分の新たな進路についてで一杯で、リサのことなど思いやる余裕がなかったが、何かあったのだろうか。

記憶の中のリサは、夢の中に移行した。「別に……いろいろあるからね」と紗織に向かい、さめた顔でひょいと眉を上げてみせた。その先の夢がどう進行したものか、覚えてはいない。

翌日、急な仕事が入った。大蔵省の監査があるとかで、書類を急いで揃《そろ》えなければならなくなったのだ。さすがに割り切り娘の後輩達も「お先に」というわけにはいかず、部長から新採のＯＬまで、全員が残業した。

十時を過ぎてようやく一段落し、まだ残務処理に追われている同僚を横目に、紗織は脱兎《だつと》のごとく家に走る。母親と向かい合って食事していてはついつい長くなるので、駅の構内に

あるスパゲッティ屋で、ボンゴレをかっこむ。デザートがわりにキヨスクでスタミナドリンクと人参ジュースを買って、ホームで飲む。

酔っ払いのおっさんと、互いの体に腕を回して立っている十代とおぼしいカップルに冷たい一瞥《いちべつ》をくれて、山手線に乗る。

そこまではよかったが、帰宅して、風呂《ふろ》に入ってから机に向かったのが失敗だった。横に並んだ文字が、流れ出す。首ががくりと前にのめった。はっと気がつくと、デジタル時計の表示が、翌日になったことを示している。

階下の台所に下りてコーヒーを挽《ひ》いていると、兄の部屋から「うるさいな、夜中に」と寝《ね》呆《ぼ》けた声がした。

「ごめん」と、コーヒーミルの騒音以上の大きな声で謝り、マンデリンをドリップで思いきり濃くいれた。

大ぶりのマグカップにそれを注ぎ、2階に持っていってすすりながら始める。

要領は前日でだいたい摑《つか》めた。しかしなにしろ分量が多い。カフェインにやられた胃がきりきりと痛みだした。

学生時代も、そして就職してからも、ワイヤーのような神経、と他人には言われてきた。しかし痛む胃をさすっていると、自分も人並みにストレスを感じるのだと我が身がいとおしく思えてくる。

午前三時を回った。前日の積み残し分はそのままだが、一日分のノルマ、五・三枚はどう

にか終わった。明日にさしつかえるので寝ることにする。

ファイルをセーブしながら立ち上がり、後ろの棚に置いたマグカップを取ろうとしたそのときだ。足首に何かがひっかかった。

「おっと」と足元に視線を向け、そのまま凍りついた。反射的にCRT画面を見る。

自分の喉《のど》から、絞め殺されるような悲鳴が漏れるのが聞こえた。膝《ひざ》が震えて思わずうずくまった。

階段を上がってくる足音が聞こえる。

「おい、どうしたんだ」と兄の声。「紗織さん、どうしたの」と母がドアを開ける。

「なんでもないわよ……なんでもないの……」

真っ暗になったCRTを前にして、紗織は両手で頭を抱えて、泣きそうな声で答えた。

翌日は定時に帰れた。母親にあらかじめ夕飯を作っておいてくれるように頼んでおいて、家に戻ると物も言わずに平らげ、熱いシャワーを浴びてから机に向かう。

昨夜は、あの後、消えてしまったデータの代わりに、自分の頭に残っているものを必死でひっぱりだして書きなおした。

ほとんど徹夜だった。しかしまだ半分が残っている。紅茶のティーバッグと電気ポットをそばに置いて始める。

こうなってくるとまさに量との闘いだ。しかし慣れてきたので、初日に比べると大分進み方が早い。

十時を過ぎたあたりから、眠気が襲ってくる。もう一度熱いシャワーを浴びる。しかし冴《さ》えるのは一ときだ。まもなく能率が落ち始める。気がつくと同じところを何度も何度も繰り返し読んでいる。

三時を過ぎた頃、もう限界だ、と思った。まだ三分の一以上残っているが、これ以上は無理だ。

ふと思った。これは仕事というよりは、単なるテストだ。

「だいじょうぶ。がんばってやってごらん」という笠原の微笑が瞼によみがえる。

優しそうで穏やかそうで、知性的な笑みだった。

できるところまで、やってごらん。

最初からここまでできれば、上等だ。次は、もう少しいけるだろう。

笠原の励ましの言葉が聞こえてくるような気がする。

そう、次がある。次は、急な残業も入らないし、プラグを引っこ抜いてデータを消去するなんて事故も起こらないだろう。

紗織は、注意深くこの日の分をセーブすると、布団にもぐりこみ泥のように眠った。

翌日の夕刻、三分の一ほど残した課題を抱えて、紗織は日比谷にある笠原の事務所を訪れた。

会議が長引いているとのことで、笠原はまだ事務所に戻っていない。パーティションで仕

切られた応接室でしばらく待たされた。

　ドアが開いて入ってきた男の顔を紗織は、一瞬違和感を持ってみつめた。なんとなく雰囲気がこの前と違う。くっきりとした二重の目にも、整った口元にも、それどころか後ろに流した髪にさえ、触れると切れそうな鋭さが滲《にじ》んでいる。

「ご苦労さま。できましたか？」

　挨拶も、この前はなんとやら、という言葉もない。紗織から封筒を受け取り、中身を出す。

　それを読んでいくすばやい目の動きを、紗織は緊張してみつめる。速読法でも会得しているのだろうか。漫画でも見るような速さでページをめくり、読み終えると表情を変えずにその束を机の上に置いて尋ねた。

「途中だけど、残りは？」

　淡い色の瞳《ひとみ》が、じっと紗織をみつめてくる。息がつまった。

「あの……一生懸命やったんですけど、とうとうそれだけ残ってしまいました。一昨日、うちの会社で大蔵省の監査があったので、それで私達のセクションは、すごく遅くまで帰れなかったんです。夜中までかかってやっと仕上げたんですけど、そうしたらパソコンの電源が落ちて、全部消えてしまいました」

　にこりともせず、笠原はうなずいた。

「それでその晩、ほとんど徹夜でやりなおしたんです。それで昨日、とにかくできるところ

までと思って、やっぱり三時までかかって仕上げたんですけど、それだけ残ってしまいました」

笠原はうなずきながら、もう一度紗織の訳を見ている。肌がひりひりしてくるような感じがして、紗織は身じろぎした。

笠原はしばらくして顔を上げた。

「君、英語で食べていきたいって、言ってなかった？」

「え……ええ」

「このくらいはね、普通なら二日の分量なの。それが英語で食べていくってことなんだよ」

「あの……」

何か反論しようとした言葉が、ぼろぼろと心の中で崩れていく。

「次、内容なんだけど、たとえばこのセンテンス。However, bank officials refused to provide any information.『しかし銀行は情報を与えてくれませんでした』と君は訳しているね。感じは摑めるんだけど、実務で要求されるのは、こういう訳ではないんだ。『しかし銀行の担当者は、いかなる情報の提供も拒絶した』となる。何気なく飛ばしているが、『any』『official』といった単語が必要になってくる」

「そんなこと聞いてなかったです。言ってくれれば……」

机の下で握りしめた手が汗でぬるぬるしてきた。

「翻訳の基本だと思うよ」と笠原は静かな口調で続けた。

「次、We were able to confirm that the loan is not currently classified as special asset.『負債が現在のところ、特別な資産になっていないと確認できました』と君は訳しているが、loan《ローン》は借金のことじゃなくて、貸付。君、確か、英文科だよね」

「…………」

「それから classified はどこへ行った？　『現在、この貸付は、特別の資産とは分類されていない』が正しい」

　鬼、と小さくつぶやいた。二年間面倒を見てくれた、あの嫌味な細田が急に懐かしく、近しく感じられてきた。

「ちなみに冒頭、At your request, we conducted a COMPREHENSIVE ASSET AND LIABILITY INVESTIGATION on Mr. X and Y inc.。『ご依頼にしたがって、X氏とY会社についての総合的な資産・信頼調査を行ないました』とあるが、LIABILITY は信頼ではなく、債務。『X氏とY会社について、わかりやすい資産及び債務の調査を行なった』が正しい。

　Our investigator was specially instructed to search for assets in order to assist in the recovery of approximately ＄1,000,000.『われわれの調査は特におよそ１００万ドルの資金の回収に役に立つような資産の調査をするように指示を受けています』となる」

「えっ？」と紗織は顔を上げた。ワレワレノチョウサハトクニオヨソ……なんという日本語だ。

笠原はもう一度繰り返した。

「わかりません」

叩きつけるような調子で紗織は言った。

「英語じゃなくて、日本語の方がわかりません。語順も雰囲気も日本語になってないじゃないですか」

「君は、雰囲気で訳しているの？」

呆れたように笠原は言った。

「つまり日本語として意味が通って、雰囲気がちゃんと伝わるようなそういうのが翻訳だと思っていましたから」

「こちらが必要なのは、美しくリズムのいい日本語ではないし、ましてやムードではない」

笠原は鋭い調子で遮った。

「今、僕が指摘したのは、誤訳のごく一部だ。わかるかな、単語一つ一つについての正確な、原文に忠実な訳がほしいんだ」

そんなに何でもできるなら、あなたには、翻訳者なんかいらないじゃないの、と思いながら、「これでも、一晩ほとんど徹夜だったんです」とつぶやくように紗織は言った。

笠原に、というよりは、居場所がなくなり、長身を縮めてうつむいている惨めな自分に向かい、弁解していた。

「君は就職して何年になる？」

ぽつりと、笠原は尋ねた。

「は？」

「だから会社に入って、何年？」

「今年で四年目ですが」

笠原の口元に小さな笑みが浮かんだ。

「努力したということを誉《ほ》められるのは学生だけだ。社会人は結果としての実績でしか評価されない。定められた期間で、要求された水準の仕事をすることでしか、一人前として認められないんだ。英語だけではなく、他のことにしてもね。君の言う『食べていく』ってそういうことだよ」

返す言葉はない。涙がせりあがってくるのを呑《の》み込んで堪える。

目を上げると、笠原の視線と合った。打って変わって優しげな色合があった。危うく泣きそうになった。

「無理することないんじゃないかな」

笠原の口調が急に柔らかなものに変わった。

「会社は、T火災っていったっけ。いいところに勤めているじゃないか。英語なんて、わかってると思うけど、はっきり言って特技でもなんでもないんだ」

「ちょっと待ってください、それって……」

「勤めて四年目っていったよね。あと少しそこにいて結婚して、あまり遅くならないうちに

子供を産むっていうのも一つの幸せじゃないかと、僕は思うけどね」

紗織は、微笑を浮かべている笠原の整った顔とその襟元に光っているバッジに視線を走らせた。自分はいったい彼の中に何を見て、何を期待したのだろう。

さらに優しく軽やかな口調で、笠原は続けた。

「今日は、ちょっときつい言い方をしてすまなかった。せっかくだから食事でもしていこう。この近くでおいしい鴨《かも》料理を食べさせる店がある。鴨は嫌いじゃないだろう」と机の上の物をてきぱきと片づけ始めた。

「いやです」

紗織は答えて、ゆっくり立ち上がった。

「え？」

「いや、です」

笠原は、当惑したようにまばたきした。それが彼にしてはいかにも人間臭く見え、少しばかりほっとさせられた。

「失礼します」と会釈し、紗織はそのまま出口に突進した。昇ってくるエレベーターを待つのももどかしく、非常階段を下りた。二、三段下りているうちに、たとえようもなく苦く複雑な思いが胸にせりあがってきた。

二年間の教室、細田の顔、リサの笑顔、眠気をこらえているうちにくるくる回ってきたcommercial debtという単語……いろいろなものが脳裏に浮かんでは消える。

もういやだ、とつぶやいた。

自分のまわりのドアのひとつひとつが、鼻先でぴしゃりと閉められていく。つぎつぎに閉じられる鉄の扉の前で、自分はなすすべもなくたたずんでいる。

外に出た。いったん止《や》んだ雨が、また降り出した。傘がない。パーマのとれかけた長い髪と、ショルダーバッグを雨つぶが叩く。しかし濡れてこまるものなど何もない。あの三日かけた翻訳原稿は、笠原のところに置いてきてしまった。

飛沫《しぶき》を上げて雨の中を紗織は走る。

地下鉄の入り口にたどり着き、肩で息をしてから、ふと武内のことを思い出した。

笠原を紹介してくれた武内。彼に一言、この顚末《てんまつ》を報告しておかなくてはならない。思い出したくもない出来事だし、ましてや言葉になどしたくないが、日がたってからだと、ますますいやになる。

てのひらで顔をつるりとぬぐった。髪を両手で絞った。しずくがぽとぽとと足元に落ちた。気を取り直し、公衆電話のところに行く。時間は七時を過ぎたところだ。

武内はまだオフィスにいた。

「この間は、ありがとう。今日、笠原さんに見てもらったんだけど、結論から先、言うと、だめだった。え……だからだめだったの。それ以上聞くなっていうの」

「今、どこにいる」

深刻な調子で武内は尋ねた。

「どこだっていいじゃない」

「あの……夕飯、まだ?」

気を遣っているのだ。学生時代から、人一倍思いやりのある男だった。失恋した友達や、地方から出てきた一年生の話を何時間も聞いてやっている姿をキャンパスではよく見かけた。彼は変わっていない。

今、うっとうしいと思いながら、武内の心遣いが身にしみた。

「まだだけど。どこかおいしいところ、知ってる?」

落ち込んだ気持ちを悟られまいとするように、紗織はぶっきらぼうに尋ねた。

武内に連れていかれたのは、新宿にあるタイ料理の店だった。中央のテーブルに、ビーフンやらカレーやらの大皿が置いてある。バブル崩壊後に急に増えた食べ放題の店で、いかにも武内の趣味だ。濡れた髪や服が少し気持ち悪かったし、あんなことがあった後だったが、お腹はすいていた。

舌先から脳天にかけて痺《しび》れそうに辛い魚介入りスープを飲み干すと、舌から炎が噴きそうになったが、なんだかすっきりした。

「あの日比谷のエスニック料理より、おいしいだろ」

「うん」

「あんまり、あの集まり好きじゃないんだ」

「えっ」

料理の話ではないらしい。

「異業種交流会とは言っても、なんとなく僕なんかからしてみると、出にくい面があるんだよね。確かにうちの高校の卒業生が始めたんだけど、人によって浮き沈みはあるからさ。自慢できる名刺がないと肩身が狭く感じる自分の感覚も、ちょっと情けないものがあるんだけど、でも、ああいう関係って、やっぱり本物じゃないだろうとか、思わない？」

「ええ……まあ」

笠原のネクタイの細かな格子模様が何の脈絡もなく頭に浮かぶ。

「僕は、人を情報として活用しようっていう発想があまり好きでないんだ。人の心っていうのは、そうやって結びつくものじゃないだろ」

この人は何を言いたいのだろう、と紗織は皿から顔を上げた。

目があったとたん、武内は照れたように視線をそらせた。思いのほか長いまつげが、筋肉質な顔に、繊細な影を落としている。

「ごめん。君の希望をちゃんと確認しないで、勝手に動いて人を紹介したのは、やっぱり軽率だったかな、とか後で反省したりしてね」

「そんなことないよ。別に、あれはあれで……」

武内は、ブルーのボタンダウンのシャツの襟元をちょっと緩め、紗織のグラスにビールを注いだ。

「ねえ、おかわり行かないの？」

紗織は尋ねた。

「ああ……何だか、あまり食欲がなくって」

「せっかく食べ放題なのに」と、紗織はさっさと席を立ち、ココナツミルク入りカレーを持ってくる。

「あの、浅沼さん」

武内はちょっとあらたまった調子で言った。それから顔を起こして、まっすぐに、紗織をみつめた。

「頼みがあるんだ」

紗織はスプーンを止めた。

「何もきかないでほしい」

「え……」

「何もきかないで、今夜これから僕の行くところについてきてくれないか」

「はあ？」

一瞬、理由もなく笑いころげそうになった。唐突な笑いが、不発のまま引っ込んだ後に、収拾のつかない奇妙に高ぶった思いが込み上げてきた。

かつてこれほど武内が、毅然《きぜん》としたものの言い方をしたことがあっただろうか。

「ちょっと……待って。それって」

武内は無言でうなずいた。

今度は、紗織の食欲がなくなった。武内は静かに席を立ち、自分の皿に料理を運んできた。

その口元を紗織はじっとみつめていた。武内の食べっぷりは格別洗練されてもいなければ、粗野でもない。ただ、そこには二十代の男にふさわしい健全さとたくましさが感じられた。ふと身を寄せてみたくなる暖かさもあった。

自分の作った料理、おそらくまずいだろうが、それを楽しげに平らげる様子が、浮かんだ。何をばかな、と慌ててそんな光景を頭から追い払う。

「そこの彼女、どこの会社？」

隣のテーブルにいた酔っ払いグループの中年男が、いきなり声をかけてきた。

はっ、としてそちらを見る。

「あれぇ、驚いた。美人なんだね」

そういえば学生時代から、口さえ開かなきゃ美女、と言われてきた。

そのとき間髪を入れずに武内は立ち上がり、中年男と紗織の間に入った。

「席、かわろう」と自分の座っていた奥の方を指差す。

「あっ、失礼。彼氏がいたのか」

酔っ払いは、笑って頭をかいている。

紗織は少しの間、座ったままその場を動かなかったが、まもなく「よし……」と膝の上のナプキンを畳んで、テーブルにぽんと置いた。

「わかった……ついていく」

「え？」

「もう食べ終わったでしょ。そのかわり日付の変わらないうちに帰して」

武内は、紗織をみつめ、それから「ありがとう」と深々と頭を下げた。そしてグラスにひょいと手をのばして、残っているビールを一息であおった。

外に出ると、雨はすでに上がっていた。濡れた道にネオンが花を広げている。肩に手を回すわけでもなく、手を握るわけでもなく、武内はまっすぐに歩いていく。

目の前に新宿プリンスの平べったいビルがある。その入り口を素通りした。飲み屋や風俗営業店の並ぶ一帯を抜け、薄暗い公園の脇《わき》を抜け、静かな一角に踏み込んでいく。照れたように武内は、さっさと前を行く。

新大久保の近くまで行って、飾り気はないが清潔な感じのビルに入った。マンションのようだ。彼は自分の部屋につれてきたらしい。

エレベーターで4階に上がる。鉄の扉が並んでいる。その一つの前で、鍵《かぎ》を出して開けるかわりに、武内はインターホンを押した。

「えっ」と紗織は、その指先を見る。表札は出ていない。

「あ、どうも」と中から、スーツ姿の男が顔を出した。

「どうぞ、入って」と女が現われた。

「紹介するよ。セミナーの仲間。セミナーって、自己実現の。それぞれ自分の殻を破って、

新しい自己を発見していこうってことで、集まってトレーニングをしてるんだ。つまりST、センシティビティトレーニングっていって、早い話が」

「帰る」

思わず叫んでいた。

「え……」

頬がかっと熱くなって、すぐに頭のてっぺんから冷たくなってきた。

「ばかにしないで」

「どうして」

廊下を走ってエレベーターホールまできて、下りボタンを押した。

「待って。これって宗教なんかじゃないよ。君が思ってるような変なものじゃないってば」

武内が追いすがるのをふりきり、エレベーターに乗る。

武内から目をそらし、「閉」のボタンを忙《せわ》しなく押した。口をぱっくり開いている武内の鼻先で、ドアが閉まる。やがてエレベーターはゆっくり下降を始めた。

一人になったとたん、力が抜けた。ぐったりと、壁にもたれているうちに急に笑いが込み上げてきた。

まったくなんという一日だろう。

人生に逃げ道なんかどこにもない。そして武内の導いた場所が怪しげなセミナーであったことが、かえってよかったのかもしれないと思った。

そう簡単に行けてたまるか、と小さくつぶやいた。前途に平坦な道なんかあるはずはない。障害はつきもの。強行突破するしかない。

ビルを出た紗織は、うっすらとネオンで明るんでいる新宿駅の方向に向かい、まだ湿っているスカートの裾《すそ》をひるがえして飛ぶように歩き出した。

ファーストクラスの客

おびただしい数の段ボール箱が、積み上げられていた。いったいどれだけあるのか、二百は下らないだろう。中身は衣類。ＮＧＯを通じて慢性的な飢えと貧困に苦しむ西アフリカに送る支援物資だ。

前任者が、日本全国の支店、営業所に提供を呼びかけて集めたこれらのものを、分類、整理、梱包《こんぽう》して、ＮＧＯを通じて送り出すのが、引き継いだリサの仕事だ。ちょっとした圧迫感を持って、リサはその箱の山を見上げていた。

広報室に異動したリサが担当するのは、社会貢献事業。以前の企業イメージ戦略に乗った派手な文化活動は、バブルの崩壊により暗礁に乗り上げ、現在は企業もまた一市民という立場から、さまざまなボランティア活動を行なうという方向にきている。そうした活動の企画、立案、運営が、リサともう一人の担当、阿部という三十を少し過ぎたばかりの男の仕事である。

隣で阿部は、長めの髪をかきあげながら、レクチャーしている。

企業の社会的責任、利益還元とは何か。社会貢献とメセナの本質的違い。そしてそれが、十九世紀的慈善事業とどう違うのか、その心がまえは……。

「で、これ、どうすればいいんですか？」

阿部の言葉を遮り、リサは尋ねた。理念的説明に余念のない阿部の姿に、パートナーとして一抹の不安を感じた。

「だから西アフリカの、特にマリの医療環境は劣悪で……」

「はい。それでこれは今までどういった形でNGOに持ち込んでいたんでしょう？」

「いや、こちらは事務局なんで、直接の仕事は女の子がやってたから、末端の作業まではわからないけど」

ますます不安になって、リサは目の前の段ボールの石垣のようなものを見上げる。

「いつまでにやったらいいんでしょう？」

「今日から約一ヵ月半後の八月十二日に、横浜港から西サハラ行きの船が出る」

「そうすると、本部に運び込むのは、いつごろでしょうか？」

阿部は腕組みをして考え込んだ。ここに来たばかりの頃見せられた、阿部の書いた見事な企画書を思い出す。どこのセクションにも、企画書を書くのとプレゼンテーションだけはうまいという社員はいるものだ。この男、まさか使いものにならないから会社の利益に直接関係ない部署に飛ばされてきたのではないだろうか、と首を傾《かし》げる。

「十日後」

しばらくしてから、自信無げに阿部は答えた。

リサは、絶句した。

「あの、とにかく日が迫っていることですし、そろそろ整理にかかった方がいいと思うんですけど？」とリサは段ボール箱を指差す。

「いやぁ、僕達だけでやることじゃないから、社内で協力してくれる人を集めて、推進チームを作るつもりだったんだが、集まってくれないんだ。うちの社員はまだまだそのあたりの意識が低くて」

意識はどうでもいい。目の前に仕事があればせっせと片付けなくては気持ちが悪いというのが、リサの性分だ。推進チームはともかく、仕事にとりかからなくては、間に合わない。

「すみません、台車を借りてきてくれます？　それから作業場も欲しいんですが」

リサは言った。

「え、一人で始める気？」

「取りあえず、どんなことしなきゃならないのか、箱を開けてみないとわからないし、私たちがまずやらなきゃ、だれも手伝ってくれないんじゃないかしら」

「まあ……そりゃそうだけど。台車……どこだっけ」

「総務だと思います。それから空いている会議室を押さえてくださいますか」

こめかみに青筋が立ちそうなのを抑《おさ》え、にっこり笑う。それから洗面所に行き、長い髪を

後ろ一つに結わえてピンで留めた。

台車に段ボール箱を載せ、阿部に手伝わせて空いている会議室に運ぶ。

一箱目を開けて、唖然《あぜん》とした。夏物、冬物、大人者、子供物が混ざり、クリーニングの済んでないもの、鉤裂《かぎざ》きのあるものまで、紛れこんでいる。全部がこんな調子だったらどうしよう、と暗澹《あんたん》とした気分になる。とてもではないが、十日後には間に合わない。

「物品提供の呼びかけをしたとき、ちゃんと注意書きは入れたのかしら？」

我知らず詰問するような口調になっている。

「女の子がやってたから、よくわからないけど、入れたと思うよ」

リサは取りあえず片端から分類していく。

「もう、この場で始めちゃうの？」

突っ立ったまま、阿部が尋ねた。

「ええ。少しでも片付けておかないと」

困ったような顔で、阿部もくしゃくしゃになった服を取り出し分けていく。

「これは、夏物かな冬物かな」

一枚の上着を取り出しリサに尋ねる。

「夏じゃないですか」とリサは答える。

数秒すると、

「じゃ、これは？」

「冬」

「いや、生地とか色とかで、これはこちらに分類するっていう基準書でもあればいいんだけど」

「あのう……」

リサは遠慮がちに言った。

「こんなことは私がしますから、阿部さんはNGOの方に連絡を入れたり、人を集めたりみたいな段取りをしていただけます？」

「あ……ああ。じゃあ、ここは君にまかせて、僕は仕事があるから」

「えっ」と振り返ったときには、阿部は部屋を出ていった後だった。

これは仕事ではないのか、と憮然《ぶぜん》として作業を続ける。

別の箱を開いて驚いた。中身は黄ばんだタオルとシーツだ。三年前、前任者がネパールの病院に送るために集めたチャリティー物資だ。どこかで取りこぼしたらしく、一箱、そのまま残っていた。不安になって、その隣の箱を引き寄せる。ガムテープが古びて、半透明になっている。開けたとたんリサは悲鳴を上げた。

ぞろぞろとダニが這《は》い出してきた。いったいいつの物品チャリティーで集めたものか。衣服は黄ばみ、湿って、ダニの巣と化している。あわててゴミ置場に運ぶ。

せっせと分類していると、あっという間に午後の時間は終わった。空調が利いているのに、汗が噴き出してくる。

十日のうちに、仕分けと梱包、目録づくりのすべてを行なうとすると、時間外だけでは間に合わない。しかもどこの課も残業があるし、若い子はボランティアよりは習いごとに忙しい。普通の手段で人が集まるとは思えない。

いったん広報室に戻り、とりあえず推進チーム募集のビラを作る。

「僕が一昨日配ったけど、来たのは二人だけで、結局あきらめたよ」と阿部は苦笑した。

「じゃ、どうすればいいんですか？」

「前の子は、社内の友達を三十人ばかり、集めたよ。明るくてみんなに好かれる子だったから」

別に暗くてみんなに嫌われてるわけではないが、鶴《つる》の一声で三十人もの人間を業務時間外に駆り出せるほどの人脈は、リサにはない。それに来てくれそうな元の職場、営業部の女性たちはこの時期、連日残業をしているはずだ。

本来、こんなとき表に立って取り仕切り、指示を出すのは男性社員である阿部の仕事ではないのかと思う。いずれにしても、こういうことを自分一人でできるはずはない。

阿部がまったく頼りにならないとすれば、直接、上に掛け合うしかない。

リサは広報課長のところに行った。そして各課の課長に話を通し理解を求めて、そこから人手を提供してくれるように頼みたい、と話した。

「それはいいことだね」

課長は、うなずいた。

「チャリティーみたいな仕事には、やはり女性の感性が必要になるからね。存分にやってください。何か必要なものがあったら、いつでも僕に相談しなさい」

広報課長は気難しく、好き嫌いの激しい人物だと言われているが、リサが直接話をした限りでは、あっけないほどに物分かりがいい。

人は感情の動物だ。事務的に話をもちかければ蹴《け》られてしまうことでも、こちらの態度と物の言い方ひとつで、理解は得られるものなのだと実感する。

自分の頭ごしに課長に話をされたのが不満なのか、向こうの席で阿部が憮然とした顔をしている。

翌日、リサはビラを持って、各課を回った。西アフリカの窮状を訴え、物資が集まっているが、整理する人手が足りないと説明すると、どこの部課長も身を乗り出してきた。

「たいへんだね。いいだろう、いいだろう。女の子、二、三人行かせよう」

「わかった。できるかぎりのことをしよう。忙しいことは忙しいが、リサちゃんの頼みならしかたない」

「趣旨はわかった。すばらしいことをしているんだ。協力しよう」

どこのセクションもたいていこんな調子だ。

実際は何かと手続きが面倒なことでも、その課のトップに話を通せば、ことは驚くほど速く進む。

「ありがとうございます」と丁重に頭を下げて、にっこりして、一件落着だ。

二日後の午前中には、繁忙期で連日残業をしている営業部を除いて、開発、調査、人事などあらゆるセクションから二十人を超える女性たちが集まってきた。

口も達者だが、手もよく動く彼女たちは、驚くほどの速さで積み重なった段ボールを片付け、札をつけ、目録を作っていく。

「いいよね、こんなことで、たくさんの人たちに喜んでもらえたら」

新しく入ってきたばかりで、あまり話をしたことのない女の子たちが目を輝かせる。

「人の役に立つって、生きてるって実感があるんだ」と、段ボール箱を担ぎながら言う者もいる。生きがいはアフタファイブのゴルフと英会話とデート、年に二回の海外旅行、仕事は生活の手段と割り切っているように見える彼女たちの意外な熱意に、リサは少し驚いたし、感激もしていた。

昼休み間際になると、部課長がやってきた。

「いい気分転換だよ」

「俺って、フェミニストなのよ」

軽口を叩《たた》きながら、彼らはワイシャツの袖《そで》をまくり上げ、段ボール箱の中身を両手でかき出し、仕分けしていく。

リサは飛んでいって「ありがとうございます。よろしくお願いします」と頭を下げる。阿部の方をちらりと見やると、さすがに各課の部課長にまで出てこられると、自分もやらないわけにはいかないらしい。物も言わずに箱を運んでいる。

そうしているうちに、新聞の取材が来た。このところ取材が頻繁だ。国内の地震被災地へのボランティア派遣や、ネパールに薬を送るための募金運動などは、前任者の仕事だったのだが、その取材は現担当者が受ける。阿部でなくリサを出せというのが、広報課長の方針だったし、リサ自身、「T火災の顔」として課長の期待に十分応《こた》えている。

今回は、活動している場面の写真を撮りたいということなので、髪を後ろにまとめ、制服のブラウスの袖をまくり上げてカメラにおさまる。

「はい、体をそちらに向けて。箱から服を出して、目線は、手元、そう。つぎ、こちらに立って」

カメラマンは作業をしている人々をかきわけ、さまざまな要求をしてくる。

まずいかな、という気がとっさにした。一人だけ目立つのは避けたい。しかしカメラマンはファインダーを覗《のぞ》き込んだままで、写真を撮るのに熱中している。

「すごくいい表情。うん、そのまま手を止めて、目線こちら」

何も言い出せないまま、四十分近くかかって撮影が終了したときは、女性たちの間に白けた雰囲気が漂い始めていた。

勤務時間内に、他の課の社員の手を借りられたのは、この一日だけだった。翌日からはアフタファイブを使う、完全なボランティア体制に切り替わった。

とたんにやってくるOLは七人前後にまで減ってしまった。しかし代わりに部長と役員たちが手伝いに来た。リサは恐縮したが、彼らは「君の熱意にほだされてね」と鷹揚《おうよう》な笑みを浮かべて、上着もネクタイも取り、せっせと箱詰めを始める。

来なくなった女性たちと、最初から顔も見せない平社員のことを考えながら、リサは、上に行く人にはやはりそれなりの人格が備わっているのだろうか、と感心していた。

八時を回って、後片付けを始めたころ、役員の一人が近づいてきて、「リサちゃん、モンテローザに電話して、席、取っておいてくれ」と耳打ちした。

モンテローザというのは、会社の近所にあるビストロだ。少し高めだが、置いてある酒の種類も多く、料理がおいしいと評判の店だ。

この事業への予算はほとんどついていないため、手伝ってくれた人たちに缶ジュースの一本も出せないことがリサには心苦しかったのだが、今夜は彼らがポケットマネーでごちそうしてくれるという。

最後まで残っていた女性、六人に声をかけると、「やったあ」と歓声が上がった。

六月の末から夏休みが終わるまで二ヵ月あまり、モンテローザはビュフェスタイルに変わる。店に入ったリサたちの前には、空の食器が運ばれてきた。中央のテーブルに行き、各自好みのものを取ってくる。

女性たちは、皿を片手にテーブルの周りに集まった。大騒ぎをしながら自分の皿に料理を盛り付けている彼女たちを横目に、リサはせっせと料理を役員や部課長に運ぶ。

おしぼりを手渡し、水割りを作り、灰皿を取ってくる。お腹はすいているが、自分だけ食べているわけにはいかない。さらに年配の役員の前に、さり気なく箸《はし》を置く。

「おいおい、リサちゃん、僕だってフォークの使い方くらい知ってるぞ」と言いながら、役員は、言葉とは裏腹に上機嫌だ。

袖にソースをつけてしまった部長に、素早く紙ナプキンを渡す。

「まるでチイママ」

そのとき背後から声が聞こえた。驚いて振り返ると、テーブルの端で先程から食べていた三十過ぎの財務部のＯＬが、片手で口を押さえる真似《まね》をした。周りの女性たちが一斉にそっぽをむく。

一瞬、頭から水をぶっかけられた気分になった。

だれのためだと思っているのよ、という言葉が喉元《のどもと》まで出かかったのを抑え、黙々と水割りを作る。

なんとなく気まずくなり彼女たちとは話もせず、役員と部課長の周りを飛び回っている間に、お開きになった。

店を出て、みんなで駅の方向に歩きかけたときだった。

「リサちゃん、豊田だよな」と専務が声をかけてきた。

「はい」と答えると、「僕は八王子のめじろ台なんだ」言いながら、タクシーを止める。「途中で下ろしてあげよう」と、開いたドアを指差す。

他のＯＬたちが、少し意地の悪い笑いを浮かべてこちらを見ている。

「いえ……あの」と言い掛けたが、「どうせ帰り道なんだよ」と専務は穏やかな笑みを浮か

べていた。

「おお、ずるいな。リサちゃんを独り占めか」と、部長からひやかしの声がかかる。

「護衛だよ」と専務は笑っている。

さきほどの「チイママ」という言葉が心にひっかかっているが、断れる状況ではない。妬《ねた》まれるのはかなわないと思いながらも、「ご一緒させてください」と乗り込むしかなかった。

同僚たちの方を振り返ると、一同は「ごちそうさまでした」と、専務に威勢よく挨拶《あいさつ》すると、駅の方に立ち去っていく。

「いやあ、ご苦労さまだね」

タクシーが走り出すと、背もたれに体をあずけて専務は言った。

「いえ、みんなが喜んでくれることなので、やりがいがあります」

リサは、マスコミ取材のときと同様、優等生の受け答えをする。

専務はふうっと息を吐き出した。

「そうだな。僕なんか、毎日、心がささくれ立つような仕事ばかりしているから、ああいうことをさせてもらって、感謝しているよ。君たちと話もできたし、なんだか学生時代にもどったようだ」

「大変な時期ですものね」

総務、人事畑を歩いてきた専務は、中高年の人員整理の急先鋒《きゅうせんぽう》とみなされ、「リストラマン・タロウ」と陰口を叩かれている人物だが、女性たちには、いつも優しく紳士的だ。

「ホワイトカラーにとっては、厳しい時代だな。もう今までみたいに、受け皿作ってからどっかへ行ってもらうというわけにはいかない。無能な社員を抱えていられるほどの体力は、正直、もうなくなっているからね。うちだけじゃない。日本の企業全体がそうなんだ。社員にも、それなりの覚悟を決めてもらわないと」

「はい」と返事をしてリサは、専務の穏やかな横顔を見る。きれいに整えられたグレーの髪、脂っ気が抜けたなめらかな肌。その姿に「無能」とか「覚悟」とかいう言葉が、いかにも不釣り合いで、少しばかりの衝撃があった。偉くなればなるほど、女子社員にはそれなりの顔しか見せないものかもしれない、と思った。

「でも、ローンがあったり、子供がいるとかいう人はかわいそうですけどね」

リサはぽつりと言った。さほど深刻な表情もなく、専務はうなずく。

「たとえば、君の家でお父さんが病気になって収入が減ったとしよう。いろいろな手をうつが、まずしなければならないのは節約だろう。ガス代を節約しようとか、洋服を作るのをやめようとか。会社だって同じことなんだ。会社自体が潰《つぶ》れてしまわないようにするためには、節約すべきところは節約する、切り捨てるべきところは切り捨てなければならないんだ」

わかりやすい話だ。「女の子」にも。次回の異動では、男性社員も今までのように出向ではすまないだろう。四十代の男性を中心に実質的な指名解雇が行なわれるという噂《うわさ》が流れている。

足を組み替え、無意識なのだろうが、専務は体を寄せてきた。上等の麻のスーツの袖が、

ワンピースから出たリサの腕に触れて、ちくちくと肌を刺激する。さり気なく身をかわすと、熱い手のひらが、じわりと手首を握りしめた。

リサは、身を硬くした。

「ああいう仕事はいいね。いいことをして、みんなに喜んでもらえる。アフリカの高地で震えている難民が、暖かい思いをして寝られると思うと、こちらの心も暖かくなる」

「はい……」

「今夜、もう少し、君の話を聞いておきたいな。心配しないでいい。帰りは送る」

「いえ……」とドアに体をくっつけるようにして、体を離す。

「運転手さん、その角を右へ曲がってください」

専務は言った。高速道路の入り口と反対側だ。

「あの、門限なんです。家の……」

「なるほど、やはり育ちがいいんだな。心配ない、少しだけだ。僕は今日は本当に心を洗われるような気持ちになっているんだ」

汗ばんだ手が、手首からてのひらへ移動してくる。自分の会社の専務でなければ、ひっぱたいてやるところだ。

「ごめんなさい。すごくご一緒したいんですが、父が十時五十二分に、豊田駅北口に迎えに来ることになってまして……心配かけたくないんです」

「五十二分とは、ずいぶん細かいね」

驚いたように専務は言った。

「え……その……新宿駅発十時二十分の特別快速の豊田到着時刻ですので」

微笑しながら、険しい目をその手に向ける。この際、相手の社会的地位も、人格も関係ない。既婚の男に手など握られたくない。一緒のタクシーだって乗りたくなかったのだ。二十四のうちに結婚をすると決めておきながら、とうに五も過ぎてしまった。六は目前だ。オヤジを相手にしている暇などない。そして何よりも人の口が怖い。不倫の噂はあっと言う間に広がる。体質の古い業界のことで、男女関係は直接業務に支障がないかぎり容認されるし、仕事のできる男の勲章とみなすような風潮さえある。

だからおもしろ半分にそうした話は語られ、広がる。しかし女の方はたまらない。その後の結婚戦略が、圧倒的に不利になるのは、二十年前と変わらない。いったん妙な評判をとったら、取り消しがきかない。

「だから……あの十時五十二分までに豊田駅で下ろしていただけると、うれしいんです」

専務はあきらめたらしく、それ以上は誘わず「それじゃ、今度、日をあらためて」と、礼儀正しい様子で握手し、つぎに指切りした。小指を絡ませる仕草に、なんともいえない不潔感がある。さきほどの一連の言動と、せっせと箱の中身を整理していた様子を重ね合わせ、リサは割り切れない気分になった。

「オヤジ転がし」と、自分が呼ばれていることを知ったのは、二日後のことだ。二百数十個

ある段ボール箱は、まだ半分くらいしか整理されておらず、リサは孤軍奮闘していた。

「前は、営業課長で、その次は人事部長で、今は専務だって？　どんどんキャリアアップしていくじゃない」

さほど悪気もない様子で、阿部が言った。

「どういう意味ですか」

とっさに詰め寄ったリサの剣幕にぎょっとしたらしく、阿部は「いや、僕が言ったわけじゃないよ。女の子たちが……」と口ごもる。

「女の子？」

「いや、その」

それ以上聞き出す気にもなれなかった。

その日の昼休みには、ほとんど人は集まらなかった。推進チームは壊滅状態だ。

広報の仕事は、チャリティーだけではない。保険協会との連絡、統計作成、広告、情報開示と、通常業務が山のようにある。それらの業務の合間をぬっての仕事だから、リサ一人ではとうていできない。

仕事が終わってから、阿部の他に、広報課長ともう一人の広報課の女性が見かねて手伝ってくれたが、やはり小人数ではあまり進まない。

翌日、阿部は会社を休んだ。この二、三日の無理がたたり、腰痛を起こして動けない、とのことだ。社会貢献の理屈はしゃべれても、彼の体は実践に耐えられるようにはできていな

いらしい。また、このイベントを牛耳《ぎゅうじ》る実行力もない。

未整理の衣類が、まだ百箱以上残っているところに、新潟、盛岡、小倉の各支社から、合計八十七箱が追加で送られてきた。

台車でそれらのものが運び込まれて来るのを目にしたとき、リサはめまいがした。箱を開く気力もなく、到着した箱を社内報担当の女性に手伝ってもらって、台車に載せる。いっそ自分も阿部のように腰痛を起こして休んでしまいたい。

もともとこの仕事に興味はなかった。広報というから、社内報や支店向け小冊子の仕事ができると信じていた。インタビューをしたり、記事を書いたりするのだと期待していたのだが、それはもう一人の女性の仕事で、自分は一日中、古着と格闘だ。アフリカの難民は気の毒だが、とうの昔に二十五歳に突入して、未だに結婚のメドもたたず、こんなことをしている自分自身の状況の方が、はるかに深刻で切羽詰まっている。

それでも目の前に仕事を積まれれば、心より、頭より、手と体が動く。てきぱきと仕事を片付けたくなるのは性分以前のもので、むしろ生理に近い。一つ終われば、また一つ仕事をみつけて、気がつくとくるくると動いている。考えてみれば、あれだけ中傷されながら、この二週間、社内のだれよりも働いていた。

昼休み、一人で仕分けに追われていると、「大変だね」と懐かしい声がした。

康子がいた。

「ええ」と、無理に笑って手の甲で汗を拭《ぬぐ》う。

「みんな、ずいぶん送ってくれたんだね」と康子は、積み重なった段ボール箱をながめ、その一つの中身を出し始める。

「なんでリサちゃん一人でやってるの？」

「最初は来てくれたんですけど……」

リサは苦笑した。

「ボランティアって、こんなものですよね。結局、お給料もらってるわけじゃないから責任ないでしょ。自分の都合で来たり来なかったり」

察したように、康子はそれ以上尋ねることもなく黙々と手伝った。

そして始業ベルが鳴る直前に、ちらりと時計を見て言った。

「うちの方は、残業は今日までなの。よかったら今夜、来ない」

「私は、こちらの仕事があるから」とリサは段ボール箱を指差す。

「心配しないで」と康子は笑った。

「明日から手伝ってあげる。その代わり、今夜、うちに来て何かおいしいもの作って」と康子は、ポケットから鍵《かぎ》を取り出してリサに渡した。

「少し遅れるから、先に帰って、作ってくれる」

「いいんですか、勝手に入って」と鍵を握りしめ、あっけに取られて康子を見る。

「うん」と康子はうなずいた。

今回の噂話は、おそらく康子の耳に入っているのだろう。リサを呼んで話を聞き、力づけ

ようとしているのがわかる。

人の優しさが身にしみる。もともと康子には優しいところはあったが、あのマンションを手に入れて以来、少し印象が変わった。以前のどことなく自信の無さそうな貧相な顔つきは消え、落ち着いた大人の女の包容力や風格さえ漂ってきた。

家を持つというのは、独身の女にとって何か特別な意味を持つのだろうか、とリサはふと思った。


康子が帰ってきたのは、テーブルの上に料理が並び、洗い終えた鍋《なべ》やフライパンが乾き始めた頃だった。

「ごめん、遅くなって。紗織ちゃんを誘ったんだけど、何か英語の勉強をしてるんで忙しいんだって」

「みたいですね」

「ちょっと待っててね」と康子は、引き出しを開け、中からクリアファイルを取り出した。

「えっ」とリサは目を丸くした。

にっこり笑っているもの、両手で段ボール箱を抱えているもの、あるNGOの代表と握手しているもの。この二週間のうちに、新聞や雑誌に載ったリサの記事だ。康子はそれをすべて切り抜いて保存していた。

「リサちゃんがこんなところに出てるなんて、うれしくなっちゃって」と一枚一枚を眺めて

いる。

ありがたいと同時に、苦い思いがこみあげてくる。

「そもそもこんな風に目立ったのが悪かったんです」

リサは唇を嚙《か》んだ。

「どういうこと？」

康子はグラスに氷を入れ、バーボンの水割りを作ってリサに手渡す。

「今、斉藤さんがやってくれたみたいに、水割り作ってあげただけで、チイママなんて言われちゃったんです」

「うん……」

康子はうなずいた。あの口のことや、一連の中傷についても、知っているらしい。

「専務と同じタクシーで帰っただけで、オヤジ転がしなんて言われるし……」

「たまらない話だね。妻子持ちとはつきあわないっていうのがリサちゃんのポリシーなのに。専務は厳しいけど、温厚で尊敬できる人でしょう。変な関係になるわけがないわよね」

「尊敬できます？　あの人」

リサは、グラスをことりと置いた。

「男の人たちは首切り役人、とかリストラマン・タロウなんて呼んでるけど、ああいう立場だからしかたないことで、筋は通す人だと思うよ」

「そういうことじゃないんです」

「そういうことじゃないって……」

少しの間沈黙があって、康子の顔色が変わった。

「何か……されたの？」

「タクシーの中で手を握られました」

康子の頰《ほお》が緩み、それからすぐに真顔になった。噴き出しそうになったのを喉元で止めたらしい。

「そういうことじゃないんです。私だって、男の人を知らないわけじゃないし、バラしちゃえば片手分くらいはつきあったし、人並みのことはしてます。でもそういうことじゃなくて」

「好きな人なら、どんなことされてもいいけど、嫌いな男にはみつめられるだけでもいやというのが、女心だもんね」

「それだけじゃなくて、あんな評判が立つなんて、あたし、どうしたらいいかわからない。オヤジ転がしなんて、あんまりじゃないですか」

康子は小さくうなずいた。

「じゃ、どうして誤解を招くほど、彼らにサービスしちゃったわけ？」

「サービスなんかしてません」

リサは叫んだ。

「当然の気配りなんです。だいたい一緒にやってる男の人が、ぜんぜん仕切ってくれないんですもの」

「リサちゃんが仕切ればいいんでしょ、担当なんだから」

「どうやって、そんなこと女の子にできるんですか？」

「二十五にもなって、女の子のつもり？」

痛いところを突かれた。

リサは早口で説明した。社内でボランティアが集まらなかったとき、各部を回って部課長に直接、事情を話してみると、だれもが快く人を出してくれたこと。人を出すだけでなく、自ら手伝ってくれたこと……。

「あれって、結構な力仕事なんですよ。それをみんなに夜遅くまで手伝ってもらうんです。それなのに予算がないから、会社のお茶一杯で、『ご苦労さま』っていって終わりなんて心苦しい部分、ありますよね。それを役員や部課長が察して、みんなを食事に連れていってくれたんです。だからこちらとしても、それなりに気をつかうじゃありませんか」

「ちょっと、違うんじゃないのかな？」

膝《ひざ》を抱えて、天井を見上げながら、康子はぽつりと言った。

「違うって？」

「あたしは、難しいことはわからないし、言えない。でもボランティアってそういうものじゃないと思うよ。それじゃ、田舎《いなか》の祭りだよ。悪いけど」

「田舎の祭り？」

「村の有力者に賛助金出してもらって、みんなでパッと盛り上げて終わるやつ。社会貢献と

かボランティアって、できる人が手弁当で集まってきて、自分のできることをやって、それを地道に広げていくような、そういうものじゃないかな。そもそも手伝ってもらうって発想じゃできないと思うよ。それぞれが参加することで、自分の人生を豊かにしていくものなんだから。だからこそ事務局が大変なんだけど」

「でも、会社の中でそれをやるのって、難しいんです。やらなきゃならないことは、たまっちゃってるし。それに部課長に話せば、すぐにわかってくれて、話が早いんですよね」

そこまで言って、醤油《しょうゆ》さしが空になっているのに、気づいた。入れておこうと立ち上がる。

「待って」と康子が言った。

「え……」

「とにかく座って」とスカートの裾《すそ》をひっぱった。リサは驚いて、ぺたりと腰を下ろす。康子は正面に座り、まっすぐにリサの目を見た。

「高校の先輩で、国際線のスチュワーデスがいたの。気が回るし、性格もいいし、二十五過ぎてもすごく可愛かった。しかも本当は頭が良くて、しっかりもの。それで三十になったとき、会社を飛び出して事業を始めたの。輸入物のボディケア商品のお店。スッチーには、そうやって事業を興す人がけっこういるのよ。でも、彼女の場合は失敗した。商売っていうのは、浮き沈みがあるでしょ。何もしなくたって、うまく回転することもあれば、どうにもならないときもある。壁にぶつかったとき、普通なら自分で奮闘するよね。それから、友達や親兄弟を頼る。でも彼女はそこで間違ったの。自分で奮闘する前に、まっすぐにファースト

クラスの客のところに行っちゃった」

「ファーストクラスの客？」

「つまり現役中に、彼女を気に入ってひいきにしてくれた、社長や代議士達。最初は、彼らはあらゆる手段を使ってバックアップしてくれたわ。でもそれは長くは続かなかった。彼女は、彼らには一人の事業主とは見られていなかったの。もちろん一人の人間としても、認められていない。ままごとをするなら、じゃあ、おこづかいあげようか、みたいな感覚なのよね。それをわかってなかったのよ。挙げ句にまわりからは、そのファーストクラスの客全員と寝たことにされちゃった。彼女は泣いたわ。あの人達は、本当に立派な人ばかりだからそんなことは全然要求しなかったのに、と。そして、みんななんて下劣な品性を持っているのかって怒ってた」

リサは息を呑《の》んだ。

「今は、いいわよ。だけど三十過ぎてそういう感覚を持っているのは、ただのバカ女ってことになるの。あたし、リサちゃんには、そうなってほしくない」

「あたしは、別に……」

部課長に媚《こ》びたりしないし、オンナであることを売り物になんかしなかったし……。部課長だって、真摯《しんし》に耳を傾けてくれたわ。

そんな言葉を呑み込んだ。いや、自分でそう思いこんでいただけか？

何をするにも、まず部課長のところに行ってにっこりしていたのは事実だ。男性社員なら、

まず同僚、次に係長、係長から課長に、という具合に話を持ち上げるはずだ。しかしそんなことをしたくても、そもそも女性にはそんな正規のルートが開かれていないではないか。

「しかたなかった？」

康子は微笑した。

「そこまでは言いませんけど……」

「うん、しかたないね。お説教するつもりはなかったんだ、ごめん」

そう言いながら、康子はリサの作った鰯《いわし》のマリネを口に運ぶ。

「えっ、これ、おいしい」

目を丸くした。

「あら、そうですか、すごく簡単にパパパッて作っただけなんですけど」

「あなた、本当に、お料理上手ね。お料理だけじゃないけど」

お世辞ではなさそうに、康子は言った。

「これもどうぞ」と、ムサカ風の茄子《なす》料理を差し出す。

「たとえば、会社やめても家庭料理の店とか、できるね」

「そうですね」とリサは微笑《ほほえ》んだ。

「でも、あたし、事業なんて始められるはずがないし。ずっと普通のＯＬやってると思います」

「結婚するんでしょ。鮮度が落ちないうちに」

さえぎるように康子は言った。皮肉や非難の調子は含まれていない。

リサは苦笑した。

「でも、職場結婚はしません。うちの男の人たち、地方に飛ばされるくらいならまだしも、四十いくつで早期退職の可能性が出てきたみたいですから」

「そういう時代なんだ」と康子は、ため息をつき、つぶやくように言った。

「男の人って、考えてみればキビシイよね。結婚って受け皿はないし、ちょっと留学ってわけにもいかないし。雇用流動化なんて首切りの言い訳で、実際は転職なんてほとんど無理だし。道が一本しかなくて、そこから外れたら脱落するしかない人生って、辛いだろうな、きっと」

「そうですね」

タクシーの中の専務の言葉を思い出しながら、リサはうなずいた。

翌日の昼休み、会議室には数日ぶりに活気がよみがえった。康子が、前日の夕方に営業部の女性や同期の人々に、声をかけてくれていたのだ。声をかけられた人が、さらに友達を連れてきた。今度は完全な草の根だ。

リサがせっせと古着を片づけていると、康子が背中を叩いた。

「リサちゃん、自分でやってちゃだめなのよ。みんなに指図して」

「指図なんてそんなこと……」

今まで、人を使ったことなどないから、よくわからない。

「少し離れて見て、全体の進行状況をチェックして。何か足りないものはないか見回って、みんなの仕事がやりやすいように段取りをつけるのよ。それがあなたの仕事なんだから」

「え……ええ」

何なのだろう、この姐御《あねご》ぶりは、とリサは首を傾げた。少し前までの康子はこんなではなかった。

リサは言われたとおり作業から離れて、会議室の中を一周する。あの人、何をぶらぶらしているの、という非難が聞こえてきそうな気がして、身が縮みそうだ。

しかしよく見れば、古着を取り出し分類するところは、みんなが脇目《わきめ》をふらずにやっているが、札をつけて目録を書くところでは、手持ち無沙汰《ぶさた》の様子で五、六人が突っ立っておしゃべりをしている。

「これをしなさい」と言われる前に、必要なことを見つけ出し、てきぱきと片付けるのがあたりまえ、と思っていたリサにしてみれば、舌打ちしたくなる光景だが、思い切って「ねえねえ、何か足りないものがあるの」と尋ねてみると、「マジックインキ」という返事が戻ってきた。慌てて隣の部屋から取ってきて渡す。

それから、人と古着が錯綜《さくそう》して動きづらそうなところをみつけ、机の配置を変えて、それぞれの作業が一連の流れに乗るようにする。

考えてみれば、男性なら入社後、二、三年で身につけさせられる、現場監督の仕事だ。しかし一般職女子の場合は、四十になってもこうした視点が要求されることはない。交渉も調整も段取りをつけるのも、基本的には男性の仕事だ。だから何かしようとするとき、自分の手元は見えるが、全体の流れが見えない。人を束ねようと努力する前に、部課長へのバイパスルートを作って、にっこり笑って直訴して済ませようとしてしまう。

「こっち終わり。箱、どこに積み上げるの？」

人事部の女子社員から声がかかる。とんで行って置場所を教える。

遅れてやってきた若手の営業マンにガムテープを渡し、梱包に回ってもらう。

午後からは、仕事の合間を見て、作業進行表とマニュアルを作った。

その日の夕方には、メンバーは四十人近くに膨《ふく》れ上がった。昼休みに来た人が、さらにその友達を誘ってきた。この前のように管理職や役員も加わる。紗織の姿もある。

「こういうのって、ネットワークさえ作れば、あとはなんとかなるでしょう」と、康子は晴れやかに笑った。

一方、この日、初めてやってきた紗織は、何をしていいのかわからないらしい。突っ立っているので、梱包の作業に回ってもらったが、ガムテープを中身の衣服につけたり、箱の底が抜けるような止め方をしたり、一人前に理屈は言うが、手際が悪くて見ていられない。それでもいないよりはましだ。

進行表の空欄は、たちまちのうちに「済」のマークで埋まっていく。

時間を見て、そろそろ切り上げようとしたときだった。

「あと、少しだから、やっちゃおうよ」と声がかかった。リサのことをあのとき「チイママ」と呼んだ彼女が、汗びっしょりになって仕分けをしていた。

「そうだ、今夜中に終わらせよう」と別の方からも、声がした。

結局、九時近くになって、すべての作業が終了した。手伝いに来ていたこの前の首切り専務が最後の箱をガムテープで封印したとき、一斉に拍手が起こった。

合計三百九個の段ボール箱は、二日後に横浜にある本部に運ばれるのを待つばかりになって、会議室の壁にそって整然と積み上げられていた。

「あれ、全部洋服なのよね」

リサの後ろで、康子が小さな声で言った。

「そう、合計九千八百二十六着」

万感の思いで、リサは答えた。

「信じられない」と康子は首を振った。

「ええ」

「どこも擦り切れていなかった。ちょっとラインが古くなってるくらいで、しっかりしてるのに。まだ十分に着られる服ばかり……」

「ちょっと、斉藤さん」

「ヘンだよね、日本人って。いつからこんななっちゃったんだろう。どうして最後まで着な

いんだろう。こんなことしてるから、地球の反対側の国が飢えるのかもしれないのに」

シラけた雰囲気をどう収拾したらいいかわからないまま、リサが沈黙していると、「さっ、行こうか」と助け船を出すように専務が言った。

みんなぞろぞろと出口に向かって動き始めた。


打ち上げは、近くの大衆酒場で行なわれた。

もうだれもリサのことを「チイママ」とは呼ばない。

「事務局長としてよく仕切ってたよね、リサが。これなら係長くらい務まるんじゃない」

紗織が枝豆をつまみながらしみじみと言う。

「そんなつもりないわ」

笑いながらリサは首を振る。会社にはそれなりのシステムがあるし、男性社員には男性社員の、ＯＬにはＯＬの役割がある。自分はその中で、割り当てられた仕事をきちんとこなすまでだ。男性社員の仕事の厳しさはわかっているから、同じことをしたいなどとは思わないし、肩を並べる気もない。ましてや「長」なんて肩書きは、考えたこともない。権限や責任などという面倒なものに魅力はない。それより将来性のある相手と結婚する方が、はるかに賢明だと思う。

「リサちゃん」

そのとき目の前に、一万円札数枚を握った手が伸びてきた。麻のスーツの袖の下で、ラピ

スラズリのカフスボタンが光っている。

専務だ。

「僕、悪いけど用事があるんで、これで失礼するから。じゃ、みなさん、ご苦労さまでした」

スマートな仕草で、女子社員たちに向かって頭を下げる。

「ごちそうさまです」とテーブルから一斉に声が上がる。

「まあ、帰られちゃうんですか」

反射的にリサは、いかにも残念そうな声を出していた。

「すまない」と専務はリサに目くばせし、慣れた鮮やかな手つきでさっと手を握り、去っていった。

「おお、六万置いてったじゃない」と経理係の女性が、すばやく札を数えて言った。

「さすが、オヤジ転がし、リサの実力！」

間髪入れずに、紗織が叫んだ。

テーブルが、しんとなった。紗織はきょとんとした顔で、枝豆をかじっている。

だしぬけにリサはその顔に大ジョッキのビールをぶっかけ、一瞬おいて甲高い声で言った。

「やだ、ごめんなさい。だぁれ？　私の肘《ひじ》をつついた人」

紗織は濡《ぬ》れた顔を拭いもせず、まだきょとんとしている。

上昇気流

ぽっかりと明るい舞台の中央で、パネラーが何か話している。

話に集中しようと、リサは何度か崩れかける姿勢を立てなおす。しかし目だけ開いていても、頭の芯《しん》からくらりとくる。

疲れている。この間の西アフリカに衣服を送るという大仕事が終わって、気が弛《ゆる》んだわけでもないのだろうが、急に体がだるくなった。朝は起きられないし、椅子《いす》から立ち上がったとたん、目の前が真っ暗になる。化粧ののりも悪い。二十五を過ぎると女の体は変わるのだ、と実感する。そんなことを紗織にもらしたら、鼻の先で笑われた。

パネラーの姿が視野の中で蟻《あり》のように小さくなる。言葉が耳の外を滑り落ちていく。

次の休憩でそっと逃げ出してしまおうかと思いながら、リサは「アジア・アフリカ地域における人々の健康と医療制度」と表題のついた今回のセミナーのレジュメを折って、バッグにしまった。

このところ頻繁にセミナーに出席させられる。少しでも勉強させようという広報課長の親心だ。しかし仕事でくたくたになった体で電車を乗り継いで会場に行き、翌日までにレポートを書いて提出するという宿題までつくのだからたまらない。

他の課の女の子に言わせれば恵まれている、ということになるのかもしれないが、こうしたことが苦手な人間もいるのだ。人を見ているようで見ていないのが人事課というところかもしれない。やはり会社はいつまでもいるところではない。

しかし辞めようにも多くの中高年社員と同様、今のリサに受け皿はない。仮にあったにせよ、変な受け皿の上に落ちたら取り返しがつかないことになる。岡崎と結婚した紀子のように。

紀子のはげ頭と痣《あざ》を目にしたときには、すんでのところで岡崎にふられた自分の強運に、目のくらむような思いがした。あれ以来、自分の男を見る目に自信をなくしている。

舞台の上のディスカッションは、続いている。

「……たとえばザイールに限らず、一本の注射器で針を替えずに、何人もの人々に打つ、といったことは、恒常的に行なわれているわけです。そうした方法を取らなければ、マラリアその他の疾病《しっぺい》に対応しきれない、すなわち医療器具が絶対的に不足しているという現実があるわけでして……」

半ば眠っているリサの脳の中に、NGO事務局にあった写真の光景が臨場感を持ってよみがえってくる。難民キャンプの土の上に転がった異様に腹のふくれた子供たちと、顔に蠅《はえ》を

たからせた人々……。あんなところに生まれないで良かった、というのが本音だ。

短大時代の友達が建設会社の社員と結婚し、夫とともにナイロビに渡ったが、自分なら絶対ついていかないだろう。ナイロビは欧米と変わらぬ都市だ、とその友達のくれた絵はがきにはあったけれど、アフリカと聞いただけで二の足を踏む。

確かにこの前のチャリティーでは西アフリカの子供たちを飢餓と病気から救うために、社内外の人々に協力を呼びかけて古着を集めて送るにあたって、膨大な量の事務・雑務をこなしたが、それはそれ、これはこれだ。

上下の瞼《まぶた》がくっついてきた。体が傾き、はっとして体を起こす。隣の男に寄り掛かっていた。

「ごめんなさい」と小声で謝る。にっこり笑った男の前歯が、薄暗い客席の中でくっきり白い。白い立襟シャツにノーネクタイ。学生か、自由業か。感じの良い人、ととっさに思った。

そのとき天井の照明が点灯した。第一部のパネルディスカッションが終了した。第二部の質疑応答まで、十五分の休憩がある。

伸びをしてロビーに出る。レポートを書かなければならないので、やはり途中で帰るわけにはいかない。売店でコーヒーを買い、スタンドに肘《ひじ》をついて苦い液体をすすっていると、

「あ、どうも」と頭上から声が降ってきた。

見上げると先程の男だ。座っていたときはわからなかったが、隣に立つとリサの胸のあたりに男のジーンズのベルトがある。何かスポーツでもしているのか、驚くほどの長身、長脚だ。

男はアイスコーヒーを一口すると、大きな革のカバンからパンを取り出して食べ始めた。

リサはあっけに取られて眺める。

「一つどうですか」

リサの視線に気づいたように、男は紙袋の中から、カレーパンを一つ取り出しリサに差し出した。

「いえ」

「あ……そりゃそうですよね。すいません」

日焼けした面長の顔が、はにかんだように笑った。このところしばらくこんな顔に出会ってないような気がする。

「いやあ、夕飯食べてる暇がなかったもんですから」

「授業だったんですか？」

学生かな、という当てずっぽうでリサは尋ねた。

「ええ」

やはり学生だ。

「あなたも？」と今度は相手がリサに尋ねた。

「いえ」と答えて、名刺を取り出し渡す。

「三田村リサさんって、江戸の風俗文化の研究家で三田村鳶魚《みたむらえんぎょ》という人がいましたが、特にご関係は……」

「は？」

「いや、失礼」

相手も、ごそごそとカバンをかき回し、名刺をひっぱり出した。

「え……」

名前より先に、その肩書きが脳天を直撃した。

「東京大学医学系大学院　医療人類学教室　平木淳」

一口に学生と言っていいのか、悪いのか。

「もしかして、あの、研修医の方……」

「いや、一応、もう研修は終わってますから」

脳天直撃二発目。

本能的な素早さで、左手を見る。薬指に、指輪はない。

医者、東大。そして独身。

体中のセンサーが一気に稼動し始める。アドレナリンが力強く分泌され、眠気がいっぺんに吹き飛んだ。

「医療人類学ってどんなことをするんですか」

体全体をその平木という男に向け、面長の顔を見上げ、微笑を浮かべて相手の目をみつめる。

「あんまり、聞いたことないでしょう。新しい学問ですから。文化人類学の一分野です。医

療を通してその民族固有の疾病や病理を扱う学問です。宗教とか言語とか食物とかと同様、病気と医療を調べることによって、そこの人々の姿が見えてきたりするんですよ」

パンを食べながら語る平木からは、会社の男たちとは一味違う、何かまっすぐで純粋な情熱が感じられた。

「つい一ヵ月前までネパールで調査をしてました」

「調査って、どんなことをなさるんですか？」

相手の目をみつめたまま、リサは尋ねる。あなたのことを知りたい。とっても知りたい。最近の男が求めるのは、自分の話を一生懸命聞いてくれる女の子。

「たとえば、ウィッチドクターって聞いたことがありますか？」

「いえ……」

「呪術医《じゅじゅつい》のことなんですが、村で病人が出た場合……」

あまり興味の持てない話でも、退屈そうな顔をしてはいけない。うなずいて熱心に聞いていると、平木の話はどんどん専門的になってくる。とうとう調査項目の詳細な説明まで始めた。

たまらないな、と思っていると第二部開始のベルが鳴った。リサは手早く、平木の飲み終えた紙コップとパンの包み紙をテーブルの上から集め、くずかごに捨てる。

「あ、すみません。どうも」

平木は恐縮した様子で頭を下げた。

「それじゃ、これからもずっと大学でそちらの研究をされるんですか？」

ホールに戻りながら、リサは尋ねた。

「いえ……それがそうもいかなくて」

平木は眉《まゆ》を寄せて、小さく首を横に振った。

「高校の頃からの夢だったんですよ。文化人類学っていうのが。マーガレット・ミードを読んだときからね。それで三年ばかり遊ばせてもらったんですが、来週から現場、つまり病院の方に復帰することになってしまって……」

この人たちにとっては、研究室に入って勉強することは遊びなのか、とリサは感心しながら、うなずいていた。

「三田村さんは、どうしてこのシンポジウムに来られたんですか」

席につくと、平木は尋ねた。

「え、ええ……それは」

答えようとしたそのとき、舞台の上に再びパネラーが登場した。

「じゃ、続きは後で聞かせてください。かまいませんか？」と相手は、確認するように尋ねた。

「ええ。あんまり遅くはなれないんですけど」とリサはにっこり笑って答える。

成功だ。心がけていれば、チャンスはどこにでも転がっている。高い参加費を払って医者専科のねるとんパーティーに参加し、まずいピザを食べながら、居丈高男に愚弄《ぐろう》されて帰っ

てくるばかりが能ではない。

第二部が終了したのは、九時過ぎだった。リサは平木と一緒に会場を出た。途中にあったカクテルバーも、飲み屋も、喫茶店も素通りし、平木が「少しだけいい？」と連れ込んだのは、駅構内のハンバーガーショップだった。

オレンジジュースを片手に、窓際の椅子に腰掛け、平木は尋ねた。

「で、あなたはどういうことから今回のテーマに、興味を持ったんですか」

新聞や雑誌のインタビューを受けると、一度はされる質問だ。

「興味なんてないけど、仕事だから」などと言っては、社の広告塔は務まらない。

「今の会社で社会貢献の仕事をしているんで、いろいろ勉強したいと思いまして。少し前に西アフリカに衣料品を送るという運動をして、すごく喜ばれたんです。それで次はバレンタインの義理チョコレート代を、贈ったつもりで募金してもらって、薬品類を送って現地にメディカルポスト作る計画を立てたりしてるんです……」

「薬品やメディカルポストだって？」

平木は身を乗り出してきた。控えめにリサは続ける。

「たとえば、感染症とか栄養失調とかで、途上国の幼い子供たちが、本当に何万人と死んでるんですよね。そのことを知ったとき、いったい私に何ができるのかなって、悩んでしまったんです。それでとにかく、大したことはできないけど、できることから実行していこうと思って……」

平木は真剣な顔で、何度もうなずく。

「僕も同じことを現地に行って感じた。ネパールには調査目的で入ったわけなんだけど、学問的興味を越えて、いくつも疑問が湧《わ》き上がってきた。さっきパネラーが言った通り、医薬品だけ送り込んでも、拠点である都市から各村まで、物資が確実に届いてくれないし、医者も看護婦も都市に集中してしまっている。カトマンズ市内に病院はあるし、設備もいいんだけど、問題は少し入った村なんだ。ほら、具合が悪いから病院に行きたい、でも、一番近い病院まで一週間、とりあえず医療品が置いてあるところまででも二日かかるなんてケースがあって、未だに医療の恩恵が受けられないところが多い。電気も水道もない村もあって、体にかかる負担、特に女性の場合が深刻だ。だから、ウィッチドクター、向こうではジャンクリなんて呼ばれているんだけど、そういう呪術医が活躍する場面が出てくるわけで、それはそれで確かに医療人類学的なテーマではあるんだけれども、やはり僕としては、どうしても村人の抱えている深刻な医療問題に目がいってしまう。結局、僕はここの国の人々のために何ができるだろう、という、やはり君の言うような部分に突き当たるんだ」

「ええ、本当にわかります」とリサはうなずく。

「それにしても海外っていえば、ビーチやリゾートにしか興味のない女の子ばかり多いけど、やっぱり君みたいな考え方ができる人がいるんだな。いいよね。それに問題意識だけあってもなかなか実行に移せないものだけど、それをやってしまう行動力も、なんだか頭が下がるな」

「いえ、そんなんじゃないんです。リゾートとか、嫌いじゃないし。でも、やっぱり子供が学校にも行かれなくて、裸足で物を売ってたりするのを見ていると、なんだか日本人であることの負い目みたいなもの、同じ人間なのに、なぜ？　みたいに感じて、楽しめないんです」

よく言うよ、と、もう一人の自分が笑っている。半年前に同僚と行ったセブ島で、裸足の物売り少年に付きまとわれたとき、貴重品を握り締め、すごい剣幕で「ゴー、アウト」と怒鳴って退散させ、仲間からたよりにされたり、呆《あき》れられたりしたものだった。

西アフリカに衣服を送ったときの苦労話をすると、平木は一つ一つを熱心にうなずきながら聞いてくれた。

「もちろん向こうに行って活動するのが、本当だと思うんですけど……。マザー・テレサとか、本当にすばらしい生き方だと思いますが、現実には私は、平和で豊かな日本にいて、OLをやってるわけですよね。そんな私にも、何かできる部分があるんじゃないかと考えるんです。探してみれば、身の回りに、私でもできることってあるはずですから」

平木は顔を上げ、まっすぐにリサをみつめた。それから「そうだね」と、ひとこと言って、息を吐き出した。

それから平木は再び名刺を出した。裏に自宅の電話番号を書き入れて渡すのだ、と察しがつく。脈ありだ。しかし平木は名刺を裏返すことはせず、研究室の番号を消し、別の番号を書いた。

東大病院の医局の電話番号だ。

「来週から、こちらに移るので」

「じゃあ、普通のお医者さんになるんですか」

「普通っていうか、内科です」

ますますいい。結婚するなら学者より医者だ。

夢は夢として、彼は医者としての人生を確実に歩んでいる。

リサは彼に渡した自分の名刺のことを思った。この後、彼はあの番号に電話をくれるだろうか。くれるとしたら、いつごろになるのだろうか。そんなことを考えていると、平木はいきなり尋ねた。

「再来週の水曜日の夜、空いてますか。また話でもしませんか？」

いらいらしながら電話を待つ必要はない。飛び付きたい気持ちを抑え、リサはおもむろに手帳を取り出し、「ええ」とにっこり笑った。

駅で別れて、一人でホームに立っていると、少しばかり怖くなってきた。

職業、学歴、ともに超Aクラス。背丈も超A。ルックス、かなりのA。性格、純粋で誠実そう。たぶんA。

こんなことがあるのだろうか。摑《つか》みかけた縁が、まぶしすぎる。遊ばれて終わってしまうのではないか、あるいは名刺の肩書きは嘘《うそ》で、実はただのフリーターだったりして……。

舞い上がった分だけ、地面に落ちたら痛そうだ。しかし物事を悪い方に考えていては、何

事も進まない。

家に戻ってからも、高揚感が残っていた。ついつい他のことを考えそうになるのを制して、この日のセミナーのレポートを書く。平木に話したような内容だ。十二時過ぎに布団に入ったが、目が冴《さ》えて寝つけなかった。

闇《やみ》の中で目を開けていると、先週末、短大時代の友人である恵美子の家に呼ばれたときのことを思い出した。卒業の半年後に、職場結婚してしまった恵美子と会うのは、いつも彼女の家だ。恵美子は二歳になる女の子の母親なので、外出しにくいこともあるが、理由はそれだけではない。

食事をして三千円、軽く飲んで二千円。往復の電車、バス代で千円。それが、仕事が終わった後に女の子同士でちょっとおしゃべりするのにかかる最低金額だ。しゃれた店に入ってタクシーで帰れば、その何倍にも跳ね上がる。サラリーマンの妻にはその費用が捻出《ねんしゅつ》できない。

その日、恵美子は手料理を作って待っていた。スパゲッティミートソースとサラダだった。

恵美子の夫の勤め先は、大手食品輸入会社。社員割引で、取り扱い商品は市価の半額以下で買える。

「そりゃお給料が安いんだもの。それに不況で残業手当ては減るし、子供と三人食べてくだけで、精一杯。お米はキロあたり五百円だけど、スパゲッティなら、社員割引で二百四十円。だからうちの主食は、スパゲッティなの。おかずもあんまりいらないし」

そんな恵美子の言葉にリサは仰天した。恵美子の髪型と服装は、学生時代と変わっていなかった。変わっていないところが、恵美子の境遇の変化を感じさせる。昔流行《はや》っていた細かなソバージュを恵美子はそのまま続けている。それは、今見ると呆れるほどに野暮ったく、手入れが行き届いていないために髪の傷みばかりが目立つ。柄物のブラウスは、家で洗濯したらしく、張りを失っていた。

恵美子の住んでいる公団住宅の正面には、道路一つ隔てて、広々としたテラスや、ポーチのある住宅がいくつか建っている。そのあたりは新興の高級住宅地でもあった。

レンガ敷きの歩道に数人の女性が集まっているのが見えた。ニットスーツや、タイトスカート姿の、二、三十代の女性たちだ。その一人は、ゴールデンレトリバーを連れ、別の一人はテニスのラケットを手にしている。手入れの行き届いた長い髪を風になびかせている様は、主婦には見えない。

「子供がリトミックの教室から、帰ってくるのを待っているのよ」と、恵美子は肩をすくめた。

「いろいろ習わせるんだ」

「そういう時代なのよ。もう少ししたら私もパートに出なくちゃ。みんなスイミングとかバレエとかやってると、うちの子だけなんにもさせないわけにはいかないし。でもあのコマダムたち、幼稚園バスに子供を連れていくのに、もうあの格好よ。ニットにロングネックレス、ハイヒール、フルメイクだもの。朝からおミズっぽいのやめてちょうだいって、言いたいわ

よね。ほら、あの犬連れてる人、ダンナは新聞社の論説委員。その隣のラベンダーのスーツは医者の奥さん、BMWなんか乗り回してるわ。その向こうのダンナは……」

鼻に横じわを寄せて、恵美子は言う。短大時代、この人はこんなふうに他人の噂《うわさ》などしなかった。やはり暮らし向きというのは、人の品性まで変えてしまうのか。

「子供を幼稚園に送り出した後は、テニスのレッスンよ。こっちが家計簿見てため息ついてるときにね。コーチと不倫なんていうの普通らしいわ。午後は、ピアノとか英会話の先生やってるんだって、偉そうに……」

力を込めるたびにぴくぴくと開く恵美子の鼻の穴を、リサはぼんやり眺めていた。

親友とまでは言わないけれど、彼女とは大の仲良しだった。試験前にノートを借りたこともあったし、失恋をなぐさめあったこともあった。卒業旅行先のローマで、ツアーにはぐれ、二人で途方にくれたことも、いい思い出になっている。しかしその恵美子は、二十五で、おばさんになってしまった。おばさんの寒々しい愚痴を聞きながら、リサはコマダムたちを見ていた。午前中のテニスで鍛えたのか、みんな日焼けしたきれいな足をしていた。「VERY」に載っている暮らしは、現実にあるのだ。

寝返りを打ち恵美子の言葉をもう一度、思い出す。

「ラベンダーのスーツは医者の奥さん」

別にVERYな暮らしをしたいというわけではない。BMWに乗って、イタリアンニットのスーツで子供のお迎えに出たいというのでもない。しかしあの恵美子の変わり様を目のあ

たりにすると、やはり女の品性はダンナしだい、という気がしてくる。

いや、VERYな暮らしはやはりしたい。一度しかない人生なら、せっかく女に生まれたのなら、「すてきな奥さん」してるよりは、絶対「VERY」の方がいい。

ますます目が冴えてしまった。


翌日になっても、軽い興奮状態は続いていた。課長席に呼びつけられるまでは。

「書き直し！」

提出したレポートを課長は、机の上にぽん、と置いた。

「これではただの感想文だ。レポートになってないよ」

リサはどうしたらいいものかわからないまま、それを受け取り席に戻った。勤務時間中に、書き直すわけにもいかず、その日の五時過ぎから会社のワープロの前に座った。感想文でなくレポートにするために、今度は、いろいろな統計を引用した。

一時間ほどかけて直し、課長のところに持っていくと、今度は「ただの数字の引き写し」と一蹴《いっしゅう》された。

「これからは少しずつ、社内報作りなどもやってもらうわけだからね」

いつになく厳しい調子で課長は言う。この数日、自分は課長の機嫌を損ねるようなことを何かしただろうか、とリサは首をひねったが、思い当たるふしはない。

再び直し、七時半過ぎに、帰り支度をしている課長のところに持っていくと、

「何が問題で、どうあるべきなのか、君はそれをどう考えるのか、それを書くんだよ」と三たび戻される。育てようという意図なのか、ただのいじめか見当もつかない。

だれもいなくなったフロアでワープロを打っていると、紗織が通りかかった。今、残業が終わったのだと言う。

「何してるの？」と尋ねられたので、レポートを書いているのだ、とだけ答えた。まさかできが悪いので、残されたとは言えない。紗織は、どれどれと画面を覗《のぞ》き込み、次に面と向かい言った。

「何これ？　リサの気分を書いただけじゃん」

「どういうこと？」

「ただの感傷。論理がない」

「うるさい、あんたになんか言われたくないわ」と叫びたいのをぐっと堪え、夕飯をおごるから、と代筆を頼む。

「いいよ、ちょっとどいて」

紗織はワープロの前に座った。

「これ使う？」とリサは、昨日のレジュメを紗織に渡す。そのときレジュメの間から、はらりと名刺が滑り落ちた。

「ちょっと、何、これ？」

つまみ上げて、紗織が大声で言った。先にもらった研究室の電話番号が書いてある方だ。

「なんでもないわ。きのう会場で会ったお医者様よ」

「会場で会った人と、名刺交換するわけ？」

「たまたま」

「獲物？」

「やめてよ、その言い方」

「で、これにトラバーユするわけだ」

「まだ、そこまでいってないし、万に一つの確率なんだから、頼むから言い触らすのだけはやめて」

　紗織は肩をすくめた。そして鼻歌を歌いながら、十五分ほどで打ち終え、プリントアウトしたものを「はい」とリサに手渡した。

　翌朝、半信半疑でそれを提出すると、課長は一読したのち、「やればできるじゃないか。レポートどころか見事な小論文だ」と、うれしそうにリサの肩を叩《たた》いた。

　自分がいじめられていたわけではないのはわかったが、憂鬱《ゆううつ》な気分になった。まさか毎回、紗織に頼むわけにはいかない。初めはあこがれた社内報を作る仕事も、書けないものを書かされては直す、という繰り返しを考えると、憂鬱になってきた。あこがれてはいたが、こういう仕事は自分には向いていないのかもしれないと思う。

　二週間後、平木は待ち合わせたモアイ像の前で、ワークシャツにバイクブーツという格好

で立っていた。周りの人より、頭一つ背の高い平木が、そんな服装で腕組みしている姿には硬派の迫力が漂っていて、リサは胸の高鳴るのを覚えながらも少し気後れし、おずおずと近づいていった。

リサをみつめた平木の日焼けした顔が笑みに崩れる。

「ありがとう、本当に来てくれたんだ」

「もちろん。楽しみにしてたんですもの」

「食事は、嫌いなものある？」

平木は尋ねた。特にない、と答えると、彼は近くのビルの地下にあるネパール料理の店にリサを連れていった。とりあえず、平木の薦める料理を注文する。

「この三年間、半年あっちに行っては、一、二ヵ月日本にいるって生活していたでしょう。体が向こうの食事になれちゃったみたいで、ときどき禁断症状起こすんだ。これ、豆のカレー。向こうの常食だけど、けっこういけるよ」

どこが？　とリサは心の中で問い返す。レンズ豆の感触が舌にざらつくだけだ。しかし顔はにっこり笑い、「ええ。スパイス使って私もよくエスニックに挑戦するんです」と答える。もちろんその気になれば、これよりましな豆カレーを作る自信がある。

「それじゃ本場のスパイスとか、見たことある？」

平木は尋ねた。

「テレビでやってますよね。一度、ああいうの売っている市場とか、行ってみたいですね」

「本当？　興味ある？　行こうよ。案内するよ」

平木は目を輝かせた。

この場かぎりの話ではなく、実現したら最高なのに、とリサは思った。新婚旅行か、その前の婚約旅行でもいい。

食事を終えて店を出たのは、まだ八時前だった。

「まだ、時間いい？」と平木は尋ねた。

「ええ」と答えると、「うち、来て」と言う。

「うち」が一人住まいか、家族が一緒なのか、わからない。

「いきなりこんな時間に行っては、お家の方がびっくりすると思うわ」と、いうのは質問のかわりだ。

「一人だから平気。場所は仙川《せんかわ》」と平木は答えた。

一人住まいの家に、この時間に行くということは……。

確か、これは初めてのデートのはずだ。それにほとんどしらふだ。

リサは平木の顔を見上げた。その目には、率直な好意以外、何も見えない。ネパールの澄み切った空気の中で暮らしていると、視線までが澄み切ってくるのだろうか。

少しの間迷った。

岡崎のときの教訓がある。

その一、ブランドで男を判断すると痛い目に遭う。その二、もったいをつけていると、他

の女にさらわれる。

第一の教訓は、今回、初めから捨てている。前と同じ過ちを犯さないことを願いつつ、問題は第二の教訓。もったいをつけることはないが、分別は必要だ。

しかし分別を飛び越える場面がなくては、恋は進展しない。

「行こう」と、平木は、当然リサがついてくると信じているように、雑踏の中に歩き出す。肩幅が広い。フィールドワークで鍛えられているのか、ジーンズのお尻《しり》の形もきれいだ。リサは、走り寄りその脇《わき》についた。

裏道のビルの壁に押しつけるように、一台のバイクが止めてあった。カワサキの750cc。ヘルメットが二つシートにネットで結わえつけてある。平木はそのうちの一つを取って、リサに渡した。

この人、こうやっていつも女の子を乗せているのかしらと眉をひそめ、リサはヘルメットを受け取り被《かぶ》る。ぷんとヘアトニックの匂《にお》いがした。平木の匂いだ。とたんに切ない気分になった。少なくともこのヘルメットは、女の子のために用意してあるものではない。

「ごめんね。車、持ってないんだ。バイクはネパールでは必需品なんだ。車の通れないところが多いから。あっちではオフロード乗ってるけどね」

平木は説明した。

「カワサキっていうところが、シブいですね」

リサはスカートの裾《すそ》を気にしながら、シートを跨《また》ぐ。

「あの……悪いけど」

ハンドルを握った平木は振り返り、口ごもりながら言った。

「抵抗あると思うけど、僕にしっかり摑まってて」

「はい」と答え、その胴に腕を巻き付ける。思いの他細い。胸は厚いけれど、この人お腹はきれいに引き締まっているんだ、と思った。鈴木大地型逆三角形。好みのプロポーションだ。

バイクはゆっくりと人込みを抜けていく。ネオンが後方に流れる。やがて繁華街をはずれ国道に出た。加速するバイクから振り落とされないように、両腕に力を込める。腹の底に規則正しいエンジンの振動が伝わってくる。体の奥が熱い。平木の背に頰《ほお》を押しつけてみる。セクシーな気分だ。

部屋について行くことをためらっていた自分が、なんだかとても嫌らしく感じられてくる。こんなふうに答えたら、相手はこんなふうに自分を見るだろう。そんな計算ばかりしていて、好きになるというのがどんなことか、ここ何年も忘れていた。結婚を意識すればしかたのないことだけれど。

抱きたい気分だった。「抱かれたい」という不潔なニュアンスではない。この人を抱きたいと、素直に思った。すてきな肉体とまっすぐな視線を持った、平木という人を抱いてみたい。女に性欲がない、なんて嘘だ。

ものの二十分と走らないうちに、バイクは緑の多い住宅地にある二階建のアパートの前で停まった。平木が「アパート」と言ったのは謙遜《けんそん》で、本当はマンションか何かだと思い込ん

でいたから、少し驚いた。噂には聞いていたが、やはり若い病院勤務医の給料は相当に安いらしい。もっともそれも「若い」うちだけだ。

平木は、1階の扉の一つを開けた。

入るとすぐにキッチン、その向こうに和室が二つ。安普請だが、真新しい部屋だ。靴を揃《そろ》えてリノリウムの床に上がり、ひょいと流しを見ると、汚れた茶わんが洗いおけに沈んでいる。

「取りあえず、お茶でも……」と平木がやかんを火にかけるのを見ながら、リサは茶わんを洗う。

「あ、ごめん、いいよ」と平木が言う前に、終わっていた。

平木について和室に入ると、シャツとトレーナーが畳の上に放り出してある。手早く拾い上げてハンガーにかける。ごみため、とまでは言わないが、平木は岡崎と違ってあまり几《き》帳《ちょう》面《めん》な性格ではないらしい。掃除機までかけたいところだが、さすがに控える。

「どうもありがとう」

平木はぺこりと頭を下げてから、押入れの戸を開けた。布団が入っている。

ちょっと待って、いきなりそれって、あんまりじゃない……と声にならない叫びを上げた。

平木はリサの方を振り返りもせず、布団の上に載っているシーツを取り出した。それを画《が》鋲《びょう》で壁に留める。

取り出したスライド映写機を見て初めて、そのシーツの用途と、なぜ自分がここに連れて

来られたのかがわかった。

平木はスライドをセットした。真っ赤な岩山の景色が、淡く、シーツに映し出される。明かりが消されると、映像は鮮明なものに変わった。

「ラサだよ、最初のネパール行きでは、僕たち調査班は、成都《せいと》からチベット経由でカトマンズに入った。こいつは同じ医療人類学教室にいた薬剤師。それから文化人類学の先生……」

平木は画面の中の人物を説明する。カシャリと音がして、映像が切り替わる。

「これが病院。内部までは見せてもらえなかった」

またカシャリ。山と掘っ立て小屋と、ジャンパースカート風の民族衣装を着た人々の姿が、映し出される。

「ここは国境の村。ジープが壊れて、ひどい目に遭った。通過するのに丸四日かかったんだ。その間、小さなビスケットとお茶だけで過ごした。そしていよいよ国境を越えて、ネパール」

画面に、掘っ立て小屋と、内部の棚が映る。

「これがヘルスポスト。村の小さな診療所のようなもの。中にあるのが薬品棚。日本から医療援助物資が入ってるはずだけど、ここまでは届かないらしい」

「まあ……」

「援助の方法も、これから考えないとね。それからヘルスポストには医者の代わりに医療助手が配属されているんだけど、こちらも不足気味。国内に医者の数は多いが、治療費の払え

ない村人を診る人はほとんどいないんだ。それから保健婦のテンジンさんと、隣にいるのが日本人の看護婦さんで、高尾さん」

二人の中年女性が、ヘルスポストの玄関を背景に立っているが、両方とも東洋系の顔立ちでどちらがどちらかわからない。

「高尾さんは二十年前に旅行に来て、ここの自然と人情に魅せられて、とうとう居着いてしまったんだ。一生ここにいて、インフルエンザや百日咳《ひゃくにちぜき》で死んでいく子供たちを一人でも救いたいと言ってた」

「すてきな人。私もそんな生き方をしてみたい」

本気で思ったわけではないが、反射的にそんな言葉が口をついて出た。

「そう」

暗やみの中で、スクリーンの反射を受けた平木の目がきらりと光って、リサをみつめる。

「ええ。できたらの話。あこがれだけど」

画面は村人たちに変わる。黒いつば無し帽にベストを身につけた中年の男、ジーンズの若い男、制服姿の小学生、サリーにショール姿の女たち。

「すごく、いい人たちばっかりなんだ。親友っていうか、家族みたいになっちゃってね。日本に戻るとき辛くってさ、必ず帰ってくるから、って、僕、この人たちと抱き合って、泣いちゃった」

続いて川べりにある二階家が映る。

「僕たちが、世話になった家」

かまどのある台所、絨毯《じゅうたん》を敷いた居間、更紗《さらさ》のような布の下げられた寝室など、家の内部がつぎつぎに映し出される。

「きれい。おとぎ話の家みたい」

「ね、いいだろ。すごくいいだろ」と熱っぽい口調で平木は言う。

「住んでみたいな、こんなところ。カーマンズに旅行した友達がいて、写真見せてもらったけど、こんな家はなかったわ」

「カトマンズはだめだよ。虚飾の町っていうのかな。あそこのホテルに泊まってたら、本当の良さはわからない。村に住んでみて初めてこの国の人々と心が触れ合ったって気がするな」

次に映ったのは、平木の顔だ。丈高い草の中にしゃがみ、こちらを振り向き笑っている。

「なに、してるの、これ」

平木は小さな声で耳打ちした。

「トイレがないんだよ」

「ないって？　でも民家にはあるんでしょ」

とリサはすっとんきょうな声を上げる。

「だから家の中にないんだよ」

「家の外には？」

「くさむらとか、岩陰とか、川の縁とかがトイレになる」

「そんな村が……あるの？」

「カトマンズをちょっと離れれば、どこもそうだよ。終わった後、さっと土をかけて埋めちゃうわけ。だからきれいなんだ。でも村の人たちって、手際よくやるけど、僕はタイミング悪いからね、尻出していると珍しがって人が集まってきちゃうんだ、まいるんだ」

リサは笑い転げた。

「トイレ、作ろうとかしないんですか。お金持ちの家とかもあるんでしょう」

「いや、トイレって臭くて閉鎖的な空間じゃない。それで彼らは不潔感を覚えるみたいだ。そりゃそうだよね。大自然の中でするのって、慣れれば気持ちがいいもの。ただ、それが感染症とか、寄生虫の発生の原因になったりするから、そのあたりをどうやって解決するかっていうのが課題なんだけど」

景色もきれいだし、村人も確かに純朴そうだ。しかしやはりトイレのないところに行きたくはない。旅行するならカトマンズのホテルに泊まって、オプションで村に行く、というのがいい。

そんなことを思いながら、リサはスクリーンに見入っていた。

時刻は十時を過ぎたが、スライドは終わらない。平木の説明はいよいよ熱を帯びている。

「私、あまり遅くなれないから」と、途中で遠慮がちに、リサは遮った。このままではスライドを見ただけで、デートが終わりそうだ。

「あ、ごめん」

平木は慌ててスライドのスイッチを切り、明かりをつけた。

「送っていくよ。寒いから羽織って」と自分のブルゾンをリサの肩にかける。

「え、別に、今すぐでなくても……」

リサは言ったが、平木はもうバイクのキイをポケットに突っ込み、このまま帰す態勢だ。

「あの……」

「気に入ってくれた？ ネパール」

「ええ、すっごいすてきなところ。ぜひ行ってみたいわ。また続きを見せてね」

「うん、もちろんだよ。時間のあるとき、また電話して」

そう言って、玄関先でリサが靴を履くのを待っている。

いい歳《とし》をして、夜、女性を部屋に呼んでおいて、それも暗やみで一時間以上一緒にいて、キスの一つもなく帰すとは、いったいどういうセンスをしているのだろうと呆れながら、リサは平木について外に出る。

バイクにキイを差し込みながら、平木はリサを振り返り、微笑した。

「ああいうのに興味を持ってる友達って、研究室以外にはほとんどいないんだよ。話の合う人に会えて、僕、すごくうれしい」

「そう……」

つまり自分は「友達」で「話の合う人」ということか。

話なんか合ってない。私が合わせているのがわからないの？

憤慨しながら、ヘルメットをかぶり、バイクの後ろに乗る。

寝静まった近所の家々を気遣うように、平木はバイクを静かに発進させた。まもなく多摩《たま》川《がわ》の堤防に出た。満月の光を浴びて西へ向かう。先程に比べさほど気温は下がっていないというのに、川べりの風がうすら寒い。

「豊田の駅の近くで降ろしてね」とリサは声をかける。

「家まで送っていくよ。遅くなったから、ちゃんとご両親に謝らないといけない」

リサは面食らった。平木が何を考えているのか、さっぱりわからない。

「近所の人に見られると、いろいろうるさいんです」

それから一言付け加えた。

「私がそろそろ、そういう歳だから」

「ああ、そうか、ごめん」

平木は屈託なく謝った。まもなくバイクは堤防を下り、田園の残る一帯を抜けて豊田駅についた。

「それじゃ今日はありがとう。遅くなってごめん。この次、楽しみにしてるよ」

平木はそう言い残し、軽やかなエンジンの音とともに、団地の裏の闇に消えていった。

一ヵ月が経《た》った。その後平木とは四回会ったが、事態は進展しない。平木の仕事は不規則

で、休日や夜間は他の病院にアルバイトに行っているか、論分を書いているかで、なかなかまとまった時間が取れない。それでもリサから連絡すれば、次の勤務時間までのわずかな時間を空けて、本郷《ほんごう》近辺でお茶を飲む。それはどの時間もないときは、東大構内を散歩する。それだけだ。

短い時間に、病院で起きたこと、リサの会社のこと、互いの家族のこと、そしてお定まりのネパールのことなどを、果てもなく話す。

お人好《ひとよ》しなのか、騙《だま》されたり侮られたりという経験がないのか、平木はおよそ隠すことも飾ることも知らない。尋ねれば何でも答える。実家が横浜で病院をやっていること。父親は二年前に亡くなり、兄二人が、医師として病院を継いでいること。

平木の素性はわかったが、それまでだ。親密度を増すことと、異性として接近することは違う。結婚は、さらに遠い。

少し前にスライドの続きを見せてもらう約束をしたが、当日、急な当直を頼まれたとかで、上映会は無期延期になった。

このままでは、一生、茶飲み友達で終わってしまう。

一歩を踏み出すことができないのはなぜなのか？

怖《お》じけづくのは禁物。積極的に勝負に打って出ること。テニスの試合だって同じ。

そう自分に言い聞かせ、終業のチャイムが鳴るのを待って、玄関ロビーにある公衆電話に走る。

平木の自宅の番号を押すが出ない。病院で論文を書いていることが多いとのことで、滅多に家にいないのだ。医局の方にかけてみる。平木はそちらにいた。

「今、話してて大丈夫？」

リサは遠慮がちに尋ねた。

「二、三分なら。で、どうしたの？」と平木は急《せ》いた調子で言う。

再来週の日曜日、どこかに行ってみたい。今度は昼間にバイクに乗せてほしい、といった内容を、リサは手短に、できるかぎり可愛らしい口調で伝えた。

「ああ、無理。仕事なんだ」

短い言葉が戻ってきた。しまった、と思った。向こうから誘ってくるまで待つべきだった。仕事に心が向いているとき、女からこんな電話を受けたら、いっぺんに冷めてしまうのが男心だ。

「ごめんなさい、また」

悄然《しょうぜん》として電話を切りかける。

そのとき「来週の水曜日、どう？　朝八時、豊田に迎えに行くけど」と平木は事務的な口調で尋ねてきた。

「来週の水曜日？」

思わず問い返した。

平日だ。平日の朝から、デートしようというのか？　もちろん向こうの勤務形態が、土日、

祝祭日と関係ないことはわかっているが。この人は他人の仕事をどう考えているのだろう。有給休暇は、そう簡単に取れるものではないのにと、少しばかり腹が立った。確かに医者から見ればOLの仕事など取るに足りないのかもしれないが……。

黙って受話器を握っていると、私服に着替えた斉藤康子が「お先に」と笑いかけて、玄関を出ていく。

その後ろ姿を見ていると、不意に不安になった。彼女はこれからたった一人のマンションに帰るのだ。遅れず休まず真面目《まじめ》に勤めた挙げ句、手に入れたのは、中古のマンション一つ。自分がそうならない保証はない。

来年の今頃、やはりこのままこの会社にいるとしたら……。悪くすればその翌年も、さらに次の年も。

そして一段階ずつ、相手の男のレベルを下げていく。今は寝不足の翌日に寄るだけの目尻の小皺《こじわ》が、やがていつも寄りっぱなしになる。化粧をしても肌のくすみが隠せなくなり、バストの位置もお尻の位置も下がり、いくら強がってみたところで、女としての価値は客観的には確実に下がっていく。

遅い速いの違いはあるにせよ、二十五を過ぎて男は階段を昇っていくが、女は、社内の日の差さぬところに追いやられて、だれにも振り向かれなくなり、萎《しな》びていく。

自分はぎりぎりのところにいるのだ、と思った。後は下るだけ。その前に決着をつけなければならない。平木のような男は二度と現われない。

「ええ、いいわ。お休み取るから」

リサは電話の向こうに向かい答えていた。有給休暇や、取るに足らないＯＬの仕事へのプライドなんかには替えられない。

もちろん言いなりになる女の子が、男にとってはたちまち魅力を失うということは承知の上だ。だからこれは特別な一回だ。これ一回で局面を打開する。

「悪い、ごめん」と平木は謝った。一応、悪い、とは思っているのだ、と思うと、ふっと心が和んだ。

当日は、朝早く起きて弁当を作った。おにぎりと麦茶のポットをバックパックに入れる。漬物と唐揚げも、いい出来だ。手作り弁当は、戦術としては古いが、結婚を意識したとき、どんな男も保守に振れる。しかし結婚してしまえばこちらのもの。午前中のテニススクールが待っている。

玄関でスニーカーの紐《ひも》を締めていると、これから出勤する母が、隣でパンプスのほこりを払いながら言った。

「今度はどんな生きものを連れてくる気？」

「東大病院の医者」

「会社休んでまで、とっかえひっかえ、いい加減にしなさい」

「…………」

「人を肩書きで選んでばっかりいると、そのうち……」

「行ってきます」

逃げるように家を出る。朝から「職業婦人」の母と不毛な議論をする気はない。

昨日当直だったという平木は、目の下に隈《くま》を作って約束の場所にやってきた。

「三浦で、いいかな？」と平木は尋ねた。

「え、海。すてき」

リサは、ひょいとバイクの後ろに乗る。

風を切ってバイクは多摩丘陵の緩い坂道を登っていく。十月も半ばだというのに、陽射《ひざ》しがまぶしい。空には雲一つない。最高の日になりそうだ。結婚の二文字の強迫観念から解放されたら、もっと気持ちがいいだろう。

町田の手前で国道十六号線に入り、渋滞する車の脇をすりぬけ、まっすぐに南下していく。止まったり、走ったりの繰り返しで、快調に飛ばすというわけにはいかない。

保土ケ谷《ほどがや》を越えたあたりで、脇道に入った。坂の多い住宅地の中をバイクは走る。

何気なく電柱を見ると、横浜、港南区とあった。もしや、と思った。石畳の急な坂道を登りきったところにこぢんまりとした白い建物が見える。

「内科・整形外科平木病院」と看板が出ていて、車寄せのポーチに、コスモスが咲いている。

自分の家に連れてきた……。

仕事を休んでのデートは、正解だった。今、目標に大きく近づいた。

「住居はあっち」と平木は向かいにある和風建築を指差す。そのとき小柄な老女が、こちらに歩いてきた。

「やあ、ただいま」

紹介されるまでもなく、その顔立ちから老女が平木の母親であることがわかった。リサは慌ててバイクを降り、ヘルメットを取って会釈する。

いよいよ、そういうことだ。落ち着かねば、と一つ息を吸い込む。

「初めまして、三田村です」

言い終える前に、「まあまあ、どうぞ中にお入りになって」と平木の母親は、大きな木造家屋の方を指す。

「いや、きょうは、ちょっとついでに寄っただけなんだ。これから行くとこがあるんで、また来るよ」と平木は慌てた様子で言う。かまわず母親はリサの正面に来て、「この子をよろしくお願いしますね」といきなり頭を下げた。

「いや、お母さん、この人はそういう人じゃないんだよ」

平木が慌てて制する。

そういう人じゃない、ですって。

「いい歳して、何を言ってるんですよ」

母親は息子をたしなめ、リサの方を向き直り微笑《ほほえ》む。

「無鉄砲で、いつまでたっても子供で、困ってるんですよ」

「いえお母さま」

いきなり「お母さま」はないが、ここまでくればなりふりかまってはいられない。外堀から埋めるまでだ。

「この子は、うちには帰って来ないと、私も思ってるんですよ。小さい頃から、お兄ちゃんたちとは、全然違ったから。好きなところに行って、好きなように生きていく子なんです。私も手元に置いておくのは、とうに諦《あきら》めました。ただ、病気するんじゃないか、怪我《けが》をするんじゃないかと、離れているとそれだけが心配で、心配で……」

そこまで言って、リサの顔を見た。

「しっかりした感じのお嬢さんで、安心しました」

「え……そんな、全然……」

初対面で、「しっかりした感じ」と言われたのは初めてだ。見破られたということかもしれない。

「これでこの子がどこに行っても安心できます。親から見れば、とんでもないことばかり考える子ですが、心だけはまっすぐに育てたつもりです。どうかずっと一緒にいて、面倒見てやってください」と平木の母はリサの手を握った。

青白く血管の浮いた柔らかな手をリサはしっかりと握り返した。

「至りませんが、私も一生懸命……」

「ちょっと、待って」

平木がさえぎる。

「お母さん、だからまだ、そういう人じゃないんだよ」とリサをむりやり後ろに乗せる。そして「近いうちにまた来るから、今日のところは」と、逃げるようにバイクを発進させた。

「ごめん、びっくりさせて。おふくろは早がてんするたちなんだ」

坂を下りながら、平木は謝った。

「いえ、ぜんぜん。優しそうな、すてきなお母さま」とリサは平木の背中に頬を押しつけた。

彼の母親は、リサをフィアンセとして認めた。それだけではない。同居を期待していない旨を、はっきり表明したのだ、恐ろしいほどの好条件。

残るは平木自身の気持ちだけだ。

一時間ほど走ると、眼下に海が開けた。青い海面にヨットが浮かんでいるのが見える。大根畑を抜け、干物の匂いの漂う漁師町を抜け、丈高く茂った秋草の原を越えると、波が砕ける岩場に出た。

展望台脇の駐車場でバイクを降り、海岸に下りる。

平日ということもあって、人影は疎《まば》らだ。岩の間の小道をゆっくり歩いていくと、小さな砂浜があった。浜昼顔が葉を広げた上を強い風が吹いている。

平木は腰を下ろし、「お腹、すいたね」と子供のような笑顔でリサを見上げ、隣に座れというようにリサの手首を摑んで引いた。

体のバランスを崩したのは偶然だった。しかしそのまま平木の体の上に崩れたのは、計算

のうちだ。

「ごめんなさい」と平木の膝《ひざ》の上で顔を降り仰いだとたん抱き締められた。暖められた砂の上に押し倒され、熱い頬とさらりとした唇が首筋に触れた。

背中の下で、砂がきしむ。

「あの……」という言葉が降ってきたのは、その瞬間だった。

ジーンズの足を絡ませ、一方の手をリサの頬に当て、顔の真上十センチほどのところに平木の顔がある。後はディープなキスしかないというその体勢で、平木は固まったように動きを止めて、口ごもっていた。

「あの……いきなりですいません。結婚してくれませんか」

リサはまばたきした。あまりに間の抜けたタイミングに、笑い出しそうになるのを辛うじて止める。

結婚してください、確かに今、そう言った。間抜けたプロポーズには、間抜けたなりの迫力があった。リサは姑息《こそく》な戦略を練っていた自分自身が、一瞬のうちに砕けたのを感じた。

「あ……結婚ですか、はい」

真っ白になった頭でそれだけ答えた。

「よかった。わざわざ休暇まで取らせたんで、断られたらどうしようかと……」

片手で額を拭《ぬぐ》い、相変わらず顔面十センチにとどまったまま平木はにこにこ笑っている。

リサは両手を伸ばし、平木を抱き寄せた。顔を起こして唇に触れると、勢い余って前歯が

ぶつかり音を立てた。背中を抱いた平木の手に力がこもる。

波の砕ける音が平木の息遣いに混じって遠くで聞こえてきた。

「結婚するなら、同じ価値観を持った人っていうのをずっと考えていた。ただ家の中のことをうまくやって、子供産んでくれるだけとかいう関係じゃなくて、可愛くて料理が上手でとか、僕は、配偶者に要求する気はないんだ」

浜昼顔の上に寝転がったまま、平木は言う。

リサは体を起こし、ワークシャツのボタンを素早くはめて、バックパックを引き寄せた。中からおにぎりの包みとポットを取り出す。平木におしぼりを手渡し、包みを広げる。おにぎりの脇には、唐揚げと漬物とプチトマトが、可愛らしく収まって、いい匂いをさせている。可愛くて、家事上手、自分の戦略はまさにそれだったというのに、なぜ結果がこれになるのかわからない。

「お互い共通の目的を持っていて、話し合い、一緒に悩み、人生のパートナーとして一緒に歩いていける人をずっと探していた」

平木は起き上がり、おにぎりの一つに手を伸ばす。

砂混じりの風が吹き付けてきて、口の中がざらつくが、平木はいっこうに気にする様子はない。

「でも現実にそんな女の子は、なかなかいなかった。諦めかけた頃、君に出会ったんだ。一

緒に歩いていけるだけじゃない。尊敬できる生き方をしている女の子に初めて出会った」

「尊敬？」

リサはすっとんきょうな声を上げた。

「君は言っただろう。西アフリカで幼い子供たちが、何万人と死んでいく。そのことを知ったとき、いったい私に何ができるのかって、悩んだって。そういうの、僕は好きなんだ。人間として、普通ならそこで留まるけど、君は自分は無力だけれど、何ができるだろうと考えた、と言ったね。そして実際に、できることを探し出し、実行していく。その姿勢と行動力がすばらしいと思った」

「え……ああ……そのこと」

戸惑いながら、リサは紙コップに麦茶を注《つ》ぎ、平木に渡す。

「あの夜からずっと君のことを考えていた。自分の歳とか立場とか、地位とか給料とか、そんなことに縛られて、一歩を踏み出せないでいる自分を恥ずかしいと思ったよ。それで決心したんだ」

平木はポケットから、白い包みを取り出した。開けると指輪があった。真っ赤な石が太陽の光を反射して、炎を噴き上げるように光った。

「サンゴなんだ。ネパールの村を出るときに世話になった長老がくれた。必ず戻ってきてくれって言ってね。君が行ったら、もう病人を診てくれる者がいない。お嫁さんを連れて戻ってきて、この村に住み着いてくれって」

口に入れた唐揚げが、喉《のど》につかえそうになって、リサはむせた。その背中をさすりながら、平木は続けた。

「村を出るときは、そのつもりだった。しかし日本に戻ってくると、ネパールの日々は夢のようで、日本の現実に引き戻される。日本で得る収入、日本で得る評価、日本で得る待遇、もろもろのことに心を捉《とら》えられ、本来の自分を失う。そのとき君に会った。君に会わなかったら、たぶん、僕は村の人たちとの約束を反古《ほご》にしていただろう。内科医長にも、教授にも、もう少し、医者としての経験を積んでから向こうの国に行けと言われた。しかし、今やらなければならないことがあるんだ。あの国では今すぐ医者が必要なんだ。僕はできるかぎりのことをするつもりだ。非力は非力なりに、役に立てる。君を見ていたら決心がついた。日本では僕なんかまるで価値のない人間だ。この国では医者はだぶついている。しかしネパールでは、カトマンズ以外の村には、ほとんどいない。僕はなぜ、ここにいるのか、なぜ生まれてきたのか、そんなことを考えると……」

「え……」

リサの耳に平木のモノローグが流れ込み、滑り落ちる。

広いテラスのついた家、午前中のテニス、シルクニットの普段着、子供のリトミック……

それはどうなる？

それどころか、車、洗濯機、テレビさえない。電話や水洗トイレも、そうだ、トイレさえない村だ。

嘘だ、嘘だ、嘘だ。叫び出したい衝動にかられる。心の中で何かがくるくる回っている。

平木はリサの手を取り、その左の薬指にサンゴの指輪をはめようとする。しかし小さくて入らない。

ほら、見なさい。無理なのよ、できるはずないわ……。ぼんやりとその様を見ていると、
平木はリサの小指にそれをはめてしまった。

「ネパールに行くといっても、そんな簡単には……。今、お仕事している病院とか、ご家族とか……」

リサはようやくそこまで言った。

「もう話したよ、病院は今年いっぱいで退職する」

「なんですって？」

「もちろん医者として勉強しなければならないから、五年たったら戻ってきてまた少しの間、置いてもらう約束だ。そうしたらまたネパールに戻る。いつかスライドで君も見た高尾さんという看護婦さんのように、向こうに根を生やして生きていきたい。君というパートナーがいればこそ、できることだと思う。家族には、もう話をしたんだ。母は泣いたが、一緒に行ってくれる人がいるならということで納得してくれた」

先程の平木の母親の言動がようやく理解できた。

「そんな……私にも家族がいるし」

「ごめん、できるだけ早く挨拶《あいさつ》に行くし、君だけは日本に頻繁に戻れるようにするつもりだ

から」

「そんなんじゃなくて」

BMW、籐《とう》の応接セット、ゴールデンレトリバーの散歩……。「VERY」の生活は、今、再び見果てぬ夢になる。

人を肩書きで判断するなという母の言葉は正しかった。肩書きなど、本人がその気になったとき、いつでも破り捨てられるものだ。

「平木さん……」

リサは、平木をみつめた。

「私を好きだから、結婚したいと思ったんですか。それとも私なら一緒にネパールに住んでくれそうだから結婚を申し込んだのですか？」

とっさに思いついたにしては、いい質問だった。

平木は黙りこくった。

「一緒に、ネパールに行くのが私でなくて、他の女の人ならどうしますか」

そう畳みかけると平木は即座に、首を横に振り、リサの両腕を摑んだ。

「嫌だ、君でなければ……」

胸の中で何かが弾《はじ》ける。リサの感情が、この人の職業や地位などどうでもいい、と叫ぶ。

彼がたとえ食品輸入会社の営業マンでもかまわない。学生時代の女友達と飲みにいく金にさえ困り、子供の教育費のためにパートに出て、毎日、一キロ二百四十円のスパゲッティで

生きていくことになったとしてもいい。

母のように、瘦《や》せた肩にサロンパスを貼《は》って一生働き続けることになっても、この人と一緒なら耐えられる。

しかし……トイレのない暮らしは、問題外だ。

耐えるにしても限度というものがある。

激情と感傷で、一生のことを決めるわけにはいかない。

「考える時間をください。家族とも話し合わなくちゃいけないから」

それだけ言って、リサは立ち上がり、背中と尻についた砂を払った。小指にはサンゴの指輪がはまったままだ。

「うん。考えて」

平木は、いくぶん悲壮な顔でリサをみつめた。

帰りは、あまり話もしなかった。途中ファミリーレストランで一休みしてコーヒーを飲んだが、その間も互いに重苦しく黙りこくっていた。

夕方、豊田に着いたとき、平木はリサの両親に挨拶したいと言ったが、頼むからもう少し待ってと、駅前で追い返した。両親は、こんな話にはもちろん反対するだろう。しかし平木の気取りのない人柄に触れたら、案外「娘をお願いします」などということになるかもしれない。

家に戻ると、父も母も、まだ勤めから帰ってきていなかった。何もしゃべらないで済むこ

とにほっとしながら自分の部屋に戻り化粧を落としていると、本棚に立ててある茶封筒が目に入った。

しまった、とつぶやいた。休暇を取ったのですっかり忘れていたのだ。レポートの提出期限は、明日の朝だ。

昨日まで頭にあったのは、平木とゴールインして会社と縁を切ることだけだった。しかしゴールが見えた今、テープの向こうに険しい山道が続いていることがわかった。Uターンするか否かの瀬戸際だ。

茶封筒からセミナーの資料を出す。今回のテーマは「広報活動とマスコミ戦略」。電力会社の女性広報課員の講演だったが、いったい彼女が何をしゃべっていたものか、まったく覚えていない。残っているのは分厚いレジュメだけだ。

一身上の重大問題を抱え、これ以上どうやってものを考えろというのだろう。

リサはレジュメの上に突っ伏した。

仕事が嫌いなわけではない。お茶くみもコピー取りも嫌ではない。外回りから戻ってきた男性社員が気持ち良く仕事できるように気を配るのは得意だ。

しかしレポートを書くのは苦手なのだ。だれにだってできないことの一つくらいはある。

見栄も外聞も捨て、紗織のいる営業部に電話をかける。

「あれ、今日、休暇取っていたんじゃない？」と電話に出た紗織は言った。

「うん、だから家にいる」

「どうしたのまた……」

「今夜、お夕飯、おごらせて」

リサは短く言った。

紗織はすぐに事情を察したらしい。

「また、宿題？」と呆れたように笑った。

八時過ぎに、リサは紗織と新宿のインド料理屋で会った。店に入ると、紗織はビールとレンズ豆のカレーを注文した。

「それ、好きなの？」

リサは、メニューの「豆カレー」というのを指して尋ねた。

「うん、ヘルシーじゃん」と紗織は言い、まずビールで乾杯した。

ナンを豆カレーにひたしながら、紗織はレジュメに目を通している。

「無難にまとめりゃ、いいんでしょ。簡単よ。明日の朝、渡してあげる。でもこんなことばかりしてて、将来、広報を書かされるようになってから困るのはリサだよ」と紗織はいくぶん厳しい口調で言ってから、はっとしたように「ああ、そういう将来、リサにはないんだ」と一人でうなずいた。

「で、どうなった、例の東大の医者？　何割くらい、その気になってる？」

今、触れられたくない話題だった。

「あ、完全黙秘してる」

平木のことはそっとしておいてほしかった。しかし紗織にそんなリサの気持ちを感じ取るデリカシーはない。

「口を割らなきゃ、レポート書いてくれない気なの？」

「そこまで言ってないよ」

リサはこの日あったことを話した。三浦半島までのツーリング、彼の実家を見て、彼の母親に会ったこと、浜辺のプロポーズ。そして問題の結婚生活。

「最高！」

紗織は、いきなりリサの両手を握りしめた。

「最高じゃない。青年海外協力隊のノリ。すごいよね、それって」

「何がすごいのよ……」

リサは恨めしげに紗織を見上げた。

「電気も水道もろくにない村よ」

「そりゃバングラデシュに次ぐ、世界の最貧国だもんね」

「カトマンズからオフロードバイクで六時間だって。かまどでご飯たくのよ。掃除機も洗濯機もないのよ」

「うん、家事万能のリサじゃなきゃ、できないよね」

「冗談じゃないわ。美容院もないし、ヴェルサーチのスーツも着ていくとこがないし、だいいち子供が生まれたらどうするの？　それ以前に、あんなところでお産するのはいやよ」

「夫が医者ならいいじゃない」

「そういう問題じゃないの。言葉が通じないし、周りは知らない外国人ばかり」

カレーのスプーンをリサは置いた。

「だめよ。絶対だめ」

かぶりを振った。

「たまにならともかく、毎日、こんな食事だなんて。あたし、鰺《あじ》の干物とおしんこと白いご飯がないと生きていけない人なの」

「胃袋が国粋主義してるんだ」

「それどころじゃないわ。トイレがないのよ、あそこ。外で用を足すんですって。そんなの考えられる？」

「気持ち良さそう」

「やめてよ」

リサは両手で顔を覆った。世の中にはこういう感性の人間もいる。つまり平木は誤解したのだ。リサを紗織のような感覚の持ち主と。

「いやなら断れば」

冷静な声で、紗織が言った。

「将来設計もライフスタイルも違って、興味も別々じゃ、結婚する理由なんてないじゃない」

「わかってる……」

正論すぎて返すことばもない。しかし正論で感情まですっぱり割り切れたら、苦労はない。

「でも、辛い……」

「いらなきゃ、もらってあげようか」

一瞬、頭に血が上って、紗織の顔を睨《にら》みつけた。

「冗談、冗談。つまり好きなんだ、彼のこと。で、向こうも？」

ぎくりとした。先程の会話を聞いていたとしたら、平木は自分とつきあいたいと思っただろうか。美容院のないところに行きたくない、ヴェルサーチのスーツを着ていくところがない、なんていう女を、鯵の干物と白いご飯がないと生きていかれない女を、何よりヨーロッパと北米は好きだけど、アジアなんか大嫌いだ、という心のうちを知ったら、彼は自分を愛することができただろうか。

平木を前にして、無意識に口をついて出たインタビュー用の受け答え。いかに他人に好感を与え、会社の広告塔として機能するか。そんなマニュアル化された発想から、平木の質問にも答えていた。

与えられた考え方から抜けられないところに、レポートを書けない原因があったのかもしれない。書けないのではなく、自分の頭で考えることができなかったのだ。

「あの人が好きになってくれた私って、本当の私じゃないのよね。それが一番問題だったんだ」

リサはつぶやいた。

「自分で罠《わな》をしかけて、ゲットしておいて、今度は悩める乙女をやってる」と紗織は笑う。

「そんなんじゃないわ」

リサはビールをあおり、空になったジョッキをテーブルに置くと、ウェイターを呼んだ。

「紗織は、もう一杯いく？」

とんでもない、というように、紗織はかぶりを振る。

「紗織に男女の機微を理解しろとは言わないけどね……」

小さな声でつぶやいた。

「リサのは機微じゃなくて、戦略。人生における戦略と、戦略を有利に展開するための戦術」

神経を逆撫《さかな》でする言葉を連発されても、レポートを書いてもらうという弱みがあるので、ビールをぶっかけるわけにはいかない。何より当たっているだけに反論の余地がない。

「で、戦術において成功したけど、占領統治のための青写真が根底から壊れたってわけだ。もうひとがんばりして、たぶらかして、男をこちらの希望通りに調教する？」

「人を魔性の女みたいに言うの、やめてくれる」

「じゃ、自分の人生設計というか、自分の感性自体を相手に合わせて変える？」

デザートのヨーグルトをすすりながら、紗織は尋ねた。

リサは首を振った。

「現実的に考えるとね、国内に住むんだったら、まだなんとかなると思うけど……」

「どこの国にいたって、自分の人生設計や趣味を変えて、男に合わせるなんておかしいと思うよ。無理して自分らしくない生き方するって、ばかばかしいじゃない」

「男に合わせるとか、合わせないとかって問題じゃないのよ」

「どっちにしたって、テーブルクロスとか料理の趣味みたいな次元ならともかく、排泄《はいせつ》に関わる問題って、結構重要なんだよね。人間の尊厳にかかわることだから」

「人間の尊厳、ね」

　ふうっと息を吐き出した。

　紗織に言われるまでもなく、自分が平木について行けるとは思っていなかった。ただ、紗織のようにいろいろな言葉で理路整然と心の中を整理できなかっただけだ。

　財布の中身を確認した。一万五千円ある。

「ちょっと行ってくる」

　二杯目のジョッキの残りを飲み干し、リサは腰を浮かせた。

「どこへ？」

「早くしないと決意が鈍りそう」

「ああ……言いにくい話は、早く言っちゃうに限るかもね」

「ちょっと酔ってるかもしれない」

　目の前に、空になった大ジョッキがある。

「大丈夫だよ。まるっきり顔に出てない」

「本当？」

「うん。レポートは引き受けたから、早く行ってきたら」

紗織は笑って言った。

「ごめん」とレストランを出て、リサは駅前からタクシーに乗った。

いつかバイクの後ろに乗って通った道をそのままドライバーに指示する。あのときと違って心は重い。

タクシーは三十分ほどで、見覚えのあるアパートの前に着いた。

萎《な》えそうになる気持ちを奮い立たせ、呼び鈴を鳴らす。「はい」と返事が聞こえ、ドアが開いた。

「あっ」

平木は声を上げた。

上気した顔でリサを部屋に上げ、散らばった本や用紙を脇に寄せて、リサを座らせる。

「答えを出してくれた？」

正面に正座して、平木は尋ねた。リサはうなずいた。

「私……私って」

あなたの考えているような人間じゃありません。

小指から指輪を抜こうとした。

あなたに話したのは、建前ばかり。いえ、建前以前。マニュアル通りの受け答えなんです。私は自分が、本当にネパールの村で暮らせるとは思いません。

指輪は抜けなかった。

私はあなたに尊敬されるような人間じゃなくて、楽できれいで、ワンランク上の暮らしをしたいと思っているだけの女なんです。

どれひとつ言葉にはならなかった。代わりに涙があふれてきた。怪訝《けげん》な顔をした平木の前で、ただ涙を流し続けた。

平木その人を前にしてみると、熱い思いが込み上げ、理性的な思考など、どこかに消えていった。

指輪はまだ外れない。大ジョッキ二杯のビールで、指がむくんでしまったのだ。体内の水分を排出しようとするように、涙ばかりがあふれてくる。

別れるのは嫌だ、と思った。他の人では嫌だ、他の人と一緒に住むのは嫌だ。

「わかったよ……わかった」

平木の手がリサの肩を抱いた。

「わかったから、泣かないで、断っていいよ。日本を離れるって、心細いよね。親兄弟もいるし」

「そうじゃないの」

「僕の一人よがりだった」

「そうじゃないんだったら」

涙を飲み込んで、リサは言った。

「自信ないの。本当に、自信ないけど……」

「え？」

「一緒に行く」

自分は何を言っているのだ、と仰天した。こんなつもりはなかった。

ありがとう、の代わりに、平木の両腕が、肩を抱く。大雑把《おおざっぱ》な仕草で平木はリサの髪を撫で、キスの雨を降らせた。

「向こうに行ったら、泣かせたりしない。誓うよ。本当に。絶対辛い目には遭わせない」

平木の胸に顔をうめ、リサは自分自身に向かい「ばか」とつぶやいた。さんざん選んだ挙げ句が、こともあろうに一番の貧乏くじだ。

広いテラスも、BMWも、テニススクールも、何もかも夢と消える。

満天の星を眺めながら、草原にしゃがみこむのは、いったいどんな気分なのだろうか。

ま、いいか……。

洟《はな》をすすりあげ、リサは小さなため息をもらした。

慣れてしまえば、それもまたそれなりにゴージャスな暮らしかもしれない。

それぞれの春

どんよりとした曇り空の下を、バンコク行きのエア・インディア機が銀色の腹を見せて飛び立っていった。

「行っちゃいましたね」

紗織は、だれに言うともなく言った。

送迎デッキのガソリン臭い風が、髪を吹き上げていく。

不思議な春だ。例年になく寒く長い冬が終わったと思ったら、一昨日のリサの結婚式の二、三日前になって、梅や桃や桜がいっぺんに花開いた。まるで高原の春のようだとだれかが言っていた。

「行っちゃった……」

一昨年の冬、子会社に出向させられ、そのまま退職に追い込まれたみどりが、マタニティドレスの腹を撫《な》でながら、遥《はる》かな空に点のようになってきらめいている飛行機を見上げている。

バンコク二泊、パタヤビーチ四泊で合計一週間。これがリサの新婚旅行の日程だ。それが終わっても日本に帰ってくるわけではない。

バンコクからロイヤルネパール航空の小型機に乗り三時間でカトマンズ、そこから車とバイクと徒歩で、三日かかってラマ・タマン族とかいう山岳部族の村に着く。洗濯機も、冷蔵庫も、トイレさえないリサの新婚生活がそこで始まる。

「大丈夫なんでしょうかね、彼女」

紗織は言った。

「大丈夫よ」と康子が、ビルの中に戻りかけながら、ふと振り返り、旅客機の消えていった灰色の空の一隅を眺めやった。

「なんでもできる子だもの」

「頭のいい子だもの」とみどりも同意し、先に立って出発ロビーに下りていく。

「確かに平気だよね。ちゃんと発散してから行ったもの」と紗織はつぶやいた。

年が明けてからのリサの気分の浮き沈みは、尋常なものではなかった。しかしジェットコースターのような躁鬱《そううつ》ぶりを見せる素顔とは裏腹に、会社の上司や同僚の前では、結婚退社する幸せな女として落ち着いた淑《しと》やかな振る舞いを見せていたから、その変化に気づいたのは、紗織たち同年代の友人だけだ。

御用始めの日、会社が引けてから、踊りに行きたいというリサにつきあって、六本木にできた新しいディスコに行ったことがあるが、そのときリサは薄汚いコギャルに混じって、店

の中央で踊っていた。そのうち、近づいてきた三十代のサラリーマン四人組と意気投合し、海を見に行こうという話で勝手に盛り上がった。

心配した紗織も一緒に外に出たが、二、三歩行くうちにいきなり「オヤジなんか大っ嫌い」と、その若オヤジたちに向かって叫び出し、相手を激高させた。

「すいません、すいません、今、こいつ情緒不安定なんです」と紗織が平謝りに謝ってその場を収めたからよかったようなものの、リサが一人だったらどうなっていたかわからない。

渋谷のゲームセンターに行ったときには、ストリートファイターの対戦相手になった麻布《あざぶ》高校の生徒をいきなり口説き始め、そのまま円山町に連れ込みそうになったのを紗織がしがみつき、力ずくで止めた。

日本を離れ、便利で楽な暮らしを捨ててまで、愛を貫こうという女が、いったい何を考えているのか、紗織にはまったく理解できなかった。今でも、あのときどんな思いがリサの胸を去来したのか、わからない。

三月に入ってからは少し落ち着いてはきたが、今度は着るものが急に華やかになった。ヴェルサーチのスーツを着て、爪《つめ》をピンクに伸ばして出勤してくるリサを社内の中年男たちは、「結婚を控えると本当にきれいになるなあ。リサちゃん、もとから可愛かったけど、なんともいえない色気も出てきてまぶしいくらいだ」などと言って眺めていた。そして「どうして、いい子に限って辞めちゃうんだろうな」などと余計な一言を付け加えては、三十を目前にして未だ辞めない他のＯＬ達の怒りを買っていた。

「破談です」という報《しら》せがいつ回るのか、と半ばおそれ、半ば期待して紗織は待っていたが、とうとうそれはなく結婚式を迎えたのだった。

そしてこの日、いよいよ日本を離れることになったリサを見送るために、紗織たちは空港にやってきたのだが、待ち合わせをしたロビーに現われたリサの姿を見たときには、一同我が目を疑った。

リサのトレードマークの長い髪がなくなっていた。ショートカットどころか刈り上げだ。ファウンデーションもほとんど塗ってない。ピンクに可愛く描いていた唇は、皮膚の色そのもので、輪郭だけがくっきりしている。眉《まゆ》や目もなんだか妙にあっさりしてしまった。

決定的に変わったのは、紗織たちに向かい手を振ったその笑顔だ。会社にいるときの、好感度百二十パーセントの「にっこり」ではない。女同士のときにだけ見せる、片方の唇を引き上げた冷めた微笑でもない。

なんとも自然で透明な笑顔、貫禄《かんろく》さえ漂う微笑がそこにあった。化粧気のない浅黒い肌に、小さな金のイヤリングが映えていた。

「じゃあね、いろいろありがとう」という言葉を残し、背の高いぼっちゃん風の夫を従え、出発デッキに消えていったリサはきれいだった。

ヴェルサーチのスーツを着てきたときより、結婚式でジルコニアのティアラを長い髪にきらめかせていたときより、遥かにきれいだった。

女ってこんなに変われるのかと驚きながら二人と別れ、さらに送迎デッキで飛び立つ飛行

機を見送りロビーに下りたとき、紗織はなんだか少し気落ちしていた。

不安定な五ヵ月を経て、どのような覚悟と度胸がリサの胸の内で決まったのか知る由もないが、彼女が今、確かに変わり、着実な一歩を踏み出したことだけはわかった。

自分も結婚したい、とは思わない。しかし西に向かって飛んでいく銀色の機体を見ていると、ひどく心にこたえるものがあった。

春になると、かごの小鳥が落ち着かなくなる。父が飼っているメジロが止まり木で何度も足を踏み換え、飛ぶこともできないかごの中で、天をあおいではばたいたりする様を紗織は見たことがある。そのときの小鳥の様が、なぜか痛切に思い出される。

「お茶でも飲んでいく？」と、みどりがロビーにある店の一軒を指差した。

「つわりが治まるとお腹すくでしょ、少し早いけど、ご飯食べよう」と康子が、みどりをかばうように店に入りかけた。

その二人の背中に、「じゃ、ここで」と紗織は声をかける。怪訝《けげん》な顔で振り返った康子たちに、「すいません、行くところがあるんで」と、ぺこりと頭を下げて飛ぶように下りのエスカレーターの方に歩き始めた。

リストラされてしまったみどりは、ここで人生の大きな転機を迎える。退職を待っていたかのように子供を作ったのが一つ。もう一つは、保険ブローカーの資格を取ってしまったのだ。今までのように保険会社に勤め、会社の側に立って仕事をするのではなく、契約者側の利益を代表する立場で、その人に合った保険プランを作り、場合によっては保険内容や保険

料などについて、保険会社と交渉する仕事だ。始まったばかりの保険業務全体の自由化を見込んで、だれよりも早く一歩を踏み出したのだった。

彼女が退職したとき、紗織を含めてだれもが思ったのは、前から習っていたシナリオの勉強を本格的に始めるだろうということだった。しかしみどりは、笑いながら否定した。「あ あいうのは、本業をちゃんとして、食べていくめどがついた上でやることよ」というみどりの言葉に、紗織は自分の浮わつきぶりをぴしりと指摘されたような気がして、少しばかり落ち込んだ覚えがある。

子供が生まれたら、みどりはさっそく仕事に戻り、零細な町工場や商店を中心に営業に回って、少しずつ顧客を獲得するのだという。いずれにせよ、彼女は黙ってクビを切られて泣いているだけの人ではなかった。

自分もこのままではいけない、と紗織は思う。焦りを感じながらまた一年が過ぎ、春が来てしまった。

夕方から細田の翻訳事務所に行くことになっている。

細田の下翻訳の仕事はまだ続いていた。他のところに行っても待遇は同じか、さらにひどいということを、あれから何人かの翻訳家に当たり紗織は知った。細田のやり方に不満はあるが、まだしばらくは彼のところで下積み修業する他はない。

細田の事務所の他の受講生たちは、昨年、紗織が細田に噛《か》みついたことを知っており、その後も紗織が謝ることもせずに、平然と細田の元に通ってくることに首を傾《かし》げている。

「気まずくはないの？」と尋ねてきた女性もいたが、紗織にはその質問自体がわからない。あのときに後から追ってきて、もう少し辛抱するようにと紗織に言い聞かせた中村さんは、「謝っておいた方がいい」と言ったが、そんなことをするつもりは毛頭なかった。

気まずいも何も、不当だと判断したことには抗議するのが当然だ。こちらが悪いわけではないのだから謝る必要はもちろんない。決着はついていないし、不満は依然残っているが、今、細田の下《もと》を飛び出したら、道が断たれてしまうから通い続ける。それだけのことだ。今後も前回と同様のことを細田がしたら、やはり抗議するだろう、と紗織は思う。そしていつか下翻訳などではなく、直接、注文をもらい一本立ちしてみせる。

自分は結婚によって飛び立ちはしない、飛び立つなら自分の翼で飛翔《ひしょう》すると、決意を新たに電車に乗った。

五反田の事務所に着くと、細田は一人で仕事をしていた。

昨年まで、たいていこの時間、事務所にいた中村さんの姿は見えない。彼女とは、昨年の抗議事件以来仲良しになって、一緒にお茶を飲んだり、自宅に招かれるようになっていた。しかし年が明けてから姿を見ない。自宅に電話してもだれも出ない。

何度か、彼女の消息を細田に尋ねたが、彼は「さあ」と首を傾げてみせるか、「ちょっと、まあ、いろいろあったみたいで……」と言うだけではっきりしない。

「中村さん、どうしちゃったんでしょうね」

この日も紗織は尋ねた。

「ああ……辞めたんだよ」

細田は、テキストから目を上げずに答えた。

「辞めたって、どうして？」

初めて知らされ、紗織は驚いて尋ねた。確か、彼女の夫は銀行の支店長をしていたから、夫の転勤にでもついていったのかもしれない。しかしそれならそうと連絡くらいあってもよさそうなものだ。事情を知らされているはずの細田が、言葉を濁しているのも変だ。

紗織は、ふと中村さんの清楚《せいそ》で優しげな笑顔を思い出した。何かある、という気がした。四十代半ばで高校生の娘がいるとはいえ、中村さんは「奥さん」であって、「おばさん」ではない。人目を引くような美人ではないが、ラベンダー色のアンゴラのカーディガンが似合う、ほっそりとして優しく、淑やかな人だ。紗織は目の前の細田の眉の薄い顔を見た。

そういえば、中村さんが前にいた翻訳事務所を辞めた理由は、所長に始終、体を触られたから、と話してくれたことがある。もしや今度も……。

「いろいろって、どんなことですか？」

紗織は詰問するように尋ねた。

「そんなこと僕が知るわけないじゃない」

「何もなくて辞めるはずないじゃないですか」

「いろいろって言ったら、いろいろだよ。僕にそこまで言わせる気なの？」

細田は怒ったように、仕事の資料の入った封筒を紗織の前に出した。紗織は素早く受け取

る。

「期限は？」

「四日後」

機嫌が悪いと、細田が締切を早くするのはいつものことだ。

「わかりました」

ぶっきらぼうに答え、紗織は事務所を出た。

家に帰ってみると、ちょうどその中村さんから、手紙がきていた。

エアメールだ。ニューヨークで出されたものだ。旅行でもしているのか、それとも夫の海外転勤についていったのかと思いながらさっそく封を切ると、中身は厚紙に印刷した写真付きの挨拶状《あいさつじょう》だった。

ビルと青い海をバックに、中村さんは真っ白なコート姿でにっこり笑って立っている。その下に大きく盛り上がった文字で「離婚しました」と印刷してある。

「えっ」と何度も見なおした。

笑っている写真の中の中村さん、ピンクの縁のついたカード、しかし文面は、「離婚しました」だ。

結婚した友を見送って帰ってきてみれば、今度は離婚通知が届いている。

目まぐるしい一日だが、それにしてもこのカードのトーンはやけに明るい。

「離婚しました」の脇に、小さな活字で次のように書かれていた。

「この春から、中村姓を捨て、牧野響子として新しい人生を歩み始めます。第一歩として、娘と長年の夢だったアメリカ留学を果たしました。私はアイゼンハワー大学に、娘は地元の公立高校におります。ホストファミリーのウィリスさん一家にお世話になりながら、忙しいながらも充実した日々を過ごしております。こちらにお越しの際はぜひ、お立ち寄りください」

信じがたい思いで、もう一度読む。間違いない。細田にはあらぬ疑いをかけてしまったが、中村さんは離婚し、留学するために事務所を辞めたのだ。

それにしても中村さんの「わたくし、〇〇ですのよ」という言葉遣いや雰囲気と、子連れ留学のイメージが結びつかない。翻訳事務所で仕事をしてはいたが、奥様の高級な内職という印象しかなかった。響子という名前を思い出そうとしても思い出せないような、銀行支店長中村さんの奥様、というのがいちばんぴったりくる感じの人だった。

厚ぼったい「離婚しました」カードの下に、いかにも中村さんらしい白いレース柄の便箋《びんせん》に書かれた紗織宛《あ》ての手紙が入っていた。

そこには、中村さんの夫に十年以上も前から愛人がいたこと、自分の年齢を考え、自立するなら最後のチャンスと判断し、離婚を決意したこと、ちょうど娘が登校拒否をしていたことなどもあり、財産分与された金で娘と二人、アメリカに留学したことなどが書かれている。

「ホストファミリーの方々とは、やはり日本人とアメリカ人との感性の違いもあり、初めの二週間ほどは気まずいこともありました。ここは大人は大人としてふるまわなければ、生き

ていかれない国です。だれも甘えさせてはくれません。言うべきことは、きちんと言葉にしなくてはだれも理解してくれないということがわかりましたが、これもまた一つ勉強ですね。大学の授業はついていくのが大変です。毎日、毎日、宿題が出され、寝る時間はほとんどなく、娘の世話もやいてやれません。けれど不思議なことに、娘の方はかえって明るくなっています。ホストファミリーの奥さん、ケイトさんのおかげと感謝しているのですが。大学でうれしいのは、同じクラスに私と同年配か、ずっと年上の女の人たちがたくさんいることです。みんなちゃんとしたお家の奥様なのですけれど、日本の市民大学のような感じではなくて、単位を取るのに一生懸命です。というのも、互いの愛情がなくなれば離婚が当たり前のお国柄で、いつ夫と別れ、一人で生活していかなければならなくなるかわからないからなのです。主婦の立場に安住しているわけにはいかないのでしょう。日本の主婦とどちらが幸せなのかわかりませんが、自立するというのは、決して格好の良いことではなく、大変にせっぱつまった、厳しいものなのだと、彼女たちを見ていて痛感いたしました」

締《し》め括《くく》りは、「私はこんな形で事務所を辞めましたが、紗織さんならきっと翻訳者として大成されると思います。陰ながら応援しています」とあった。さらに追伸として、こちらに来てからパソコンを買い、娘に教わりながら通信をしている、とのことで自分のIDが記してある。

紗織は、何度も読み直していた。

片方に結婚して飛び立つ人がいて、もう一方には離婚して飛翔しようとする人がいる。リ

ストラされたのを独立のチャンスに振り替えてしまったみどりのケースを考えても、自分だけが微温湯《ぬるまゆ》にひたっているような気がしてならない。微温湯に浸かったまま、ばたばたともがき続け、実績もないまま就職して四年が経《た》ってしまった。

留学という手段があったのか、とあらためて思う。もちろん大学在学中から何度もそんなことは考えたが、向こうの大学の厳しい授業で単位を取ったところで、日本の企業では女性の能力はほとんど生かされないことを知っていた。英文のビジネスレターの下書きや、英文の書類のコピーと訳といった雑用を押しつけられるのが関の山と聞く。外資系会社も、日本支社の上司が日本人であるケースが多く、状況はそれほど変わらない。それがわかっていたから、OLをしながら能力を磨く、という現実的な人生設計をしたつもりだが、どうもうまくいかない。

紗織は、この日細田に渡された課題を机の上に広げた。次第に翻訳も慣れてきた。しかし細田からは相変わらず有効なアドバイスを受けることはできない。彼は何も言わず受け取るだけだ。このままでは、あの中村さんの後釜《あとがま》に据えられ、いい歳《とし》になっても細田の下働きをさせられて終わるのではないかと、絶望的な気分になる。

保険会社のOLも、細田の下訳も、その両方に芽がない。ゼロとゼロを足しても掛けても、一にも二にもならない。

思い切って海外に飛び出せば、何かが変わるかもしれない、という気がする。

しかし留学して何を学ぶのだろう。

いったい自分は何をしたいのか。それがいま一つわからない。

とりあえず翻訳、だ。あの笠原という弁護士に何を言われようと、英語で食べていきたい、という気持ちは変わっていない。

理由は、つきつめて考えたくはない。紗織にとって専門と言ったら、それしかないのだ。英文科で四年間、専門学校で二年、そして細田の事務所で一年。七年間、英語に関してだけは専門的な勉強を続けてきた。いくら保険の仕事をしているからといって、損害保険業務にロマンを感じることはできない。何かするならやはり英語だ。

思い悩んでいるより、先に状況を変えてしまうというのも一つの手だ。

何をしたいのかは、はっきりしていないが、専攻する学問分野は一応、英文学。

留学するとすれば行きたい大学は決まっている。ミルズカレッジ。サンフランシスコのベイエリアにある女子大だ。学生時代、そこに留学していた友達を訪ねてからずっと憧《あこが》れていた。

女子大とはいえ、JJに出てくるようなアーパー娘はキャンパスに一人もいなかった。文学・芸術・一般教養に力を入れているその大学は、スタンフォード大学との単位交換もできる。授業の厳しさで知られ、質実剛健な校風で世界各国から意欲に燃えた女性たちが集まってくる。

ネックは資金だ。

就職して五年目の春を迎えた今、スキーとスキューバダイビングなどのスポーツや旅行、

翻訳学校の月謝等々に月々の給料は使い果たし、貯金はない。それどころか積み重なった親からの借金が百万以上ある。もっともサラ金と違い、踏み倒したところで文句を言われるだけで、痛い目に遭うことはないが……。しかしこの上、二十六にもなって親頼みで留学というのは、やはり抵抗がある。頼みの綱は退職金だけだ。

翌日の夕方、営業から戻ってきた男たちから書類を受け取ってコンピューターに入力をしていた紗織は、ふと隣を通りかかった営業マンの稲尾に尋ねた。

「私たちくらいだと、今、退職するといくらくらい退職金がもらえるんでしょうかね」

一年半ほど前、財形貯蓄を担保に社内融資をうけて鶴見に五千万円の豪邸を建てた彼は、保険、年金、財形などにすっかり精通し、こうした問題では課内の相談役になっていた。

「え、退職すんの？」

稲尾はすっとんきょうな声を上げた。

「え、なんだなんだ、浅沼さん、退職？」

とたんに、後ろの席にいた二十代の男がくるりとこちらを向いた。

「おい、浅沼さんが退職するらしいぜ」

「歓送会の場所、押さえとけ」

別の男が叫ぶ。

「で、いつ？　辞表の書き方知ってる？」

別の男が尋ねる。ＯＬの一人が下を向いたまま噴き出した。

「別に、まだ決まったわけじゃないですよ」

憮然《ぶぜん》として紗織は答える。

「どんな子が入ってくるのかな、代わりに」という言葉も、聞こえてくる。

「どうせなら、ボーナスもらって、七月退職がいいかもしれない」

一人の男が「保険・厚生年金の手引き」という本を見せる。

「いや、ジューンブライド風に、六月でどう？」

「でも事業期の途中で辞めたら、ヒンシュクものですよね」と紗織は言った。

「平気、平気」と稲尾が口を挟む。

「女の子なら、すぐでもＯＫだよ。二日あれば新人でもできる仕事なんだし」

「そういうもんじゃないだろ」

別の男が遮る。

「年度内に辞めるとなれば、とにかく一刻も早く課長に話を通しておかなきゃまずいよ。人の手当てだってあるんだぜ。なんなら僕からそれとなく耳に入れといてやってもいいけど」

さらに別の男が退職届の用紙をひらひらさせてやってきたとき、「いい加減にしなさいよ」

と、甲高い声が響いた。康子だ。

三十をいくつか過ぎた最古参の女子社員に怒鳴られ、彼らは一瞬静まった。

さっさと辞めろ、と言わんばかりのことを二十六の紗織に言っているかぎりは、まだ趣味

の悪い冗談で済む。しかし三十をとうに過ぎた独身女子社員が出てきたらそれではすまない。職場内が修羅場になるか、悪くすれば裁判沙汰《ざた》だ。

稲尾も手引書片手の男も、気まずい顔で自席に戻っていく。

普通、二十代のOLが退職の話など切り出せば、「え、辞めちゃうの？」と残念そうに言われる。少なくとも年度末まではいるように、と忠告を受ける。

そしてそれが古参のOLなら、事態が微妙なだけに、心の中で歓迎されたとしても、一応、残念そうなポーズだけはされる。しかし今の彼らの反応から、紗織は自分が部内で、特に男性社員の間でどう見られているのかがわかった。

だからどうということはない。「愛されるOL」になりたいとは思わない。

彼らに愛されるなど、考えただけでおぞましいが、それ以上に「OL」という言葉自体が、大嫌いだ。なぜ「社員」と呼ばれないのか？　答えは簡単だ。OLは社員ではなく、オフィスの女だからだ。

「ちょっといいですか」

紗織は、康子の方をうかがっている男のところに行って、彼の手にしていた「保険・厚生年金の手引き」という本を指さした。

「それ見せてください」

ひったくるように借りてきて必要ページをコピーする。

彼らに言われるまでもない。ここにいてもしかたない、と思った。社会科見学は終わりだ。

四年もいればたくさんだ。これ以上ここで、コピーとお茶くみと帳簿つけと書類の入力作業ばかりしていたら、本当に脳味噌《のうみそ》が腐って再起不能になる。

「ちょっと、紗織ちゃん」

康子が飛んできて、ぴたりと体を寄せてきた。

「気にする必要はないのよ。彼らもこのところの部統合のあおりを食って、どんどんポストがなくなるし、いつリストラされるかわからなくて苛立《いらだ》ってるのよ。適当に受け流して、ね」

「私なりに考えてることがありますので」と紗織は答え、コピーを終わった手引書を持って先程の男のところに戻り、「ありがと」と机に放るように返した。

帰りがけに人事課にいる同期のOLのところに行き、それとなく自分の退職金を計算してもらった。

答えを聞いたとたん、頭の血が全部下がって、その場に倒れそうになった。

二十九万六千四百円。結婚退社の場合に限り、祝い金が十万円プラスされるが、紗織にその特典はない。まさか偽装結婚するわけにもいかない。

アメリカの大学の年間授業料は、一万ドルくらいと言われる。滞在費用は、安くても一年で六千ドル。交通費、雑費を入れてみると必要な資金は、最低でも一年二百数十万円。退職金は、その一割程度。完全な資金不足だ。中村さんのように、経済力のある夫をみつけ、離婚して財産分与でも受ける方が賢明ということか。

金に困るという経験は初めてだ。海外旅行もスキューバダイビングのライセンス取得も、

ボーナスや月々の給料をはたき、親に泣き付けばどうにかなった。しかし留学となるとそうはいかない。

頭を抱えて駅までの道を歩いていると、後ろから康子がやってきた。

「どうしたの？　元気がないじゃない、さっきのこと、気にしているの？」

「お金がないだけですよ」

紗織はぶっきらぼうに答えた。

「お金……か。だから普段から、少しずつでも貯金しておかないと」と康子が言いかけたそのとき、茶髪の男の子が近付いてきて、リボンのついた真っ赤な封筒を黙って差し出した。エステの広告か何かだろうと紗織は無視したが、康子は手を出した。茶髪は不機嫌な表情で封筒をすっと引っ込め、再び紗織の前に出す。

「ま、失礼ね」と康子は、肩をすくめた。

反射的に受け取り、紗織は歩きながら開けてみる。レースの模様入りパンストが出てきた。パンストと一緒に四つ折りの紙が入っている。広げてみると求人広告だ。

「日給五万円保証」という文字が躍っていた。

思わず視線が釘《くぎ》づけになる。「五万円保証」の下に「ランジェリーパブ　あなたがするのは、お話の相手だけ」とある。

一ヵ月で百五十万、二ヵ月で三百万……。

「お話の相手だけで済むわけないじゃないね」

手元を覗《のぞ》き込んで康子が笑った。

資金の手当てはともかくとして、留学のための準備は、金だけではない。

入学に際しては、いわゆる入試とは違うが、英語力や人物、大学高校時代の成績、課外活動等が審査される。中でもＴＯＥＦＬ《トーフル》という英語の共通試験が、多くの留学希望者にとっては、難関になっている。国内で受けて、そのスコアを願書と共に提出することになっているもので、これで一定以上の点数を取らないと留学は叶《かな》わない。ハーバードあたりが、６５０点くらいで最難関。ミルズカレッジは、確か５５０から６００点くらいか。

ちなみに日本の英語検定一級で５００点程度と言われている。難しいとはいえ、英語で食べていく決意をして、英語の勉強を続けてきた紗織が、他の学部の卒業生に比べて有利なのは間違いない。

ＴＯＥＦＬは申し込みから試験の結果が出るまで三ヵ月くらいかかるので、まずこちらをクリアするのが先決だ。これで好成績を収めればあとはなんとかなる。名門ミルズカレッジへの留学が決まれば、親だって多少の融資はしてくれるだろう。

翌日の昼休み、紗織はＴＯＥＦＬの事務所のある平河町《ひらかわちょう》に行き、応募要項を取ってきた。申し込みの締切は、ちょうど二日後、試験日は五週間後の六月一日だった。

会社に戻る途中で本屋に寄り、問題集とテープ教材を買う。試験自体はどうということもないマークシート式のものだ。問題の読み違えや解答欄を間違えたりしなければ、ある程度

はいけそうだ。昨年笠原という弁護士に宿題として出された文書と違い、特殊な用語はない。

五週間はあっという間に過ぎた。その間に、早産ではあったがみどりには無事に男の子が産まれ、紗織が退職するという噂《うわさ》は部内に広まっていた。正式な話を課長にしていないにもかかわらず、課長が紗織の九月退職を前提に人事課の方に嘱託職員の手配をしてくれるように頼んだという噂も聞こえてくる。

試験を四日後に控えた五月の最終週、紗織は課長に呼ばれた。

「八月いっぱいは、いてくれるんだよね」と課長は確認するような口調で言った。

「退職するのか、しないのか」という質問はなかった。引き止めるニュアンスも当然のことながらない。結婚退社の可能性はまったく考えていないらしく、退職理由も問われなかった。

紗織は、会社を辞めて留学を考えていること、これから試験を受けることを正直に伝えた。そして留学するにしても、願書を提出し許可が下りるまで時間がかかるので、一、二年先のことになり、少なくともこの八月前に辞めることはありえない、と説明した。

「留学か、それはすごいな。やる以上しっかりがんばりたまえ」と、課長は紗織の肩を叩《たた》いた。

「いえ、まだ願書も請求してない段階で、入学を許可されるまでは、いろいろ審査もあるんで決定じゃないです」

課長の頬《ほお》がぴくりと動いた。それからわざとらしい大声で言った。

「落ちるかもしれないなんて、きみ、そんなことでどうするんだ。そんなことを考えてたら

だめだ。自分で受かると信じないで、どうやって受かるんだ。優秀な紗織くんのことだ、大丈夫。会社のことは心配しないでいいから、しっかり勉強したまえ」

「いえ、だから、そうじゃなくて」

「それで退職は、一応、八月末ということでいいね」

「いえ……それは」

「じゃ、少し早いが一応、届けを出しておいてくれ」と言い、「待ってください」という紗織の言葉を振り切るように、出張に行ってしまった。

なにがなんだかわからないうちに、外堀から埋められるように、八月退職が確定していた。そのことだけでなく、「留学」という退職理由も部内だけでなく本社中に知れ渡ってしまった。

中高年の男性社員を今の五分の四に削り、女子一般職も順次、嘱託や派遣社員に切り替えていくという会社の人員削減方針に紗織は見事にはまったのだ。課長にしてみれば、善は急げといったところだろう。

しかし自分を追い出しにかかった課長や同僚、上司を恨む感覚は、紗織にはない。見えるのは自分の未来だけだ。他人がどこで何をして、何を言っているのか、などということには今さら興味はない。こうなったら何があっても留学を果たし、ステップアップをはからなければならない。

背水の陣をしいて臨んだ試験の当日は、例年より早い梅雨入りとなった。どんよりとした

空の下を出かけた紗織は、文法、語意、リスニングなど百五十問の問題をわずか二時間足らずで解く、という集中力を要する試験を受けた。

疲労困憊《こんぱい》して戻ってきたその日は、緊張感から熱を出し丸一日寝込んだ。

一ヵ月後に送られてきた結果は惨憺《さんたん》たるものだった。自分の机の上に置かれた封書を鋏《はさみ》を使うのももどかしく開いた紗織は、くらくらとめまいを感じてその場にしゃがみ込んでしまった。

462点。ミルズカレッジはおろか、大学留学自体がおぼつかない。

500点が最低ラインなのだ。唖然《あぜん》として結果通知を握りしめたまま、紗織はあと二ヵ月後に迫った退職のことを思っていた。不思議と自分の軽率さを悔いる気にはなれない。それまで本気で考えもしなかった雇用保険のことを思い出したくらいだ。

それから自分の部屋を出て、すごすごと階下の居間に下り、母親とたまたま休暇で家にいた父に、すべてを打ち明けた。

父も母も、格別驚いた様子はなかった。母は嬉々《きき》として「実は……」と言いながら、引き出しを開けて、一通の封筒を取り出した。中身は見知らぬ男の写真と履歴書だった。二十九歳になる郵政省のキャリアだ、と母が説明した。

新聞社に勤める父は、「うちの事業部で女の子のバイトを欲しがってたが、来るか」と、こちらも娘の退職もTOEFLの失敗も大したことではない、という様子で言った。

両親からも、企業からも、自分はまったく期待されてなかったのだとこのときばかりは思い知らされ、さすがに気落ちした。

気落ちしたまま自分の部屋に戻り、パソコンに向かう。そしてニューヨークに渡った中村さんに手紙を書いた。中村さんの話を聞いて留学を決意したこと、会社も退職する予定であること、しかしTOEFLの点数が足りず留学はおぼつかないこと等々、相談するともなく書いた。それをEメールで送る。

翌日の深夜、メールボックスをのぞいてみると、中村さんからの返事が入っていた。

「TOEFL、今回は残念でしたけれど、入学許可は英語力だけでなく、総合的なものですから、あまり気になさらないように。それにTOEFLは一ヵ月に一度あるものですので、くじけずに挑戦してみてくださいね。私も主人の戻ってこない夜、問題集を広げ、一人でこつこつとヒアリングと文法の勉強をしたものでした」

紗織はぎょっとした。あのしとやかな奥様風の人が、愛人宅から戻らぬ夫を待ちながら、離婚し自活することを目指して、一人で英語テープを聞いている様を想像すると、鬼気迫るものを感じると同時に何か圧倒されるような思いがする。メールは続いていた。

「TOEFLでいい点数を取って、大学に留学するというのはもちろん理想ですが、もし事情が許せば、ご希望の大学の付属語学学校に入られ勉強されてみるのも手かと思います。早く海外に出ればいいということではないのですけれど、お若いうちにいろいろな人に会い、異国の文化と触れ合うのは、長い目でみればとても良い経験になると思うのです。他の方に

は勧めませんけれど、あなたの場合は、海外での可能性も視野に入れて、人生を幅広く選択されるのも一つの方法と思われます」

とりあえずの語学留学とは、考えてもみなかった。バブル期のOLがよくやったことで、これこそまさに役立たずの代名詞、カルチャースクールの延長にすぎないとばかにしていたのだ。TOEFLのスコアが足りないために付属語学学校に入ったが、とうとう大学入学はかなわなかったという日本人学生の話も聞いたことがある。

しかし問題は、どこに入学するかではなく、そこでどう過ごすかなのだ、と紗織は考え直した。日本人同士でつるんで遊び回っていれば、大学に入学したところで、何の役にも立たず、退学に追い込まれることもある。しっかり勉強すれば、語学学校からステップアップすることもできる。

「人生を幅広く選択する」か、と紗織は、もう一度中村さんの言葉を反芻《はんすう》してみる。どうせ会社も辞めてしまうのだ。日本を飛び出すのもいい。

しかし幅広い選択のためには、資金がいる。

何気なく、引き出しを開けると、「一日五万円保証」のランジェリーパブの求人広告が、よれよれになって入っていた。別に取っておいたわけでもないのに、まるで待っていたかのようにそれはそこにあった。

ランジェリーというのは、どの程度のものを指すのだろうとぼんやり考えた。

保険会社を辞めてしまったら、自分にお金を稼げる手段はほとんどない。

特技は何もない。いや、あるといえばある。若いということ、そして女であるということ。これが今の世の中で、どのような特殊技能よりも市場的価値を持つということを「一日五万円保証」の広告が雄弁に物語っていた。

舌打ちして、広告をくずかごに放り込む。

本当に特技はないものか、と思いを巡らせる。スキーは一級。しかしこの程度ではまだまだ使いものにならないし、指導員の資格を取っても冬しか仕事がない。

トータルで百万近くかけたスキューバダイビングの免許があった。

ちょうど夏なので役に立つかもしれない。インストラクターの補助かなにかのアルバイトがあるはずだ。

さっそく、二年前に通いつめた品川にあるダイビングクラブに電話をかけた。

夜の八時を回っていたが、ちょうど、クラブの社長でありチーフインストラクターである羽田という男が出た。紗織が最後まで言い終える前に、羽田はせっかちな口調で尋ねた。

「明日、土曜日で会社休みだろ。朝の五時に木場《きば》に来てくれ」

「え、いきなり海洋実技の手伝いさせてくれるんですか？」

早朝の集合とくれば、生徒たちを伊豆《いず》に連れていくのに同行するのだと紗織は決めてかかっていた。

「仕事は沈没船探しだ。金持ちのドラ息子が夢の島沖でクルーザーを沈めた。警察が出たがみつからず、昨日捜索を打ち切っている。そこで僕らのところに探してくれと依頼がきたん

だ。いつも手伝ってくれるやつが都合が悪くて出てこられないんで、バディをやってくれないか」

「そんな仕事やらせてくれるんですか」

半信半疑で紗織は尋ねた。

「頼むよ。僕一人でも大丈夫なんだが、一応、クラブ間の内部規定でバディがいないとやっちゃいかんってことになってるんだ。たいていは二時間くらいで沈没船はみつかる。二時間で三十万だ。悪くないバイトだろ。発見できなくても夕方まで潜れば日当は三十万だ」

「やります」

元気良く答えて、紗織は電話を切った。

芸は身を助く、だ。三十万では留学費用には足りないが、四年間勤めた退職金分が、二時間で稼げるなら悪くない。

翌日、紗織は木場から羽田のワゴン車に乗せられ海に向かった。夢の島マリーナには、他のクラブのダイバーたち四人が先に着いていた。ワゴン車内で素早くウェットスーツに着替え、そこから大型ボートに乗せられた。

どろりと濁った緑色の水に航跡を描き、ボートは沖に向かう。遊びで潜った伊豆の海とは違う。覚悟はしていたが、巨大などぶのように異臭を放つ海を目の前にすると、後悔の思いが湧《わ》いてくる。ここに潜ったらシャンプーを丸々一本使っても、しばらく髪からにおいが抜けないだろう。

十分ほどで現場についた。他のクラブのダイバー二人が先に水に入り、紗織と羽田はそこから少し離れた別の地点から入る。いつものように背中から飛び込んだりはしない。縄梯子《なわばしご》でゆっくり水中に入る。

水は濁っていて視界がきかないので、真昼だというのにヘッドランプをつける。危険なので、自分のそばを絶対離れないようにと羽田から事前に注意を受けてはいたが、言われなくても気味が悪くて、一人ではどこへも行きたくない。

ゆっくり沈んでいくと、わずかに水が澄んでくる。底には分厚くヘドロがつもり、ゴミや白い貝殻が埋まっているのが見える。水深は約十メートル。ボラのような魚が目の前を横切っていく。こんなところに魚がいるというのが信じられない。

羽田は、ライトで海底を丹念に照らしゆっくり進んで行き、紗織もその後につづく。どこまで行ってもヘドロの荒涼とした景色だ。ときおり大型のゴカイがヘドロの上をはっている。

二十分ほど潜っていったん上がり、器材の点検をしながら他のダイバーと情報交換をする。一休みして場所を移し再び潜る。今度は紗織も少し慣れてきて、水の汚さも気にならなくなった。それより早く船を捜し出してさっさと上がろう、と水底に目を凝らす。

しかしヘドロの上には何もない。

数回目に潜ったときだった。相変わらずクルーザーがみつからないまま、ゆっくりと羽田の後をついていくと、前方に巨大なアメフラシのようなものが見えた。それが何かわかって、パニックを起こしそうになった。

人の体だ。マウスピースを噛んでいるから辛うじて悲鳴を上げずに済んだ。急いで浮上して逃げ出そうかと思っていると、羽田がくるりと振り向き、にっこり笑いVサインを送ってきた。

いったいどういうつもりなのかわからない。羽田は、上がるぞと手で合図をした。水面に出るのと同時に、全身が震え始めた。

土左衛門どころか、人間の死体を間近で見たのは初めてだ。三十万円はいらないから、こんな海からはさっさと上がって帰りたい。しかし羽田は船に上がる様子はない。

船上の男に手を振り、マウスピースを外して「おう、うちでもらった」と叫んだ。意味がわからない。

船からロープが投げられた。羽田がその端を掴《つか》む。

紗織は待ち切れず、一人で船に上がろうとする。とたんに羽田がどなった。

「ほらほら、なぁにやってんだ」

「なにって……」

「手伝うんだよ、おまえも」

まさか、と思った。全身の毛穴が縮む。あれを引き上げる気だ。海底に死体。確かに放っておくのはしのびないが、なぜ自分たちがやらなければならないのだ。警察でも呼べば済むではないか。

「早く」と怒鳴り、羽田はマウスピースをくわえた。

「やだ」

「甘ったれんじゃねえ」

逃げられる雰囲気ではない。ぶつぶつ言いながら紗織は羽田の後に続く。

事故にあったようなものだ。知らん顔して上がってしまうこともできるはずなのに、ちゃんと拾ってやる羽田の行為には頭が下がるとしても……。

再び海底まで下りていく。うつぶせになった死体は水中で見ると、異様に大きい。しかしヨットパーカーに半ズボン姿の体は、噂に聞くように膨《ふく》れ上がってはいない。羽田は器用にロープを繰り輪をつくり、紗織に死体の肩を持つように合図する。

ここまでくると度胸がすわった。嫌なことは早く終わらせるしかない。白くふやけた顔を見ないようにして土左衛門の体に触れ、羽田がロープをかけやすいように浮かせる。羽田が抱き抱えるようにしてそれにロープを巻き付けると、ロープを引いて船上に合図を送る。数秒してロープはぴんと張り、うつぶせになっていた死体がぐらりと揺れて立った。顔がこちらを向いた。歯を食いしばった苦悶《くもん》の形相だ。

水死は苦しいと聞いたことがあるが、本当なのだと、紗織の体にあらためて戦慄《せんりつ》が走った。

紗織たちも浮上する。

ようやく水面に出ると、羽田は死体の腰を持ち船に上げるのを手伝う。船底にはシートが広げられていて、死体を転がし素早く包んだ。水中では気づかなかったがすさまじい臭気だ。クルーザー本体は、他のダイバーがすでにみつけたとのことだった。

ダイバーたちは、船縁でたばこをふかしながら、雑談をしている。

そのときになって彼らの話から、紗織はそこに転がっている死体が、沈没したクルーザーの持ち主だということを知った。

死体発見の連絡はボートから無線で地元の警察に入り、岸には警察官が待機していた。羽田たちが警察官に説明をしているのを待たず、紗織は急いで着替え、バスと電車を乗り継いで一人で家路についた。沈没したクルーザーを捜すとは聞いていたが、死体を引き上げるまでは聞いておらず、騙《だま》されたような気分になった。

家に戻り、二時間もかかって髪を洗い、ドライヤーをかけ終わったところに、羽田から電話があった。

日当と礼金が出たので、遊びがてらスクールの方に取りにこい、と言う。

「君の取り分、百八十万だ」

羽田は言った。

「百八十？」

日当は三十万のはずだ。

「もしドラ息子の死体を発見して引き上げたら、親が三百万円払うって条件を付けていたんだ。今回は見事にうちで引き当てたってわけだ」

死体を発見したときの羽田のVサインと「うちでもらった」という言葉は、それだったのだ。人の死という厳粛な事実と、ホラー映画さながらの体験と、「見事に引き当てた」とい

うめでたい言い方と、どう判断し結びつけたらいいものやら混乱して紗織が押し黙っていると、羽田は「いいだろう？　ぴったりフィフティーフィフティーで、百五十万。それと日当三十万。また頼むよ」と電話のむこうでくったくなく笑った。

「はあ……」と釈然としない気分で電話を切る。

それから初めて気づいた。留学費用ができた。この日の百八十万と、退職金の二十九万なにがし、合計二百十万円。土左衛門が可能性をくれた。

がんばって行ってこいよ、と運命の女神と、無念の死を遂げたドラ息子が、自分の背中を押した。

「よっし」

掛け声をかけて、紗織は立ち上がり伸びをした。

余っていた有給休暇を使って留学準備と資金稼ぎのアルバイトに精を出し、歓送会もないまま、退職したのは八月の終わり。その一週間後、紗織は嵐《あらし》のために六時間も出発の遅れた飛行機に乗り、強い南風と横殴りの雨の中を両親に見送られてサンフランシスコに向かい飛び立った。

行き先はある私立大学の付属語学学校。憧れのミルズカレッジに進めるか否か、見通しは立たない。自分の力を信じて努力するだけだ。

二百五十個のトマトの夜

むせかえるような青い匂《にお》いで、目覚めた。カーペットの上に毛布一枚で康子は転がっていた。そして同じ毛布に潜り込んでいるのは……男だ。しまった、と思った。男。昨夜会ったばかりの。彼の身辺からも、自分の体のあちらこちらからも、青い匂いが立ち上っている。しかしこの強烈な臭気は、この男の体臭ではない。トマトだ。部屋に積み上げた二百五十個のトマトの匂いだ。それにしてもなんと扇情的な匂いだろう。

トマトが悪いんだ、と康子は思った。このトマトを食べてしまったおかげで、自分は素姓もわからぬ男の隣で目覚めることになってしまった。

昨夜、課長になって静岡支店に異動した康子の同期の男が、出張で東京に戻ってきたので、久しぶりに飲んだ。なつかしさも手伝って、二次会のスナック、三次会のカラオケボックス

までつきあい、最終の地下鉄に乗ったのは、十二時過ぎ。今日が土曜日で、会社が休みとはいえ、いくらか飲みすぎていた。

駅前の駐輪場で、一昨日買ったばかりのミニサイクルに乗ったとき、中空に真円の月があった。

歩道のない狭い道をさけ、少し遠回りになるが堤防の上の道を走るのが、いつもの通勤コースだ。深夜のサイクリングロードには一点の灯《あか》りもなかったが、川べりを渡る夏の夜風がほてった体を吹き抜けるようで心地よかった。自分では正気のつもりだったが、実際はそうとうに酔っていたのだろう。駐輪場で見たときは、上質の真珠のようにまんまるだった月は、そのとき川面《かわも》に浮かんでいるかのように歪《ゆが》み、揺らめいていた。

ふらふらとペダルを漕《こ》いでいると、薄暗いライトの中に不意に車の鼻面《はなづら》が浮かび上がった。なんでサイクリングロードに自動車？

慌ててハンドルを切り、辛うじて脇《わき》をすり抜けようとしたが、だめだった。

助手席のドアが開いていたのだ。派手な悲鳴を上げたまま、康子はそのドアに真っすぐ突っ込んでいった。

しかし悲鳴を上げたのも、そこに衝突したのも、単に助手席のドアが開いていたからではない。

半開きになったドアの窓の部分から、青白い足が二本、月に向かってにょっきりと突き出していたのだ。

辛うじて川原に転落するのはまぬがれたか、生い茂った夏草の間に自転車ごとひっくり返ったまま、康子は腰が抜けたように動けなかった。頭上の月がぐるぐると回っている。そのとき窓から生えていた青白い足がごそごそと動き、中に引っ込んだかと思うと、男が車から降りてきた。

「すいません。大丈夫ですか？」と男は、康子の自転車を起こし、それからひっくり返ったままの康子を助け起こした。いったん立ち上がったものの、また体の力が抜けて、康子は草の上に崩れるようにしゃがみ込んだ。

「あ、どうしよう……救急車、呼んでくる」

男が泣きそうな声で言った。

「やめてよ。酔っ払ってるだけなんだから」

康子は草原に腰を下ろしたまま、男を見上げた。

月明かりの下でも、若い男だというのだけはわかった。ポロシャツの襟にタオルをつっこみ、膝《ひざ》の出たジーンズを穿《は》いたさえない若い男。

「すいません。俺も酔っ払って、ここで寝てたんです。道路に出ると捕まるから……」

「非常識じゃない。ここ、サイクリングロードなのよ」と康子は言った。ろれつが回ってないのは、自分でわかった。

「でも、こんな時間にこんな場所を自転車が通るなんて思わないよ、普通」

「なによ、遅くなったら、道を通っちゃいけないっていうの？」

最近、酒乱気味だ、と思いながら、男にからんでいた。楽しく飲んだつもりだったが、腹の底の方では少し悲しく、憤慨していたのかもしれない。

静岡支店に行った彼とは入社当時、短い期間つきあって別れたが、その後もずっと好きだった。すでに結婚し、順調に出世していく彼のいかにも充実した様子を見ていると、複雑な気持ちになった。三十をとうに過ぎた自分に、相変わらず優しくしてくれるのも、かえって辛かった。

「ごめん、お姉さん、トマト食う？」

目の前の男は唐突に言った。

「トマト？」

康子がぽかんとしていると、男は乗っていた軽トラックの荷台の方に行って何やらごそごそしていたが、戻ってくると「これ、お詫《わ》び」と康子のミニサイクルの籠《かご》に、ビニール袋を押し込んだ。よろよろと康子は立ち上がる。中身は確かにトマトだった。子供のこぶしくらいの小さなトマトが、籠いっぱい詰め込まれていた。

「何よ、あなた、八百屋？」

男は何か答えたが、よくわからなかった。酔っ払った康子は、相手の言葉をちゃんと聞いてなかったし、相手の方もろれつが回ってないのだ。

康子は自転車の籠から小さなトマトをひょいと取り出し、かじった。

「おいしい」

強烈な青臭さと果肉の固さに清涼感があって、アルコールに痺《しび》れた舌に心地よかった。

「ほんと、うまい？」

男は、うれしそうに言った。小さなトマトは三口でなくなり、康子はもう一つ取り出し食べる。

「まず〜い」

今度は対岸まで響くような声で叫んで、けらけらと笑った。やはり自分は酒乱気味なのだと思った。しかし本当にまずかったのだからしかたない。青臭くて固くて、二つ目になると清涼感より喉《のど》ごしの悪さが際立ってきた。

「うるせえや。まずけりゃ返せ」

男は言った。本当に怒っている。

「ごめん」と康子は謝った。

「でも本当にまずいんだもん」と康子はまだ笑っていた。

「あたりまえだ。そこらの八百屋で売ってるような根性なしのトマトじゃねえや」

康子は笑い続けたまま、自転車にまたがる。頭と体がふらふらしてサイクリングロードを外れ、草地に突っ込んだ。青草が後輪に絡まり、ぱりぱりと音を立てた。

「危ない女」と男は舌打ちしながら駆け寄り、ハンドルに手をかけ、自転車を止めた。

「お姉さん、送ってやるよ」

「だって自転車……」

「いいから」

男は康子から自転車を取り上げ、ひょいと担ぎ上げ、車の荷台に載せた。

康子は助手席に乗せられ、家までの道順を教えたらしい。らしいというのは、ほとんどその間の記憶がないからだ。気がつくとマンションのエレベーターに男と二人で乗っていた。隣の男はトマトの入ったプラスティック製のコンテナを抱えていた。

男が、軽トラックの狭い座席の窓から足を突き出して寝ているのも気の毒で、「泊まっていっていいよ」と、車の中で言ったのは覚えている。男は別に泊めてくれなくてもいいが、部屋に冷房はあるか、と尋ねた。もし冷房があるなら、一晩トマトをあずかってくれ、と言ったのだ。それなら冷蔵庫を使えと康子は答えた。いや、冷房のある部屋に置いてくれと彼は言いはった。

冷房だ、冷蔵庫だ、と言い合ううちにマンションにつき、トマトは部屋に運びこまれた。大きなみかん箱ほどもあるコンテナいっぱいのトマトは、確かに冷蔵庫に納まる量ではなかった。

部屋に入って、エアコンの吹き出し口の下にトマトを下ろし、冷房を入れると、また酔いが回ってきた。

トマトのコンテナを抱くように、康子はカーペットの上に崩れ、ふと男の体温を間近に感じ、そっと身を寄せてみた。蛍光灯の灯りが眩《まぶ》しかったが、そうして触れ合っていると気持ちよく、康子はその暖かなものに、両腕を回した。

月明かりの下では、さほど大柄ではなくむしろ華奢《きゃしゃ》に見えた男の体は、抱き締めてみると、驚くほど筋肉質で汗ばんだ肌がなめらかだった。トマトの青い匂いが鼻孔をくすぐり、匂いに誘われるように康子は、男のポロシャツの首に差し込まれたタオルを抜き、ジーンズを脱がせていた。

はっきりした記憶はない。ただ、心地よかった。引き締まった腰と太い腕、上手い下手などということはさておいて、男の力強くひたむきな動きがいとおしかった。

疲れ切って眠り、夜中に寒くて目覚めた。トマトのために、冷房を入れっぱなしにしていたからだ。くしゃみをすると、男が目覚める気配があった。

何をどうしたものか、トマトのコンテナの縁にスリップがひっかかってぶらさがっている。それを取り、身につけようとすると「あ、いいよ、そのままで」と男は起き上がった。「押入れどこ？」と尋ねるので隣の部屋を指差すと、勝手に毛布を取り出してきて体にかけてくれた。

蛍光灯を消して遮光カーテンを引いたのは、たぶん彼だろう。

カーテンの隙間《すきま》から一筋、朝日が部屋に射し込んでいる。起き上がろうとすると、とうに目覚めていたらしく、男は康子の腕を掴み引き寄せた。

まあ、いいか、と再び男に身を寄せ、乾いた唇にキスして気づいた。男の腕が途中でくっきりと色が変わっている。

「やだ、百姓焼けしてる」

康子が言うと、「百姓のどこが悪い。畑耕して、鶏飼って、工具作って、ついでに屋根も直して、百の姓があるから、百姓って言うんだ」と、男は起き上がり胸を張った。

「ごめん。じゃ、もしかして、あなた八百屋のお兄さんじゃなかったの？」

「生産者」

生産者という言葉は、何か違和感がある。

「農家の人が、なんでトマト積んだトラックで、眠ってたの？」

「いろいろわけがあってさ」と男は、康子の首筋に唇をおしつけた。くすぐったくて、康子は小さい笑い声を上げた。

「俺の育てたトマト、嫁に行きそびれたんだ。売れ残りってわけ。このままハイミスになって腐るだけ」

「悪かったわね」

「君、まずいって言ったろ、昨夜」

「そうだった？」

「でも、俺にとっては可愛いトマトなんだ。そのトマトのそばで寝ようと思ったら、君が突っ込んできた」

「一生、トマトと寝てりゃいいのよ」

「やっぱり人間の女の方がいい」と男は甘えるように康子の乳首に指で触れる。爪《つめ》と関節の皺《しわ》が真っ黒に汚れている。

康子は、その手を摑み体から離した。

「シャワー浴びてきて。石鹼《せっけん》あるから」

「ごめん」と男は、自分の手を見た。

「でもこれ、しかたないんだ。トマトのあくだから」

「あく？」

「そう、トマトの茎や葉っぱに触ると真っ黒になって、どうやっても落ちない」と言いながら、のろのろと洗面所の方に行った。

康子はすばやくTシャツを着込み、カーテンを開ける。光がなだれこんできた。日は高く昇っている。急に恥ずかしいような、後ろめたいような気分になった。

しかし行きずりの男を部屋に引っ張り込むほど酔っていたわりには、頭痛も吐き気もなにもない。二つ食べたトマトのせいか、気持ちよく汗をかいたせいか、よくわからない。シャワーは男が使っているので、康子はキッチンで顔を洗い、ついでに昨夜もらったトマトを五つばかり洗い、包丁で薄切りにして皿に盛り付けた。それにしても少し変わったトマトだ。真っ赤なトマトは、桃太郎などという品種が出回っているので馴染《なじ》みがあるが、このトマトの朱を帯びた赤というのは、あまり見ない。匂いもきつい。塩を振って一切れ口に入れようとしたとき、いきなり後ろから抱きつかれた。

「ずるいよ。服着ちゃって。言われた通りちゃんと洗ってきたのに」と有無を言わさず、康子のTシャツを脱がしにかかる。

朝の光の下であらためて見ると、男の顔立ちは意外に整っている。くっきりとした二重《ふたえ》瞼《まぶた》の目は、少し充血していたが精悍《せいかん》な感じで、鍛え上げられた肩から腰にかけての線はボディビルで作った体と違って、たくましさの中にもある種のすずやかさがある。襟の丸まったポロシャツの首にタオルを突っ込んだりしていなければ、だれもが振り返る正統派の美男だ。

康子は体を捻《ひね》って、調理台の上の薄切りトマトを一切れつまみ、キスしようと迫ってきた男の口にくわえさせ、それからもう一切れを自分の口に入れた。

嚙《か》んでみると固い。むっちりと果肉が詰んでいて、嚙みごたえがあるが、ジュース分は少ない。最近、多く出回っている「甘熟トマト」の甘味もない。

「やっぱりまずい、これ」と康子が言うと、

「うるさいな、あたりまえだろ」と男は康子を隣の部屋につれていき、毛布の上に転がして怒ったまま体を重ねてきた。

男の皮膚にも、舌の上にも、青臭く固い朱色のトマトの味がしみついていた。トマトの王子様が、軽トラックに乗って迎えに来たのでは、メルヘンにもならない。三十三にもなって、メルヘンもないかと思わず自嘲《じちょう》的な笑みが浮かぶ。

「ちょっと、人が一生懸命してる最中、思い出し笑いはないだろ」

男は下半身の動きを止めて憤慨した。

「ごめん、でも、あなただれ？　どこから来たの？　慣れてないのよ、こういうの」

「慣れてたら大変だよ」

「今まで、知らない人を連れ込んだりしたことないから、ほんとに……」

「松浦正樹、二十九歳、職業・農業、本籍地・東京、現住所・山梨県高根《たかね》町、最終学歴・埼玉県大和村農業塾、同居の家族なし。これでいいかい？」

交わったまま、男は生真面目《きまじめ》な口調で自己紹介した。

「斉藤康子、T火災東京本社、営業三課」

康子が言いかけると松浦という男は「終わった後でいいよ」と遮り、再び動き始めた。


トマトの入った皿と紅茶を前に、ポロシャツを着込んだ彼がテーブルの前に座ったのは、それから一時間ほど経《た》ってからだった。

「ベーコンエッグとトーストでいい？」と康子は尋ねた。

「あのさ」と松浦は言った。

「悪いんだけど、このトマト、卵と一緒に焼いてみてくれない？」

「トマトを焼くの？　聞いたこともない」

「いいから……」

康子は言われた通り、よく熱したフライパンに油を引き、先程の薄切りトマトを入れる。すぐに卵を割り入れようとすると、

「しっかり両面焼いて、それから入れて」と松浦は言う。

「トマトをしっかり焼いたら、ぐちゃぐちゃになっちゃうんじゃない」

「八百屋の根性なしトマトと違うと言ったろ」

確かにそれは火を通してもあまり崩れないし、しっかりしていた。いったん裏返してから卵を入れ、蓋《ふた》をして卵の黄身の上に白く膜がかかった状態になれば出来上がりだ。

皿に取って卵と一緒に口に運んでみる。

「えっ」

康子は目を見張った。

松浦がうれしそうに白い歯を見せた。熱い油とつるりとした白身の間から、いい香りのジュースが染みだしてきて、甘い味が口の中に広がる。

「うまい？」

「うん」

「俺のトマト」

「百姓の天才」

あとは物も言わずに食べた。第二弾、と今度は焼いて塩を振り、トーストの上にのせた。これも、トマトサンドなど比べものにならないおいしさだ。

「いける」とあらためて康子は言った。松浦は、笑った。どこか悲しそうな笑いだ。

「そういえば、さっき、このトマトは売れ残りだとか……」

「残りなら、まだ売れた分があるんだけど、初めから買い手がない」

「もうわかってるだろ。これ、加工用トマト。もぎたて完熟だから生でもうまいけど」

「まずい……」

「うるさい。だけど加工すればもっとうまい。なのに、工場に逃げられた」

「工場が逃げた？」

「昨年試食に来て、これでよしとOK出して、二百キロ作れ、とか言っておきながら、しかも農薬も化学肥料も一切使うななんてむちゃくちゃな条件出しておきながら、さんざん苦労して言われた通りこっちが作ったら、もうやめました、だってよ。あんまりだろ。だから俺、エコババとかって、信用できないんだよ」

「エゴババ？」

「いや、エコババ。エコロジーババアのこと」

「どうしたっていうの？」

「愚痴言うのって、俺好きじゃないんだけど」

「言っていいのよ。溜《た》めてると行きずりの女、襲いたくなったりするから」

「俺が、襲ったか？」

松浦は、目をむいた。

「酔っ払ってたから、覚えているかどうか知らないけど、俺のジーパン脱がせたの、あんたの方だろ」

口を尖《とが》らせながら、松浦正樹はポケットから折り畳んだ再生紙を取り出した。開いてみるといまどきめずらしいガリ版刷りのビラだ。

「ひまわりネットワーク趣意書」とある。

「何これ？」

「書いてある通りだよ」

そこには「私たちひまわりネットワークは、一般企業のように利潤追求に奔走するのではなく、この地球上のすべての人々、すべての生きものと共に、社会と環境と子供たちの未来を考え続けていきたいと思います」とあり、一人二十万円の無利子の出資をつのっている。

「何、これ？」

「だからエコババの作った店だよ」

「共同購入会？」

「それならいいけど、なまじメンバー以外に手を広げるからおかしなことになった」

ビラの裏に、扱っている商品の例として、ネグロス島の砂糖や無農薬コーヒー、障害者団体の作ったクッキー、その他無添加の加工食品などがあげてある。

「コーヒーが百グラム七百円？　なんかずいぶん高くない？」

康子が尋ねた。

「商社みたいに買い叩《たた》いたりしないで、その国の人たちが人間らしく暮らせる生活を保障するなら、この値段はしかたないんだって。でも見てほしいのはこっちだよ」と松浦は小さな

文字で印刷してある部分を指差す。

「生産者の顔の見える食物」と銘打った中に、

「松浦さんのトマトで作ったケチャップ、二百グラム五百二十円」というのがあった。

「こっちもいい値段してるわね」と、思わず目の前の男とその後ろにあるトマトのコンテナを見比べた。

「これ、去年のビラだよ」と松浦は言った。

「どういうこと？」

松浦の話によると、ひまわりネットワークは初めは、東京郊外の団地で、安全な野菜を食べたいという主婦の間で始まった共同購入会だったそうである。しかし一人六千円の出資金で始まった会は、一年の間に規模を拡大し、平和運動、反原発運動、第三世界の支援などもろもろの活動に結びついていった。同時に、活動にかかる金とスタッフの労力が限りなく増えていった。

「このビラで、新たな出資をつのったんだけど、金を出したのは熱心な会員が六人だけ。普通の主婦は逃げ出してしまったんだ。無農薬有機栽培で作ったトマトを無添加手作りケチャップにするって試みも、それで頓挫《とんざ》した。去年は確かに二百本作ったけど、代金をまだもらってないんだ。で、今年、トマトが実ったっていうのに、何の連絡もない。それで電話をしたら加工場を借りる金もないし、ケチャップ作りのスタッフも集まらないと、こうさ。でもさ、トマトだけは実るんだよ。どうしてくれるんだよ。種まいて、ハウスの中で苗にして、畑

に移しかえて虫取って、大事に大事に育てたトマトだぜ。化学肥料を使うなっていうからさ、堆肥《たいひ》から作ったんだ。『ふざけんな、言った通りの値段で引き取れ』って、軽トラに積んできのう、怒鳴りこみに行ったんだ。そうしたら、あなただって私たちの趣旨に賛同して始めたわけだし、金儲《かねもう》けのための農業はしないって言ったじゃないか、と言いやがった。そりゃ自分たちは正しいことやってるだろうさ、わかってるよ。でも約束は約束だと思わないか？　買うっていったんだよ。他の人間の作ったトマトは使わない、お宅のだけで作るって。確かに他の農家から買いはしなかったさ。でもさ、ケチャップ作り自体がぽしゃったんじゃ、どうすればいいんだよ」

「どうして他のところで売らないの？」と康子は尋ねた。

「これだけおいしいんだから、焼いて食べるトマトって売り出したらいいのに」

「販売ルートがないんだよ。市場に出したって、だれも持っていかない」

「ケチャップの大手メーカーがあるでしょう」

「そういうところは、自分のところで開発した一代雑種の苗を農家に買わせて、契約栽培をしてるんだ」

「近所の農家の人は知恵を貸してくれないの？」

「それ見たことか、だよ」と松浦は肩をすくめた。

「農村って、そんな冷たいの？」

「俺、余所者《ヨソモン》だから」と松浦は、ため息をついた。

「余所者《ヨソモン》って？」

「俺、家、東京だし、六年前に一年だけいた会社を辞めて、農業を始めたんだ。農地を借りて。それ以来、周りの在来農家の人たちには、いろいろ言われっぱなしだよ。農薬かけないから、うちの畑に虫が入ってきて困るとか、堆肥作っていると、いまどきそんなことしてたら、経営が成り立たないとか……。都会の人は気楽でいい、とか、嫌味言われるしさ。五年目でようやく、少しずつ慣れてきたけど、今度は親切心から、みんな忠告してくれるんだよ。変な作物作ったところで、売れないんだから、結局腐らせて、翌年の種も買えなくなるって……。それでも作るってつっぱっちゃってさ。結局みんなが言ったとおり。でも工場の在庫なら、倉庫に寝かしておけるけど、これはそうはいかない」

「どうしたら、いいんだろ……」

松浦は黙って首を振った。

「甘いんだよ。わかってるんだ。近所の、もともとの農家の人は、何度もこんな目にあってるんだ。いや、俺みたいに都会のエコババにひっかかったわけじゃない。作ったはいいけど、値段が暴落して出荷する費用の分だけ赤字になるなんていうのは、何度となく体験しているんだ。量だってこんなもんじゃない。トラクターで耕した畑一つ全部、潰《つぶ》すんだ。俺がこれっぽっちのトマト抱えて泣いてるなんて、ちゃんちゃらおかしいだろうな」

そう言いながら、松浦は本当に涙をこぼした。

「ばかね、何とかしよう。ほら、泣いてないで」

康子は立っていって松浦の頬《ほお》を布巾《ふきん》で拭《ふ》いた。松浦の手がTシャツの上から康子の乳房に触れた。

「わかるだろう。野菜栽培農家の人たちが、漬物会社やケチャップ会社の契約栽培をする理由が。一代雑種のバカ高い種苗を売り付けられ、それで規格品を作って、大根一本七十円とかいう値段で引き取られていくんだ。安いからたくさん作らなきゃならない。だから化学肥料だって、農薬だってバンバン使う。機械入れるから借金がかさむ。取り入れの時期にはみんな腰痛だ。でもそうしなくちゃ安定した収入は得られないんだ。俺みたいな東京もんが入っていって、無農薬だ有機だ、なんて言ってたって相手にされないわけだよな」

松浦はうらめしそうな視線で康子を見上げていたが、やがて康子の腕を摑むと隣の部屋に連れていった。燦々《さんさん》と射し込む陽《ひ》の下で、再び体を重ねてくる。室内はトマトの匂いにむせ返るばかりだ。コンテナに詰められた二百五十個のトマトが「助けて、腐っちゃう」と口々に訴えているような気がする。

「ねえ、なんとかしようよ」と康子は言った。

「なんともならないんだよ」

松浦は、康子の上で息を弾ませながら、かすれた声で答えた。

「考えよう、ね」

「どこの農家だって同じさ。畑で腐らせるしかないんだ。こんななっちゃったら」

「下りてよ」

とっさに叫んでいた。

「さっさと下りて。現実から逃げるためにこんなことするなんて、失礼じゃない。あたしを何だと思ってるのよ」

松浦は沈黙した。悲しそうな顔をして離れていった。

まくり上げられたTシャツを下ろし、康子は電話を手元に引き寄せた。三鷹《みたか》の団地に住んでいるみどりの電話番号を押す。露骨な嫌がらせ人事によって、退職に追い込まれていったみどりだが、彼女の退職と同時に、同じ会社に勤める夫の方は課長に昇格した。

だから生活は経済的には楽なはずだが、しかし黙って専業主婦に納まっているようなみどりではない。

保険ブローカーの資格を取ったみどりは、子供が産まれるとさっそく活動を始めた。とはいっても、まだ二ヵ月の子供を抱えているので、本格的な営業をしているわけではない。会社で長い間お局《つぼね》をやって、OLたちを束ねていたその実力で、団地の自治会や生協の役員などの仕事を精力的にこなしながら、コミュニティーにおける人脈を広げているという。彼女なら、何か知恵を貸してくれるかもしれない。

電話には見知らぬ女性が出た。とまどいながら康子が名乗ると、「お待ちください」でもなく「みどり、電話！」という声とともに、本人に替わった。

「あ、久しぶり」

子供の声、女性たちの声が、背後から賑《にぎ》やかに聞こえてくる。親戚《しんせき》でも集まっているのだ

ろうかと首をかしげながら、康子は農家の人が大量の加工用トマトを抱えているので、買ってもらえないか、と切り出した。

「どのくらい？」

「たくさん……コンテナ一杯。二百五十個くらい」

「そのくらいなら、さばけると思うけど」とみどりはいとも簡単に答えた。そしていきなり「ねえねえ、トマトの直売あるんだけど、買わない？」と大声で言った。

「いいよ、いくら？」といくつもの声が一斉に応《こた》えるのが電話のむこうから聞こえてくる。

「何やっているの？」

康子は尋ねた。

「会合よ。保険とか年金とか、いろいろ心配事があるのよ、私たち主婦には。離婚したらどうなるの、みたいな不安て、あるじゃない。もう結婚が一生ものって時代は終わったし。それで、保険、年金はもちろん、税金とか金融商品についても少しずつ、勉強していこうってことで、毎週、持ち回りで勉強会をやってるわけ」

「へえ」

相変わらずだ。商売を始める布石をちゃんと打っている。

「で、いくら？　そのトマト」

「わかんない」

「だめじゃん。そういうときは、ちゃんと値段つけなきゃ」

みどりは職場にいたときと同じ口調で言った。

「ま、いいわ。いつ持ってくるの？」

「すぐ」と、自分の腰にからみついてくる松浦の腕を勢いよく振りほどき、康子は答えた。

「いいよ。あと二、三時間は、みんなを引き止めておく」

赤ん坊の泣き声が上がった。あやす女の声がする。二ヵ月になったばかりのみどりの男の子だろう。

「加工用のトマトだけど、いいのね。生だとまずいよ」

康子が確認すると、やりとりを聞いていた松浦が何か言いたげにこちらを見た。

「でも完全無農薬で堆肥で育てたんだって」

「大歓迎よ。子供たちには、汚染されたものを食べさせたくないって人が多くてね。みんなで共同購入会とかやってるの」とみどりは答えた。

康子は電話を切って、松浦の方へくるりと振り返った。

「早く、コンテナを車に積み込んで。大事なトマトの嫁ぎ先が決まったわ。相手は今度もエコババの集団みたいだけど」

「なんでもいいよ。買ってくれれば」

「でもお願いだから、向こう行ってエコババとかおばさんとか呼ばないでね。私の友達なんだから」

「言いません。絶対言いません」

松浦は顔をくしゃくしゃにして康子の手を握り締めた。

道路が比較的すいていたので、みどりの住む団地には四十分足らずで着いた。

ドアを開けると、リビングと和室の境の襖《ふすま》を取り払った部屋に、十人以上の女性と子供がいて、テーブルの上には、「年金の知識」「損害保険ここが要点」「金融商品損得一覧表」などという本が積み重ねてある。

甲高い笑い声と、部屋に立ちこめた化粧品とも体臭ともつかない甘酸っぱい匂いに、松浦が怖気《おじけ》づいたようにあとずさる。

「これだけ小さいから三個二百円でどお？」

箱を開け、みどりは言った。

「はっ、十分です」

松浦は気圧《けお》されたように直立不動で答えた。

「スパゲッティ作るから、三つ」と声がかかる。

「うち、トマトカップ。五人分だから五つ」

「だめ、三個単位だから、二セット買いなさい」とみどりが仕切る。

康子がありあわせのビニール袋にトマトを入れて、松浦が金を受け取り、あっという間に、五十個近くがはけた。売上金は三千六百円。しかしまだ大半が残っている。

「あと、ワンセットずつ、どお？」とみどりが声をかけるが、「生でたべられるならともかく、そんなにイタリア料理ばっかり作るわけじゃないし」と、主婦たちの反応はいまひとつ

だ。

「あの、本当の無農薬で、有機です。自然食品屋とかスーパーにあるようないいかげんなやつじゃなくて、本当に農薬の代わりに木酢《もくさく》液を使って、堆肥を作るのからやりました」

「偉いわね。あたしも市民農園でやったけど、うまくいかなかった」と年配の主婦が言った。

「あなたみたいな人が、どんどん農業やってくれるといいわね」と一人が言った。

「どう、支援のつもりで、もうワンセット」とみどりがすかさず言うと、「ごめんね、うち、まだ子供小さいから、余らせて腐らせても悪いじゃない？」と断る。

「このメンバーだけじゃ無理よ。表に出て売らない？」と一人が提案した。

「でも、テント借りたり、ビラ作ったりするのはたいへんよ」

「そんなことしてたら、腐っちゃうわ。駐車場で、スピーカーで呼びかけるのよ」

即座に彼女たちは、手分けして用意し始める。松浦と康子がトマトを駐車場に下ろす間に、一人が集会室の倉庫からハンドマイクを持ってきた。別の主婦が、段ボール箱の蓋にマジックインクで値段を書く。

三十分後にはトラックの荷台にトマトを置き、主婦の一人がハンドマイクを握った。

「ただいまより、十八号棟前駐車場にて、トマトの直売をします。完全無農薬、有機栽培の、安全でおいしいトマトです」

あちらこちらの窓が開いて、顔が覗《のぞ》く。

「〇〇さん、買いにきてよ」と主婦の一人が、開いた窓に向かい叫ぶ。やがてぱらぱらと人

が集まってきた。

「あら、変わった色。オレンジ色っぽいのね。それにへたがないわ」

「加熱用トマトです。焼いてみてください。スパゲッティやトマトソースやシチューにも使えます」

康子は説明する。

「サラダじゃだめなの？」

五十がらみの主婦が困惑顔で尋ねる。

「ええ……」

「お腹こわす？」

「いえ、ちょっと固くて」

「固いだけ？」

「まずいです」

「生だとまずいの？」と念を押され、「ええ、まあ」と答えると、主婦は帰ろうとした。「あの、火を通すとおいしいんです」

「あたしトマトの料理なんて知らないもの」と笑いながら行ってしまった。

たいていの人が、加熱用と聞くと去ってしまう。

「何よ、加熱用というから、サン・マルツァーノかと思ったら」

一際化粧の濃い、スリップドレス姿の主婦が裸の肩をすくめた。

「でも、おいしいですよ」と康子が言う。

「だめよ、加熱用ならサン・マルツァーノじゃなくちゃ。あっちにいたとき、ずいぶん食べたけど、やわらかくって血のように赤いの。これ、オレンジが入った赤で固いから、カリフォルニアのでしょ。安いんだけど、まずいのよね」

「日本のです」

「ますますだめよ」と行ってしまった。

二十分ほどで客足はぱたりと途絶えた。売れたのは、わずか五セット、十五個だけだ。汗を拭きながら、康子は青空を見上げた。みどりは赤ん坊に乳を飲ませるために、家に戻ってしまった。陽射しからトマトを守るために、松浦は新聞紙を丁寧にかけながら、「はけたの、結局、これだけか」とため息をついた。

「サン・マルツァーノなんか、日本で作れるもんか。あんなの、雨が降らなくて土地がめちゃ《や》痩せた砂漠みたいなとこじゃなきゃ、採れないのに」とつぶやき、足元の小石を蹴飛《けと》ばす。

「帰ろう」と康子は促した。

松浦はうらめしそうに、団地のベージュ色の壁をみつめた。

主婦たちに礼を言って車に戻った。炎天下なので、コンテナのトマトを荷台から前に移し、膝に乗せていると、先程より一層強くなった香りが鼻をつく。

「農業経営って、いかに難しいかわかったわ」と康子が言うと、ルームミラーの中で松浦が、悲しそうに笑った。

「でも、東京生まれのあなたが、なんでわざわざ始めたの？　やっぱり日本の農業はこのまじゃいけないとか、使命感あったの？」

「べつに……。一年だけ、サラリーマンやったんだ。君の会社と同じ業界で、営業を」

「まあ、損保？」

松浦はうなずき、会社名を言った。康子のいるT火災と違い業界トップのところだ。

「エリートだったんじゃない、あなた」

「虚業に嫌気がさした。何も作りだすわけじゃない、人の命を助けるわけでもない、リスクの上に乗って儲けてるだけだし」

「そうでもないと思うけど」

康子にしてみれば、自分がそこに身を置いているのだから、そう簡単に切って捨てるような言い方はされたくない。

「それですっぱり会社を辞めて、新規参入者のための農業塾ってところに行って、一年間実習したんだ。一通りの技術を身につけて今のところに農地を借りて五年目。営業マンなんてさ、一年どころか、二、三ヵ月たてばもう一丁前に契約取ってきたりするけど、農業って奥が深いっていうのか、とにかく五年じゃまるでものにならない。結局、こんなふうになって。挫折、挫折の連続だ」

「ほら、愚痴らない」

康子はルームミラーに向かって笑いかける。

「君に会えてよかった。トマトはどうしようもなかったけど」

ハンドルを握ったまま、康子の方に視線を向けて、松浦は言った。

「わたしも……あなたには悪いけど、なんだか楽しかった」

松浦は照れたように笑った。

「お礼にってわけじゃないけど、トマトあげるから食べてくれないかな」

「冷蔵庫なしでどのくらいもつの？」と康子が尋ねると、松浦は、少し困ったような顔をした。

「あと、二日くらいかな」

「まだ、二百個近く残ってるわよね。私一人で一日百個、食べるわけ？」

「だれか、呼べば……君の手料理食べにくるやつとか、いるんだろ」と松浦は、前を見たまま言った。

「どこに……」

あまりに抑揚がなく、低い声だったせいもあるだろう。松浦は気まずい顔で黙った。そして二人とも押し黙ったまま、マンションの前まで来た。

康子が車から降りると、「じゃあ、いろいろありがとう」と松浦は運転席の窓から身を乗り出して言った。電話番号も、住所も告げず、もちろん次に会う約束もせず、少し悲しそうな顔で康子を見た。

「さよなら」と康子は手を振り、エンーランスの階段を上りかけ、足を止めた。

なんともいえない淋《さび》しさとも虚《むな》しさともつかないものが胸にせり上がってきた。とっさに振り返った。車はまだそこにあった。くるりと体の方向をかえて、そちらに戻っていく。

「忘れもの？」と松浦は、うっすらと微笑した。

「トマトくれないの？」

えっ、と松浦は、瞬《まばた》きした。

「もらってくれる？」

「その代わり部屋に運んで」

うなずいて松浦は身軽な動作で、車を降りた。

部屋に入って、床にコンテナを下ろしたとき、康子は気づいた。

トマトが湿っている。一つ摘《つま》み上げて、小さく声を上げた。暑さと車の振動のためだろう。

朱色がかったトマトは、今、真っ赤に熟れていくつかつぶれかけているのだ。

「大変……」

「しかたないよ」

松浦は言った。

「なんとかしなきゃ」

「どうせ全部食べきれないんだ」

「そういう問題じゃないの」

康子はかぶりを振った。

「そりゃ、経営上、市場に出す方がお金がかかるとなれば、トラクターで畑ごと潰したりするのもしかたないでしょうけど、私にとってはもったいないのよ。おばあさんみたいって笑うなら笑っていいわ。でも、食べられるものを腐らせて捨てるって、胸が痛むの、わかる」

「わかってるよ」

康子の両手を摑み、松浦は首を振った。

「それ以上言わないでくれ。それ言ったら、俺の方がよほど辛いんだよ。君はこいつらと昨晩から二日のつきあいだけど、俺は、年もつきあってきたんだ。名前だってつけたんだぜ、これに。ダイアナっていうんだ。さっきの団地の厚化粧のババアの言ってたようなカリフォルニアのトマトなんかじゃない。イギリス産なんだ。明治の頃に輸入された品種で、日照が少なくても、寒くても、多少雨っぽくても病気にならないでよく実る。だけど食味が悪いって理由で、すっかり嫌われちまったんだ。人間でもそういうのいるだろ」

「悪かったわね」

「君は……」

松浦は康子の唇に素早くキスした。

「おいしかったよ、すごく。それで日本でたまたま庭に植えていた農家があったんで分けてもらって俺が育てた。だから名前をつけた。レディ・ダイアナ」

「あまり幸せになれそうにないわね」と康子は新聞紙を広げて、トマトを箱から出してみた。潰れているのはあるが、腐っているわけではない。

これが桃太郎とか、ファーストなどという品種であれば、みどりのところでたぶん売り切れて、今頃、松浦は札束を抱えて山梨に帰れたのだ。しかしトマトに火を通さなくてはならないなどというところが、日本の食卓に馴染まない。その一手間も嫌われる。

ふと思った。

それならその一手間をこちらでかければいいのではないか。

発見でもなんでもない。そうしなければ、腐らせるしかない。食物を捨てなければならない。

ケチャップにして売ってくれないというなら、自分でケチャップにすればいい。

幸い、この3LDKのマンションには、広いキッチンが付いている。ガスは四口で、一つはハイカロリーバーナー。オーブンが一つ。調理台もたたみ一畳分くらいある。ちょっとした料理教室くらいなら開けそうだ。

問題は、ケチャップの作り方がわからない、ということだ。トマトを煮て砂糖と塩で味をつければいいとはわかっているが、分量も手順も何もわからない。

こんなときにリサがいてくれたら、と思った。しかしあの料理上手で、手際がよくて、管理栄養士の資格まで持っていたリサは、六千キロも離れたヒマラヤの麓《ふもと》に行ってしまった。

他には、と住所録をめくる。上野純子という名前があった。高校時代の同級生で、スチュワーデスをしていたが、五年前に「空飛ぶウェイトレスより、地上でコックをする方がいい」と、単身ナポリに渡った。帰国して私鉄の駅構内にスパゲッティ屋を開いたのが三年前、

そしてつい最近、町田にレストランを出した。彼女ならケチャップの作り方くらい知っているだろう。

電話をすると純子本人が直接出た。

「はい、どうしたの？」

ずいぶん会っていないが、急《せ》いた口調でいきなり、そう言われてしまった。近況を尋ねるという雰囲気ではない。時計を見ると四時半だ。料理の仕込みの真っ最中で一番忙しいときに電話をしてしまったことを康子は後悔しながら、ケチャップの作り方を尋ねる。

「なにするの？　買った方がよほど安いのに」

不思議そうに尋ねた純子に、康子は、加工用トマトが二百個もあるので、腐らないうちにケチャップにしたい、と話した。

「せっかくの手作りにするのに、なんでケチャップなの？」

純子は相変わらず、急いた口調で尋ねた。

「え……」

「ピュレとか、そうそう、ディルを入れて水煮って手もあるじゃない。瓶詰にすれば冷蔵庫なしで半年はＯＫだし」

「ピュレと水煮？」

「去年、市民農園で作ったトマトをもて余してるってお客さんがいたから、作り方教えてあげたの。そしたら半年保つはずの瓶詰が、あまりおいしくて半月でなくなったそうよ。すぐ

にレシピをファックスする」

ファックスはない、と答えると、それではEメールで送るという。

紗織から、引っ越し祝いにもらったPC98とモデムは隣の部屋にあるし、通信のためのID番号も紗織が取ってくれた。しかし実際にまだ使ったことはないから操作がわからない。

そのとき後ろから松浦が肩を叩いた。

「俺、わかる。替わって」と康子から受話器を受け取った。彼は純子と何か康子のわからない話をしていたと思うと、電話を切り、隣の部屋に行きシステムを立ち上げた。

三十分後、純子からのメールは無事に届き、年代物のドットプリンターがレシピを打ち出した。

ピュレも水煮も、保存のための基本は同じだった。トマトを瓶に詰めて湯せんし、火が通ったらしっかり蓋をする。それだけだ。そんな大量の瓶はどこにもない、と困っていると、レシピの終わりに、瓶屋の住所と電話番号が書いてあった。ただしガラス瓶は、パッキングのついてない安いものでさえ、一個三百円する。

「だめだ」と松浦は頭を抱えた。

一つの瓶に入る水煮トマトは、せいぜい五つ、ピュレなら十。現在トマトの残りは約二百個。瓶が三十本必要となれば、瓶代は九千円。

「そんなものに九千円も出すなら、廃棄した方が引き合う」

「無農薬、有機のおいしいトマトなんでしょ。何よ、九千円くらい」

康子は財布から、一万円札を出して、松浦の前に置いた。

「すぐ買ってきて」

ここまで来たら引けない。半ば意地だ。トマトを腐らせて捨ててしまったら、この男も腐ってしまう。この縁もこれきり、行きずりの男との奇妙な二日間の思い出だけを残して切れてしまう。何より、今こうしている間にも、熟し、崩れていくトマトが、ただの野菜には思えないのだ。

松浦はレシピにある瓶屋に確認の電話を入れると、在庫のあることを確認して、部屋から出ていった。

その間に、康子は駅前のスーパーマーケットに行って、ハーブと湯せん用の大きな金だらいを買ってくる。

まずやることは、金だらいいっぱいに湯を沸かすことだ。トマトを洗い、煮えたぎった湯の中に丸ごと放りこみ、すぐにしゃもじで取り出し、水に取って皮をむく。

さっそく始めたが、やってみるとテレビの料理番組で見ているようにはうまくいかない。下の方は簡単にむけるのだが、へたの付いていた回りは果肉にしっかりくっついてはがれない。

こんなときにリサがいてくれたら、と思いながら、黙々と湯に放りこんでは皮をむく。一時間後に、松浦が瓶の箱を抱えて戻ってきたときにも、湯むきはまだ四分の三以上残っていた。

買ってきた瓶は、松浦に頼んでバスルームでよく洗ってもらう。それから湯むきを松浦に替わってもらって、康子はすでに皮を取り去ったトマトを刻んで、瓶に詰める。レシピには、ぎっしりと空気が入らないように詰めるのがコツ、とある。トマトが小さいせいか、そうしてしまうとけっこうたくさん一瓶に詰まる。その瓶を金だらいに並べて湯せんにする。しかし一回にそうして火を通せるのは、たらいの大きさからして、瓶五本が限度だ。コンロの一つで湯せんをし、もう一つに鍋《なべ》をかけてトマトの湯むきを続ける。

むいてもむいても、まだある。意欲だけは一人前でも、実際に作ってみて逃げ出した「エコババ」の気持ちがよくわかる。

湯せんにかけて四十分。瓶を取り出す時間だ。しかし瓶も湯も熱い。鍋つかみを使って瓶を取ろうとするが、隙間なく並べたせいでうまく縁を摑めない。そうするうちに鍋つかみのキルティング地に、熱い湯がしみてくる。万一鍋つかみの端を瓶の中のトマトに触れさせて、雑菌を中に入れたらまたやりなおしだ。

「ああ、どうしよう」と悲鳴を上げると、松浦が飛んできて、たらいごとコンロから外そうとした。湯を捨てて取り出せばいい、と言う。しかし鍋と違ってたらいに取っ手はない。鍋つかみを使ってもタオルを使っても、重たい金だらいは、とうてい持ち上げられなかった。しかたなくまた瓶を一つずつ取ることにする。悪戦苦闘の末、二十分以上かかって、全部の瓶を引き上げた。

一息つく間もなく熱いうちに蓋をする。これで内部の空気がなくなり腐敗を防ぐことがで

きる。第一回目の湯せんのピュレがこうして完成したとき、時計は夜の八時を指していた。

空腹感を覚えたが、台所はふさがっている。近所のコンビニエンスストアで弁当を買ってきて、食べながら作業を続ける。

キッチンだけでなく、家中、トマトくさい蒸気でいっぱいになった。しかし今夜のトマトの香りは、昨夜と違って少しも扇情的ではない。甘酸っぱく食欲をそそる平和な匂いだ。松浦はトマトの皮をむき続け、康子は刻んでは瓶に詰める作業を繰り返している。

三回目の湯せんを始めたとき、松浦が手を動かしながら、ぽつりと言った。

「俺が会社辞めた理由って、話してなかったよね」

「農業やりたかったからでしょ」

「そんなの、後からつけた理屈だよ。いられなくなって辞めたんだ。会社入ってすぐ、好きな子ができてさ、隣の課の子で、しばらくつきあってだめになった」

「失恋で会社辞めたの？」

いまどき、社内不倫がばれたOLでさえ、退職などしない。毎朝、堂々と出勤してくるというのに、最近の若い男はどうなっているのか？

「いや、仕事できなかったから。俺、営業の実績上げられなくて……それでいじめられたり、はげまされたり、どっちなのかよくわからなかったけど。体育会系の先輩がいて、社員旅行のとき、俺と同期の奴《やつ》と三人、ソープに連れて行ってくれたんだ。ところが出るときになって意外と高い店で、先輩の持ち金じゃ足りないっていうのがわかった。それで先輩が名刺出

して、すぐにホテルに戻って金を持ってくるって言ったんだけど、旅行先のことで店の人は信用してくれない。そうしたら先輩が言ったんだ。『わかった。じゃ、担保にこいつを置いていく』って、俺のこと指差して。そう見られてたのかって……俺だって、別に好きで来たわけでもないのに、つきあいだと思ったから来たのに、そういうことだったのかって。それからホテルの名前の入った浴衣着たまま、薄暗い待合室のソファで、ぼーっと待ってたんだ。三時間だよ。ホテルから歩いて一分とかからないっていうのに。先輩も同期の奴らも、ホテルに帰ってみんなと合流して、スナックでカラオケ歌ってたんだ。先輩が、『いけねえ、人質を置いてきたんだ』と言ったのが、とうに日付が変わってからってわけさ」

康子は噴き出した。

「笑うだろ。みんな笑うんだよ」

松浦は笑ってなかった。

「他人のことなら、笑うと思うよ、俺だって」

「ごめん」

「先輩は、俺のことを思い出した後もすぐに来ないで、そのことを部課長や女子社員に吹聴して、笑い者にしていたらしい。旅行から戻った翌週、つきあってた女を呼び出そうとしたらあっさり断られた。『結局、そういうところに行く人だったのね』って言いながら、泣くんじゃなくて笑うんだよ。鼻の先で、ふふんって。不様だよな。一件も契約取れないバカ社員の使い道なんて、ソープの人質くらいなものなんだ」

康子は小さくため息をついて、「手が動いてない」と叱責《しっせき》するように言った。

松浦は再び、黙々と皮をむき始めた。ピュレはずいぶんできたので、残りはホールのまま、ディルを入れて水煮にすることにした。こちらは切らないで済むので一手間はぶける。

純子のレシピによれば、他に干柿《ほしがき》のように吊《つ》るして乾燥トマトを作ったりする方法もあるそうだが、日本の夏では湿度が高すぎてうまくいかないらしい。

あちらこちらに赤い汁が跳ね、息が詰まるほどのトマトの匂いが立ちこめたキッチンに、三十本の瓶が並んだのは、東の空がうっすらと明るんできた頃だった。

「できたじゃない。捨てないで済んだじゃない」

康子は言った。これで向こう半年はトマトを買う必要はない。真冬においしいトマトのスパゲッティが食べられる。友達のお土産《みやげ》にしてもいい。

「ね、やればできるのよ。せっかく転職したっていうのに、いつもいつも、辛いことばかり思い出して後ろ向きに生きてちゃだめじゃない。どんな理由でサラリーマン辞めたかなんてことは、どうだっていいのよ。今やってることを一つ一つカタをつけて、実績作っていかなくちゃ」

「ありがとう」と松浦はくぐもった声で言い、目を上げた。

康子は松浦の頭を抱き、赤い汁で汚れたTシャツの胸に押しつけた。

「でもさ、でも……」

もがくように松浦は首を振った。

「何なのよ」

「斉藤さん、俺の畑、まだどんどん実るんだぜ。今回持ってきたのは、まだ走りだから。シーズンこれからだから……」

え、と言葉を呑《の》み込み、康子は松浦の頭を離した。

「俺の畑、この加工用トマトで、いっぱいになるんだ……最盛期には、一日でこのコンテナ三つくらい採れるんだ」

言葉も出ない。

これ以上、この男に関わってはいられないという気持ちと、このまま一緒に苦労してしまいそうな気配と……。

頭痛がしてきた。

「ね、とにかく」と康子は、松浦を和室に連れていった。

「一眠りしてから、考えよう」と、松浦を押し倒すようにして、カーペットの上に横たわり、真っ赤に汚れたTシャツを脱ぎ、タオルケットにくるまる。

「どうしたらいいんだろうな」というため息とともに、松浦の唇が康子の肩先に触れ、そのまま何をすることもなく、彼はいくぶん苦しそうな寝息を立て始めた。

康子は、指先でそっとタオルケットを剝《は》がしてみる。たくましい肩としなやかな筋肉のついた手足、安らかに上下するほどほどの厚さの胸と、引き締まった腹部。イタリアの古典絵画に描かれたエロスを思わせるきれいな体があった。

康子はふとこの体を作り上げた厳しい労働に思いをめぐらせた。

自分はこの体に惚《ほ》れているのだと思った。しかしこの体は、少なくともこの男の選び取った生き方を確実に映している。いや、生き方そのものかもしれない。ということは、この男の生き方に惚れているということか？

康子は枕元《まくらもと》の時計を見た。あと一時間ほどで、陽が昇る。

そしてまもなく、三十本のピュレと水煮を残して男は消える。

切なくなるか、淋しくなるか、それともほっとするのか、康子にはわからない。

つぎつぎに朱色のトマトの実りゆく畑の光景を思い浮かべると、男との縁が残れば残ったで、またわずらわしい。

さて、どうしようかと、思案しながら、康子はタオルケットをかけなおし目を閉じた。

離陸

紗織がテキストを広げている後ろで、ベッドに腰掛けた二人組が、ひそひそ話をしている。聞こえてくるおしゃべりは日本語。もう一人のルームメイトは、少し前に部屋から出ていったが、その彼女も三十代の日本人。紗織の入った留学生用の寮で同室になった四人は全員日本人だ。

ロサンゼルス郊外にある大学の付属語学学校に留学したのはいいが、ここまで日本人だらけだとは、想像もしなかった。

そのうえレベル別に試験で振り分けられたクラスでは、十五人のうち十二人が日本人という状態だ。こちらについては、紗織は自分は高得点を取り、ヨーロッパ系の人々の多いクラスに入れるだろう、と信じていた。いくらＴＯＥＦＬの結果が大学入学水準に満たないとはいえ、語学講座の中では、かなり上位にランクされる自信はあった。そして事実、紗織の英語力は上から二番目に分類された。ただしほとんどの日本人の英語力も、そのくらいはあっ

たのだ。文法、語彙《ごい》、読解といったペーパーテストの成績について日本人は、流暢《りゅうちょう》な口語を操る中南米や東南アジア系の人々や、ヨーロッパ人さえも凌《しの》いでいるのである。ちなみにレベル10の最上級クラスも、日本人が半数を占めていたという。

教室の折畳み椅子《いす》についた小さなテーブルの上に置かれているのはどれも英和辞典、黒髪と染めの茶髪が混在している教室の風景は、ECCかNOVAがそのままカリフォルニアに引っ越してきたようだ。これで講師まで日系人ならまるで公民館の成人講座だが、その点もまた日本人の好みを反映したかのように、一人を除いて全員が白人だった。

その一人というのが、ミズ・ラタナーヤカというインド人のリーダーの講師で、初めての授業で太った彼女がサリー姿で教室に入ってきたときは、みんな度胆《どぎも》をぬかれた。もちろん国籍はアメリカで、英語も完全なネイティブではあったが、そのいかめしい顔つきと堂々たる態度に、最上級カースト出身の誇りが漂っていた。フランクな感じの講師が多い中で、その威圧的雰囲気は異彩を放っていたが、厳しいのは顔つきと雰囲気だけではなかった。ミズ・ラタナーヤカは初日にいきなり学生たちに必読文献リストを渡したのだが、その量が尋常でなかった。しかも次回の授業では、それを読んだものとして授業を進めるという。紗織の語学留学の第一歩は、こうしてミズ・ラタナーヤカの出した大量の宿題に取り組むことから始まった。

幸い、寮は冷暖房完備で、机の位置や照明も勉強するには最適に造られている。林に囲まれた静かな環境も申し分ない。繁華街も遠い。つまり勉強する以外何もできないようにでき

ている。問題はルームメイトだけだ。

語学留学したのはいいけれど、授業もプライベートも日本人同士。挙げ句につるんで遊び回り、互いに足を引っぱりあって、英語力はさっぱりつかず、ブランド品を買いあさって日本に戻ってきた。

国内で流布されているそんな語学留学のストーリーが、自分のものになるのではないかという不安は、寮の同室者名簿を見たときにまずあった。

だがその思いは紗織だけのものではなかったらしい。ルームメイトの一人は三十過ぎの女性だったが、初日の自己紹介のときに彼女は自分の名字を名乗ったきり、どこのだれでどういう意図で留学してきたのかといったことは一切語らなかったし、紗織たちが話しかけても最小限の返事しかしなかった。

その彼女は先程まで一人で英字新聞を広げ、ときおり日本語のおしゃべりの聞こえる方向にとげとげしい一瞥《いちべつ》をくれていたりしていたが、三十分ほど前、ドアを叩《たた》きつけるようにして出ていってしまった。それにしてもいつも眉間《みけん》に縦皺《たてじわ》を寄せているこの彼女が他国の学生と話すとき、顔つきが別人のようににこやかになってしまうのは、嫌味を通りこして滑稽《こっけい》だった。

別のルームメイト、仕事にあぶれて留学してきた元派遣社員の女性は、格別その彼女と反りが合わず、何かと紗織に擦り寄ってきたが、たった今「あなたと話している時間はない」と、ごく当然の理由で紗織が追い払ったところ泣きだしてしまった。ばかばかしいので放っ

ておいて、紗織が宿題に精を出していると、残るもう一人の元商社のOLを相手に愚痴をこぼし始めた。

「どこへ行くにも日本人同士」のパターンにはまりたくないために、紗織もそれなりに努力はしてきた。授業終了後、部屋に戻らず図書館に行くようにしていたが、この元派遣と元商社の二人は、なぜか紗織についてくる。他のクラスのイスラエル人留学生に声をかけカフェテリアでお茶を飲んでいれば、「紹介して」と隣のテーブルにやってくる。

そして留学十日目のこの日、紗織はここの大学のハウジングオフィスに行き、日本人ではなく他国の学生と同室にしてくれるようにとレジデンスディレクターに掛け合ってきた。しかし得られた回答は、「原則として、ルームメイトは違う国の学生にするように配慮している。しかしときには、日本人同士が集まってしまうことがある。理由は日本人の絶対数が多いからだ。もし不満があるなら、あなたはホームステイをしたりアパートを借りたりすることができる」というものだった。

そう、「できる」のだ。彼らの言い方は、決まって「できる」だ。文句言ってる暇があったら、自分で解決すべく努力せよ、ということだ。

紗織は読みかけのテキストを閉じて机の前を離れると、例の日本人大嫌い症候群の女性が置いていった新聞を広げた。

「ルームメイト募集」の広告欄に目を凝らす。ここが嫌ならアパートを借りればいい。もちろん家賃は数人でシェアした方が助かるし、望み通りこちらの国のルームメイトをみつけれ

ば、留学生活はさらに充実したものになる。

広告のごく小さな枠内に記載されているのは、たいていは相手の名前と、住所と、電話番号のみだ。ルームメイトといっても、アパートメントの一部屋に複数で住むケースもあれば、一軒の家のいくつかの部屋を数人で分け合うこともあり、形態はさまざまだ。古い家か、新しい家か、相手がどんな人物か、その広告からだけではわからない。

紗織の条件は、二つだ。家賃の負担分が月三百ドル以下であること、キャンパスに徒歩で通えること。広告からは家賃の額はわからないが、距離については住所から見当がつく。しかしこれがなかなか難しい条件だった。たいていは大学から車で三十分ほど離れた住宅街の物件だ。しかしこちらは日本ほど公共交通が整備されていない上、治安もよくないので、キャンパスからあまり離れた所には住みたくない。

一件だけ、歩いて二十分ほどの物件があった。

相手の名前は「ＯＰＰＡＴＡ　ＨＯＫＡ」。

なに人だろう、と紗織は首を傾げた。アフリカ系の人か、あるいはアメリカインディアンかもしれない。それならそれで面白そうだ。紗織は一階にある公衆電話のところに走り、書いてある番号に電話をかけた。しかし相手は出なかった。

翌日から、朝起きてルームメイト募集の広告に目を通すのが紗織の日課になった。そうすると、他にいくつか適当と思われる物件がみつかった。しかし電話してみると、家賃が高すぎたり、男性のルームメイトと１ベッドルームをシェアしたりというものだったりして問題

がある。

結局、四日後に再び「ＨＯＫＡ」氏のところに電話をしたのだが、今度はお話し中だった。さらに三十分後に電話をしたが、まだお話し中だ。業を煮やして、紗織は記載された住所に直接行ってみることにした。お話し中ということは、だれかがいるということだからだ。もしも数人で住んでいるのなら、新聞に掲載されたのは代表者の名前となる。「ＨＯＫＡ」氏がいなくても、ルームメイトの一人でもいれば話は通じるはずだ。

実際に足を運んでみると、そこは思いのほか地の利がいいというのがわかった。キャンパスに徒歩で通えるだけでなくバス路線があった。高級住宅地にはほど遠いが、さほど風紀は悪くない。一戸建とアパートの混在するごく普通の家並みの中に目指す物件はある。窓の小さな古い一軒家だ。真四角で倉庫のような外観と狭い敷地は、予想していた「ウェストコーストの民家」のイメージとはかけ離れている。しかもあまり清潔そうではない。

木製のドアをノックすると、鎖をかける音がしてドアが細く開いた。

真ん丸い顔がのぞいた。紗織の顎《あご》くらいの高さに、男の顔があって、紗織を見上げていた。丸いという印象は、その顔の輪郭だけではない。坊主頭の丸さ、セルロイドの茶色の眼鏡のフレームの丸さ、そして着ているＴシャツの胸には日の丸。

東洋人だ。日本人かどうかはわからない。西海岸には東洋系の人々が多いし、日の丸も単なるファッションにすぎない。

紗織は、自分の名前を言い、新聞広告を見て、ここに来たことを告げた。

「はい、どうぞ」

返ってきたのは日本語だった。

「中、見て」と相手は素早く鎖を外しドアを大きく開けて、紗織を招き入れる。

広告にあったHOKA氏はどこにいるのだろうと、紗織は室内を見回す。玄関からすぐに居間になっている。フローリングの床に、木製の壁。なんだかサウナみたいだ。真ん中に大きなテーブルが一つあって、その上にNECのノートパソコンが載りモデムに繋《つな》がれていた。電話がずっとお話し中だったのは、通信をしていたせいらしい。

「ここが共有スペース。それでこっちは、僕が使ってるんだ」と男はドアの一つを指差し、それから反対側のドアを開けた。

「ここの部屋は、最近空いたんで、ルームメイト募集の広告を出した」

ベッドルームはこの二つしかない。

「広告にあったホカさんという方は、どの部屋を使っているの」と紗織は尋ねた。

「ホウカは、僕だけど」

紗織は驚いて、目の前の男の顔を見た。

「どういうこと?」

「法律の法に、ハナって書いて、法華。寺の家系なんで」

「じゃあ、あなたも留学生」

「ま、留学っていえば、そうかな」

「じゃ、オーパとか、オッパとかいう人は……」

「僕、オッパタ。甲乙の乙に、畑《はたけ》」

「オツハタさん？」

「いや、オッパタって読むの」

広告の主は、乙畑法華という日本人留学生だった。ここにも日本人。なぜ太平洋を渡って、日本人が大挙して押しかけてくるのだ？

自分のことを棚に上げ、紗織は憤慨していた。

乙畑は、彼が使っている部屋のドアを開けた。さほど広くはない。狭いベッドの脇《わき》に机が一つ。その隣に本棚。積極的に見ようとは思わなかったが、そこにびっしり並んでいる「丸」という雑誌や「軍用機メカシリーズ」などという本の背が目に飛び込んできた。「大日本帝国海軍史」「兵器事典」などという分厚い本もある。

カバーのかかったベッドの上や机の上に置かれているのは、おびただしい数の戦闘機や戦闘爆撃機の模型だ。さらに古びたモスグリーンのヘルメットが、宝物のように枕元《まくらもと》に飾ってある。

軍事オタクだ……。

紗織は、乙畑の姿を上から下まで、無遠慮に見た。さすがに迷彩色のシャツは着てないが、渦を巻いた分厚いレンズの眼鏡に、日の丸のTシャツ。ブルージーンズは、短い足に合わせて断ち切ってあるが、切り口から糸がぼろぼろになってぶら下がっている。ベルトは学生ズ

ボン用の黒の合皮ときている。

長居は無用、と瞬時に判断した。

「僕、飛行機が好きなんだ。それで会社を辞めて、ここに免許を取りにきた」

乙畑は、傍らのＦ14の模型を取り上げ、紗織に見せる。

「そうですか」と紗織は背を向け、部屋を出る。オタクは追い掛けてきた。

「小さい頃、僕、父に横田基地に連れていかれて、イーグルを見たんだ。あの銀色の機体と音にね、めちゃくちゃ感激しちゃって。ああ、いつか乗ってみたいなぁと……あ、今、紅茶をいれるから」

「いいです」

「遠慮しないでいいよ。僕も一息入れようと思っていたところだから。僕、今、固定翼の事業用操縦士の免許を取りにここに来てるの。自家用免許なら一昨年取っちゃったからね。報道関係のパイロットになりたいんだ。本当はハリヤーに乗りたいんだけどね」

「映画でシュワルツェネッガーが乗ってたやつね」

「そうそう。戦闘爆撃機もいいんだよな。でも乗れるチャンスないもんな。湾岸戦争のあの映像、覚えてる？　Ｆ１１７がバグダッドに向かって飛んでいくんだ。うー、くそ、いいなあ、なんてテレビの前で泣いちゃったよ」

紗織は、視線を合わせないようにして玄関に後ずさる。

「今度、セスナでよかったら乗せてあげるよ。近くに空港があるから」

「けっこうです」

「僕、航空自衛隊に入りたかったんだ。友達は入ったけど、僕は近眼がひどいのと背丈がちょっと足りなくて無理だった」

甲高い声で乙畑は話し続ける。

「ええと、それはそうと、ここはトイレと洗面所、台所は共同なんだけど、炊飯器は僕が日本から持ってきたんで、勝手に使っていいよ」

「いえ、ちょっと……」

「何か、気に入らない？　この家」

「ええ、まあ」

「残念だなあ。もっとも女の子って、もっと広々としたテレビディナーの宣伝に出てくるような家がいいのかなあ」

「そうね」

「停留所まで送っていくよ」

「いえ。いいです」

ぽかんとしている乙畑を振り切って、紗織は逃げるように家を出た。

日本人、それもよりによってオタク。新築プールつきの豪邸、家賃月十ドルでいいと言われたって彼と二人では嫌だ。

すごすごと寮に戻ってみると、日本人大嫌い症候群の女性が自分の荷物をまとめていると

ころだった。

「引っ越しですか？」と紗織が尋ねると、「お世話になりました」と木で鼻をくくったような答えが返ってきた。

「どっか、いいところがあったんですか。アパートか何かですか。ルームメイトとかは、いるんですか？」

相手は荷造りする手を止め、紗織を一瞥した。

「ごめんなさい。あまりプライベートなことを聞かれるの、好きじゃないの」

それだけ言い残すと、彼女はスーツケースのキャスターの音も軽やかに、部屋を出ていってしまった。

「なに、あれって」

入れ違いに入ってきた元商社が憤然として言った。

四人部屋に空のベッドが一つできて、そこにだれかが入るということもなく、一週間がたちまち過ぎていった。

紗織は新聞のルームメイト募集の記事で部屋探しを続けていたが、宿題や行事が重なり、今度はなかなか家を見にいく暇がない。

いつのまにか九月も下旬に入っていたが、季節感はない。寮の窓から見える丘に一点の緑もないのは冬枯れの景色を思わせるが、実は乾期のせいで、気温は三十度を超えている。湿度が極端に低いので不快感はないが、温度計を見てあらためて驚く。

一方、留学も三週間目に入り事態は急激に悪化しつつあった。

まず第一に、みんな授業に慣れてきた。初めのうちこそ、宿題をこなすのに図書館に通いつめ、部屋に戻ってきてからも枕元のスタンドで辞書を引くような日々を、それぞれに送ってはいた。しかしこの頃になるとノートを貸し合ったり、分担して日本語訳を作ったりして、適度に手を抜くコツを身につけてきた。そうした手抜きの技術も身につけられなかった学生の中には、完全に脱落していく者も出てくる。

また、留学したからには他国の学生と友達になろうと、初めは張り切ってきた人々も、自分の名前や、日本の紹介といった、初心者レベルの英会話で可能な一通りのコミュニケーションを終えた後は、外国人とつきあうのがだんだん苦痛になり、疲れを感じてきたらしい。自然に日本人同士でかたまるようになっている。

授業の空気も何かふぬけたものになってきたが、大学の外国人向け語学講座というもの自体、たいていは営利目的で開設されているために、さぼったからといって退学させられることもないし、教師も怠惰な学生を特に咎《とが》めることもない。もちろん単位も卒業資格もないから、授業に出なくてもいっこうにかまわないのだ。

午後からの自由時間を図書館で宿題をして過ごす学生の数も、めっきり減ってきた。

紗織が一人で辞書とリーダーを積み上げていると、同じクラスの日本人から声がかかる。映画を見に行くこと、郊外のアウトレットにバスを乗り継いで買物に行くこと、ガイドブックに載っていた店にパンケーキを食べにいくこと。それらがすべてアメリカの生活と文化を

肌で感じるということで、図書館や教室で勉強をしているのでは、駅前留学と変わらない、というのが、彼らの論法である。

そんなことで、紗織の身辺の学生たちは留学情報誌などで流布されている「日本人同士つるんで遊び回る」の定式に確実にはまっていきつつある。

今のところ、紗織は孤立して勉強に精を出しているが、この状態が半年も続いたら、自分も彼らの仲間入りしてしまいそうで怖い。

寮から真っ先に出ていった三十代の女性の判断はやはり正しかった。

あれ以来、紗織も部屋探しに奔走しているが、切羽詰まるとますますみつからない。

寮の部屋にぽつんと置かれた空のベッドに、さまざまな人がやってくるようになった。

紗織の部屋は、元商社と元派遣の仲間の溜《たま》り場《ば》になりつつある。自分の勉強があるときは、紗織は彼女たちに、「邪魔だからロビーに行って」と帰ってもらうが、何も言わないといつまでも五、六人で群れていて、翌朝は床に菓子の袋や紙コップが散らばっているという有様だ。

業を煮やして、この部屋にルームメイト以外は入れないようにと、他の二人に申し入れをしようとしたその日、見慣れない顔の三十代半ばくらいの女がやってきた。オークル系のファンデーションと、細く弓形に描いた眉《まゆ》、強いアイメイクから、こちら在住の人というのが一目でわかった。

「大学の先輩で、蓬田《よもぎだ》さん。今、こっちの会社で秘書をされてるんですけど、前は自分で翻

訳とかしてて、本も出してるんですよ」

元商社が紹介した。

「翻訳？」

紗織は思わず身を乗り出した。こちらの国に来て、英語で食べている人だ。こういう日本人なら大歓迎だ。

「どんなものを翻訳されたんですか？」

「いろいろよ。絵本から始まって、小説とか」

「出版関係の会社にお勤めなんですか」

「いえ」

「それでは、アメリカの文化とかを理解するために、こちらの会社にお勤めになってるんですか？」

紗織は矢継ぎ早に質問する。

その蓬田という女性は醒《さ》めた笑いを浮かべた。

「あなた、翻訳で食べていけると思う？」

「あの、私も、下翻訳をやっているんです」

「翻訳で生活できる人は、ほんの一握りよ」

「わかってます」

「で、あなたはなにやりたいの？」

「フィクションでも、ノン・フィクションでも……」

「つまり商品取り扱い説明書の類は嫌なわけね？」

「はい」

蓬田は首を振った。

「一冊、翻訳するのに何ヵ月もかかって、ようやく終わって出版社に持っていったのはいいけど、いつまでたっても出版されないなんてケースはいくらでもあるのよ。たとえされたにしても、部数が少ないし。自分自身の満足のためにやっているみたいなものよ。それで食べていけるなんて、考えないことね。それともだれか強烈に惚《ほ》れ込んだ作家でもいる？」

いきなり尋ねられ戸惑った。

「それは……アリス・ウォーカーとか……」

「定評のある翻訳者がいるわね」

「分野、違いますけど、アン・ライスなんかも読みます」

「あなた迷っていたけど、本当に原文で読んで、是非自分の訳文で出したいと思う人いないの？　そういう人を自分で見いだしたいとか思ってないの？」

紗織は返答に詰まった。何人かの女性作家をすてきだと思った。翻訳家という職業もすてきだと思った。英語も好きだ。しかしあらためて尋ねられると迷う。いったい翻訳することに何を求めているのか？　何を翻訳したいのか？　結局、自分は何をしたいのかよくわからない。

「私の場合、本は出したけどそれでは生活できなくて、結局こっちの会社で働くことになったのよ」

「何の会社なんですか？」

「工作機械の特殊部品製造会社。日本に輸出しているんで、私はそちらのセクションの窓口になっているの。日本の会社の担当と、こちらのボスとの橋渡し役。一言で言えば、双方の苦情処理係。貿易摩擦以前に、小さな文化摩擦がたくさんあるから。仕事はハードよ。仕事以外にも、日本からきた客を休日にゴルフに連れていくなんてことは、日本人でなきゃできないし、しかも女性だからいろいろ重宝されてるわけ」

頭がくらくらとしてきた。蓬田の引き締まった顔には、よく見ればどことなく疲れが滲《にじ》んでいる。

英語で食べていくというのは、想像以上に苦労の多いことかもしれないと、今更ながら紗織は思った。

蓬田にしてみれば、「甘いこと考えてちゃだめ」と若い日本人の女の子たちに言いたいのかもしれない。しかしここに来てまで、日本企業のオヤジの相手というのは、ぞっとしない。話を聞けば聞くほど希望を失ってきた。

事件はその翌日に起きた。

ミズ・ラタナーヤカのリーグーの授業のときのことだった。必読テキストの分量は初めのうちよりも、さらに増えてきた。あらかじめ読んでおかなければついて行かれない授業に、

学生はつぎつぎと脱落していった。授業に出てこない学生、出てきても座っているだけという者が増えていく中で、紗織はなんとか宿題をこなしていた。

気さくな白人教師が多い中で、ミズ・ラタナーヤカの煙たさ、厳しさは学生たちの不満の対象になり、やがて的外れな批判や揶揄《やゆ》の対象になっていった。

なぜここまで来て、こともあろうにインド人に英語を教わらなければならないのか。せめてスカートくらいはいてくれればいいのに、なぜサリーにサンダルで授業を行なうのか。サリーから出たミズ・ラタナーヤカの浅黒い腹や、破れたまま繕《つくろ》わぬサリーを見て、くすくすと失笑が起きる。ミズ・ラタナーヤカは、眼窩《がんか》の深い目で、そちらの方を一瞥しただけで、授業を続ける。

そのとき紗織の目の前を、すっとマニキュアの壜《びん》が通った。右隣の学生から左隣の学生に、それが手渡されたのだ。

ぷんと刺激臭が鼻をついた。下を向いて、左隣の学生が塗っている。右隣はすでに塗り終えている。左隣が紗織を中継しそっと壜を返す。「ごめんね、お願い」と紗織に小さく微笑してみせた。

「GO OUT」

そのとき頭上で声がした。ミズ・ラタナーヤカが、グリーンのサリーに合わせた、グリーンのティカのついた眉間に、縦皺を寄せ、立っていた。

両脇の学生が一瞬凍りつき、関係のない紗織も一緒に凍りついた。

「GO OUT」

もう一度、静かにミズ・ラタナーヤカは言った。両隣は真っ青な顔で立ち上がり、テーブルの上の教科書をバッグにつっこむと、うろたえた様子で出ていく。ミズ・ラタナーヤカは去らなかった。紗織を見下ろし、片手で紗織の椅子についている折畳み式テーブルを叩いた。そして出口を指差す。

「私は彼女たちとは、関係ない」と紗織はとっさに言った。ミズ・ラタナーヤカの表情は変わらない。指先でこつこつとテーブルを叩き、出て付けと続ける。

「私は彼女たちの仲間ではない」と自分の両手を突き出し、爪《つめ》を見せる。ミズ・ラタナーヤカはぴたりと紗織に視線を合わせたまま、首を横に振る。問答無用というやつだ。

抗議が聞き入れられず、憤然として席を立ちデイパックを担いで立ち去ろうとしたとき、呼び止められた。

「忘れ物です」

ミズ・ラタナーヤカは、初めて日本語を使った。驚くほどきれいな発音だった。破れたサリーや突き出た腹を笑っていた学生たちの言葉は、すべて理解されていたのだ。にこりともせずに、ミズ・ラタナーヤカは光沢のある深紅色のマニキュアの壜を紗織に手渡した。エリザベス・アーデンの新色だった。

茫然《ぼうぜん》として紗織はそれを受け取った。そして教室を出るや否や、紗織は叩きつけるようにそのエリザベス・アーデンをくず籠《かご》に放りこんだ。

なぜだ？　と思った。語学留学の実態はある程度わかっていた。だから自分だけはそうなるまいと思ったし、努力はしたのに、否応なく怠惰な空気に巻き込まれていく。図書館に行く気にも、寮に戻る気にもなれない。紗織は大学の門を出た。繁華街に出る気にはますますなれず、その反対方向の幹線道路を歩き始めた。当てはない。いらつくままに驚くほどの早足で歩いた。まもなく町はずれに出ると、住宅も店もなくなった。両脇は赤茶色の岩と土だけだ。からからに乾いた地面に、草が黄色く枯れて張りついている。冬に向かって、大地は緑に覆われていくが、今、この時期、焼けつく太陽と乾燥した空気の下で、草はからからに乾いている。平坦《へいたん》な大地の真ん中を、アスファルトの道路が貫いている。

抜けるような青空に、一点の雲もない。ふと自分は何をしにここに来たのか、と、迷いとも後悔ともつかない気持ちが、わき起こってきた。

何をしても日本ではうまくいかなかった。四年間、保険会社のオフィスで無為な時間を過ごした。下翻訳などという不本意な仕事もした。そしてとうとう日本を飛び出した。もしかすると逃げ出したのかもしれない。しかし日本はついてきた。

何が悪かったのか、と青空を見上げる。黒を帯びるほどに深い青……。

何かが中途半端なのだ、という気がする。

自分は何をしたいのか？　翻訳？　なぜ翻訳の仕事をしたいのか。英語で食べていきたかったから。

なぜ英語でなければならないのか。

アメリカを好きだから。イギリスでも、オーストラリアでもなく、もちろんヨーロッパの他の国でもなくアメリカが好きなのだ。

幼い頃から、身辺にアメリカの文化があった。家が大使館の近くということもあり、近所にはアメリカ人が多く住んでいた。母の友達も、父の仕事仲間もアメリカ人が多かった。よく母のもとに遊びに来たラジオジャパンのアナウンサーの輝く赤い髪を、子供心にもきれいだと思った。コーヒー色の目を見開いて、ゆっくりした英語で話しかけてくれる彼女を紗織は大好きだった。

父の知り合いのアメリカ人ジャーナリストの家に行くと、分厚いパイや鮮やかな色のクラッシュドゼリーがおやつに出た。ぜんぜんおいしくない手作りのおやつだったが、なぜか楽しみだった。陽気なママと、少し乱暴者の兄弟、彼らと一緒に行ったキャンプもいい思い出だ。大らかでフェアなアメリカがそこにあった。

もちろんそれがアメリカの一部の人々、白人知識階級の文化に過ぎず、しかも自分が接して来たのは親日家の人々ばかりだったというのは、大きくなるにつれてわかってきた。

現実のアメリカは遥《はる》かに多様で、東洋人に対する差別意識は厳然としてあり、しかも病んでいる。しかし不健全な部分や、まずい食事も含めてアメリカを好きなのだ。あの軍事オタク、乙畑が湾岸戦争のおり、バグダッドに向けて出撃していく爆撃機の映像を見て感激したように、理屈ぬきの熱い思いがあった。しかしその思いは、今、冷たい灰色の霧に閉じこめ

られてしまった。

紗織は飛ぶように歩いていた。

ここで尻尾《しっぽ》を巻いて逃げ帰ったらおしまいだ。そうは思ってもどこにも希望はない。陽射《ひざ》しがまぶしい。気温は高いはずだが、あまり暑さは感じられず、肌はさらさらしている。いくら歩いても隣町は見えてこない。ときおりゆるい起伏に視界が遮られ、そこを越えても、同じような光景が広がっているばかりだ。

ここはアメリカだ、と思った。

振り返ると、すでに町は見えない。同じような風景が広がっているだけだ。

ときおり、トラックが猛スピードで脇をかすめ、追い越していく。

ふらりとめまいを感じたのは、しばらくしてからだ。喉《のど》の渇きはなかったが、唇ががさがさになって、舌がねばついている。

何かないか、とデイパックを下ろし、中を見る。リップクリームはあるが、飲み物と食物はない。

背中が妙にごわついている。手をふれ、Tシャツの生地をつまんで脇から見て、ぎょっとした。

真っ白に塩を吹いている。知らないうちに発汗していたのだ。空気が乾燥しているので気づかなかっただけで。

頭が熱い。頭だけではない。全身が熱くて、だるい。目の裏が刺すように痛み出した。し

まった、と思った。

脱水症と日射病だ。

戻らなくてはと思ったが、いったいどのくらい歩いたのか。時計を見ると、一時間半がたっていた。腹を立てて飛ぶように歩いたから、十キロ近く来ているかも知れない。途中に店はない。コーラの自動販売機もない。すれ違う人もなかった。

だだっ広い道がどこまでも延びているだけだ。

愕然《がくぜん》とした。

ここはアメリカだ、間違いなく。

そのとき背後から、重たい排気音が聞こえてきた。トラックがやってくる。

手を上げて停《と》めようと思い、ためらった。

「危険がいっぱい、OL留学。無謀なヒッチハイクの末の惨劇」という週刊誌の見出しが目に浮かぶ。

もちろん良いドライバーがほとんどなのだろうが、ここは砂漠の真ん中の一本道だ。強姦《ごうかん》された挙げ句、両足のアキレス腱《けん》を切られて砂の上に放り出されたって、文句は言えない。ここはアメリカだ。

鈍い頭痛とともに、ときおり暗くなる視界で、トラックの方を見る。少しスピードを緩めたトラックの窓から、ドライバーが首を出し、紗織に向かって何か言い、口笛を吹く。親指を立てて「乗せて」と叫ぶ度胸はなく、紗織はやりすごす。

どちらに向かうか迷った後、紗織は引き返すことにした。太陽のまぶしさが増したような気がする。路面は白く焼け、自分の影だけが足元に黒くコールタールのように貼《は》りついている。一歩踏み出すごとに、ずきりと頭が痛んだ。

もしもあのトラックに乗せてもらっていれば、と思った。冷房の効いた車内。そして日陰。もしかすると、コーラくらいあったかもしれない。危険の小さな可能性より、確実に日乾しになることを選んでしまった。

この次に車が通りかかったら、躊躇《ちゅうちょ》せず乗せてもらおうと、遠くに目を凝らすが、いっこうに車が近づいてくる気配はない。

食事はサラダだけなのに、バケツのような容器でコーラを飲むカリフォルニアンをばかにしていたのに、今、紗織はそのバケツに首を突っ込んで、コーラを飲みたいと痛切に思った。

うつむいたまま歩を進め、ふと顔を上げたとき、アスファルトの起伏した道の向こうから、人がやってくるのが見えた。人というよりは、その胴体に括《くく》りつけたコーラの大型容器がまっさきに目に入った。ついに幻覚を見た。

あのオタクがやってくる。やはり幻覚らしい。坊主頭、分厚い眼鏡、ジーンズ。Tシャツの胸にあるのは、今日は日の丸ではなくティラノサウルスの顔。さらに首に浴用タオルを巻いている。短い足を忙《せわ》しなく動かし、その姿は近づいてくる。そしてしゃべった。

「あ、このあいだの……」と。

幻覚ではない。その腰に括り付けられたコーラの容器を紗織はみつめた。喉が鳴った。

「すいません、それ、くれませんか？」

「はあ？」

「それを飲ませてください。後で返しますから」

「返すって、飲んだものをどうやって返すの……まあ、いいけど」

乙畑の差し出した容器をひったくるように受け取り、紗織はむさぼるように飲んだ。

「いったいどうしたの？」

ぽかんとして、紗織の様をみつめながら、乙畑は尋ねた。

「ちょっと散歩に出たんだけど、日射病にやられたらしくて」

容器の中身をあらかた飲んでしまい、紗織はふうっと息を吐きながら答えた。

「ああ、意外に温度が高いから気をつけないとね。ここの気候に慣れるまでは帽子がいるよ」

乙畑は、自分の首から薄汚れたタオルを外すと、背伸びして紗織の頭に載せた。

「これで少しは違うはずだ」

「ありがとう」

「町に戻るよりは、この近くに飛行場があるから、そこまで行って一休みしたら？」

うん、と紗織は素直に従った。乙畑はこれからその飛行場に行き、飛行機に乗るのだと言

う。

「国内線？」

「いや」と乙畑は首を振った。

「練習飛行。ほら、事業用ライセンスを取ると言っただろう。空港にスクールがあるんだ」

道々、紗織は自分が教室を追い出されたいきさつを話した。乙畑はにこりともせずにうなずいた。

「マニキュアでよかったじゃない」

「どういうこと？」

「僕の友達は、マリファナだったよ。もちろんその場で退学、強制送還になった。本人は何もタッチしてない、巻き込まれただけだと最後まで言ってたけど、何せ弁明できる英語力がないからしかたない」

紗織は、身震いした。

二十分も歩くうちに空港についた。まわりが平坦な砂漠なので、どこまでが滑走路なのかわからない。

中央に管制塔のビル、少し離れて小さな整備場があってセスナやヘリコプターが十機近く駐《と》まっている。

乙畑は整備場に隣接した古びたビルを指差した。

「ここがフライトスクール。ウェストコースト・スポーツ・アカデミーっていう名前。つい

でだから中を見ていくといいや」と乙畑は開け放したドアから、中に入った。

アカデミーという名前に似合わぬがらんとした倉庫のような建物だ。2階のオフィスに小山のように太った金髪の若い女がいて、一人で書き物をしていた。

オフィスの隣は、カフェテリアになっていて、ベランダのビーチパラソルの下で、日本人とおぼしき若者が五、六人コーラを飲んでいる。紗織が抱いていたパイロット養成校のイメージからは少しかけ離れている。

そのとき外で、飛行機とも違うけたたましい音がした。土埃《つちぼこり》を舞い上げてヘリコプターが下りてくるのが、廊下のガラス越しに見える。

一機、その向こうにさらに一機がホバリングしている。

腹の底に響くローターのうなりと、風防ガラスに映り込んだ空の青さに紗織は息を呑《の》み、窓のそばに吸い寄せられるように近づいた。

「屋上で見るかい?」

乙畑が後ろで言った。

うん、とうなずくと彼はいったん外に出て、脇にある非常階段に紗織を案内した。

屋上に出ると、空中で静止しているヘリコプターが目の前に見えた。

思いのほか大きい。全長八メートルはあるだろう。紗織の立っているところからは、ずいぶん離れているはずなのに、ローターの巻きおこす風で髪が舞い上がる。

風を巻きおこしながら、流線型をしたゴールドメタリックの機体が、轟音《ごうおん》とともにそこに

ぴたりと止まったまま浮いている。迫力を通り越して神秘的な眺めだ。

「すごいね……」

紗織は言った。「えっ」と乙畑が問い返す。ローターの音で話し声などかき消される。

「すごいって言ったの」

「マクドネルダグラス500。小型タービンヘリだから、感心するほどのものじゃない。元はアメリカ陸軍仕様でOH－6っていうのと同じ。僕はハインドの方がいいな」

「きれい……」

「形が空力的に洗練を経ているんだ。空気抵抗がないように胴体を流線型にして、エンジンは胴体後部に傾斜してついてる」

乙畑の甲高い声が、切れ切れに聞こえる。その機体の大きさ、フォルムの美しさ、強烈な陽光を跳ね返す金色、そしてその轟音が紗織の五感を圧倒した。恋だ、と思った。いや、恋以上の脳天に突き抜けるような感動……。

「すごい……」

手摺《てす》りを握りしめて、紗織はくり返した。

「乗ってみたい？」

「うん」

「スクールに入る？」

「うん」

大して考えもせず、返事をしていた。

「この下が教室だけど」

乙畑は手摺りにしがみついている紗織のTシャツの袖《そで》を引いた。

「待って」

オレンジ色の作業着のようなものを着た男が二人、タンカのようなものを持って、ヘリコプターに向かって走っていく。

「何してるの？」

「見たとおり。トレンチャーを持ってるから、病人の搬送だよ」

「へえ……」

「おいでよ」

乙畑は紗織の手を引いて、建物の中に入っていく。ドアを閉めると急に静かになった。

やがて、野球帽に油しみだらけのつなぎを着た中年の男が現われた。ロビーの掃除でもするのか、と思って見ていると、乙畑に近づいてきた。

「こちら、日本から来た浅沼さん、僕の友達なんだ。このスクールに入ってヘリコプターに乗りたいそうなんで、見学と説明してやってください」

乙畑は、片言の英語で言い、つなぎの男を紹介した。ここのヘリコプターのチーフインストラクターで、ピート・マクナブという名前だと言う。

英語は理解できるか、と尋ねられ、紗織は「少しなら」と答えた。

「OK」

ミスター・マクナブは人なつこい笑みを浮かべてうなずき、先にたって廊下を歩き始めた。鉄の扉を開けると、滑走路の脇に出た。頭の大きいかとんぼのような形をしたヘリコプターが一機駐まっている。

「ヘリコプターに乗りたいか」とマクナブは尋ねる。

「はい」と紗織は答えた。しかし確か相手は、drive という単語を使った。単に乗るではなく、運転したいか、という意味なら、将来のことを尋ねられたのかもしれない。

紗織はその小型ヘリコプターに近づいていく。

ミスター・マクナブは、乗れというように右側のドアを開ける。まずは遊覧飛行ということらしい。

乗り込んでみて驚いた。左の運転席と同様のコックピットが、右側についている。つまり紗織の前には、いくつかのレバーや計器の類が並んでいた。マクナブが乗り込んできてシートベルトをするように指示した。左右の肩部分のハーネスに腰部分のベルトを通し、バックルでしっかり固定する。体全体がシートに括《くく》り付けられたような感じだ。

「定期点検のために、隣の飛行場にある整備場まで、このヘリコプターを運ぶ」とマクナブは説明しながら、無線の様子を確かめる。どうやら機体を運ぶついでに、見学者である紗織を乗せてくれるらしい。

しかし先程屋上で見たヘリコプターに比べ、これはずいぶん小さい。透明なプラスティッ

クでできたキャノピーと呼ばれる風防部分が足元まで回っていて、視界はよさそうだが、なんだか遊園地の乗り物みたいで頼りない。

「最初の訓練を開始する」

ミスター・マクナブは厳かに宣言した。

「訓練？」

「そう」

「冗談でしょ」と思わず紗織は日本語で叫んだ。

「プリフライトチェック、開始」

かまわずミスター・マクナブは続ける。

「すいません、私、まったく初めてです。地上訓練も、オリエンテーションも受けてませんし」

ミスター・マクナブは、斑点《はんてん》の浮いた灰色の目で、紗織を見た。

「君はヘリコプターの訓練を受けるために、スクールに入るんだろう？」

「ええ、でもオリエンテーションが、まだです」

「まず乗って、自分の手で動かすことから、すべてが始まる」

「そんな……まさか」

日本語でつぶやきながら、紗織は指示されるままにレバーやフットバーの類を確認していく。

「エンジンスタート」

「うそだ……」

何か夢を見ているようだ。ヘリコプターがどういうものかさえ知らない自分が、なぜいきなり飛ぶのだ？

燃料シャットオフバルブ、ＯＮ。

スロットル、二分の一インチ、開く。

燃料ブーストポンプ、ＯＦＦ。

スロットル全閉、二秒数えて再び八分の一インチ、開く。

スターター、作動。

ミスター・マクナブは、説明しながら操作していく。

エンジンのかかる音がして、機体が少し揺れた。

「うわっ」と思わずのけぞった。

左手のコレクティブ・ピッチレバーを下げて最低位置に固定。

サイクリック、中立位置へ。

ミスター・マクナブの説明が続く。

何がなんだかわからない。これで本当に空を飛ぶのか。こんな透明な窓で、足元まですかに見える乗り物で？

管制塔からのクリアランスが出た。

「コレクティブを引き上げろ、ゆっくりだ、ゆっくり」

「私が？」

紗織は左手でレバーを握った。恐る恐る引き上げていく。

「そうだ、それでいい」

体が椅子に押しつけられるような感じとともに、機体が浮いてくるのがわかった。やがて機体は、人の腰くらいの高さに浮いたままぴたりと静止した。

「どうだ、ホバリングの気分は。高度は三フィート」

「はい」

紗織は、足元の前方にある滑走路の路面に目を凝らした。わずか一メートル上がっただけなのに視界が開けた。

傾いている機体をミスター・マクナブはフットバーを踏み込みながら調整し、右手のサイクリック・スティックを軽く倒す。ヘリコプターは、同じ高度を保ったまま、ゆらゆらと前進を始める。今度は左右を確かめるように、ゆっくりと頭の向きを変え、元の位置に戻る。

「離陸する」とミスター・マクナブは言い、右手のサイクリック・スティックをさらに前方に倒す。

紗織は指示されるまま、汗でぬるぬるする手でレバーを引く。

急激に機首が上がり、機体が揺れた。紗織は悲鳴を上げた。ミスター・マクナブは落ち着いた動作で、フットバーやサイクリックを操作し、機体を安定させる。

足元に見える地面が、めまぐるしく後方に流れながら遠ざかり、目の前に青空が開けていく。

「君が離陸させた」

ミスター・マクナブは短く言った。

「はい」

眼下に見えていた空港が小さくなり、赤茶色の乾いた大地が視野一杯に広がっていく。茫《ぼう》漠《ばく》たる大地だ。

不意に、胸の中で熱い思いが弾《はじ》けた。

自分が求めていたものがわかりかけてきた。それは漠然とした英語力でも、キャリアを誇れる職業でもなかった。情熱をぶつけられる何か……。生きている証《あかし》となるものだった。ヘリコプターはスピードを上げて、砂漠の上を飛んでいく。やがて前方に緑の森と畑が現われた。赤茶けた大地の下には水脈が走り、あちらこちらに広大な緑の海を作っている。

ここが自分の人生の舞台となるのだ、と紗織は思った。決意ではない。幼いころからそう決まっていたような気がする。

今、翻訳家になるという夢自体が、何かおぼろげなものに感じられる。中途半端な夢だった。翻訳という形で、日本語と日本に執着する必要など、どこにもない。

キャノピーの向こうの空が青い。天井から足元まで、旅客機とは比べものにならないくらい広い視界。紗織はその空の青に包まれている。両手を広げて青空を抱き締めた気分だ。ま

もなくヘリコプターは方向を変え、巡航速度九十五ノットでまっすぐ西に向かっていった。やがて赤茶色の大地の向こうに、うっすらと海が見えてきた。

二十分ほどで隣の飛行場に降り、そこにあった整備を終えた別のヘリコプターに乗ってフライトスクールに戻ってきたのは、そろそろ日が暮れかけようとしたときだった。

事務所の椅子に腰掛けて、この日の訓練の終わった乙畑が一人で紗織を待っていた。

「やあ、どうだった？」

乙畑は紗織の姿を見ると駆け寄ってきて尋ねた。

「何かが見えたって気がする」

まだ半ば夢を見ているような気分で紗織は言った。

「うん、すごいだろう。地平線なんて、日本じゃ絶対見えないし、砂漠の景色ってものすごいロマン、あるよね」

乙畑はうなずいた。

「景色が見えたって話してるんじゃないのよ」

「じゃ、なに？」

「だから……」

他人に話すのが、もったいないような気がした。とにかく自分の人生の夢、探していた将来をようやく見つけた。

英語で食べていきたい、と確かに思い続けていた。しかし食べていくための英語は、所詮《しょせん》は人生の手段に過ぎない。その英語で何をしたいのか、ずっとわからなかった。わからないということがわからないまま、努力していた。

幼い頃、目にしたアメリカ文化への憧《あこが》れ、そして翻訳家という職業への憧れ……。何もかもが漠然とした憧れだった。憧れに引きずられてここまでやってきて、今、ようやく求めていたものに出会った。

自分の活躍の場はここしかない。

自分は今、ヘリコプターに恋をした。一目惚れだ。計算ずくで将来など決まらない。

「私、ヘリのパイロットになる」

「なれるよ」

乙畑は言った。

「背丈と視力で自衛隊に入れなかった僕でさえ、ここでは事業用免許がとれるんだもの」

「TOEFL460点の私だって、なれるよね」

「関係ないよ、そんなもん」

吐き捨てるように乙畑は言った。

「さっき見ただろう。病人の搬送をするのを。ここの空港には山火事消火用のヘリも発着する。ヘリの使い道は広い。農薬散布とか、報道とか、パイロットはひっぱりだこさ」

「私、ヘリの事業用免許を取って、この国で暮らす」

宣言するように、紗織は言った。

「うん。ただ、ヘリの操縦は飛行機なんか比べものにならないくらい難しいらしい。でもここでだったら、自家用免許は一ヵ月もあれば取れる。続けて事業用免許を取るなら四ヵ月しあれば楽勝だ」

「本当にそんな早く取れるの？」

「ここでならね。日本なんかで訓練を受けたら大変だ。授業料はすごく高いし、第一、必要もない地上訓練を何ヵ月も受けさせられる。それに教え方が恐いらしくって、飛行訓練もやたら時間ばかりかかるんだ。そのうえ空港がなかなか空いていないから、結局、何年もかかるんだ」

「まあ」

四ヵ月で、事業用免許が取れて、プロのパイロットになれるなら、このまま語学講座にいて漫然とカレッジの英文科を目指すよりはずっといい。

「ただね」と丁畑はつけ加えた。

「こっちで取った事業用免許が、そのまま日本で通用するわけじゃない。日本に帰ったら再訓練を受けて、日本の事業用免許を取らなくちゃならないんだ」

「いえ」

紗織はきっぱり言った。

「こっちで働きたいの。日本ではなくて」

「それなら問題ない。この国は女性パイロットの需要がすごく多いらしいし」

「なんで？」

「一つの職種で、男女比率や人種の比率を同じくらいにしようって動きがあるんだって。だから、同じ実力でも女でしかも有色人種の方が就職しやすいって、こっちに来るとき、日本のエージェントが言っていた。現にサンノゼあたりのフライトスクールでは、日本人の女性インストラクターが活躍している」

夢が膨《ふく》らむ。あのゴールドの機体と、ローターの発する重低音、そしてキャノピーの向こうに広がる青空と大地は、確実な手応《てごた》えを持って将来に結びついてきた。

「じゃ、行こうか」と乙畑は立ち上がる。

スクールから町まで、送迎バスが出ているという。駐車場に行くと日本製のマイクロバスが一台止まっていた。中に入ると甲高い日本語のおしゃべりが聞こえてきた。ここもまた日本人ばかりだ。まだ二十代前半、いや、十代とおぼしい男の子が多い。みんな日本のまんが雑誌を読みながらコーラを飲んでいる。

「彼ら、高校卒業して、こっちに来たんだよ。大学と違って入試はないし、親にしても大学行かせるより安上がりだから」

乙畑が耳打ちする。それで思い出した。

「授業料はどのくらいかかるの？」

「二百万くらいかな。それに事業用ライセンスを取るとなると、その倍で、四百万前後。た

だし日本のオフィスを通さないで、いきなりここのスクールに申し込むなら、もっとずっと安いはずだ」

費用の点は、今の英語の講座を今学期限りで辞めて、こちらに授業料を回せばどうにかなるだろう。もし足りなくなっても、パイロットの訓練校に入ったと言えば、親も資金を融資してくれるだろう。何しろ、今度は返済できるメドがあるのだ。

しかし語学学校を辞めるとなると、寮を出なければならない。今すぐ住む家が必要だ。

「私、やっぱりあなたの借りてる家に住む」

紗織は何の前置きもなく、乙畑に言った。

「助かるよ。家賃は月に二百十二ドルだから折半して百六ドル。共有スペースの掃除は一週交替。ご飯は一日交替で作るっていうんでどお?」

乙畑は驚いた様子もなく答えた。家賃は寮費よりずっと安い。これで自炊すれば経済的問題はすべてクリアできる。

来るとき、砂漠の真ん中で遭難したのが嘘《うそ》のように、スクールと町までの距離は、バスで走るとわずか十分足らずのものだった。その十分の間に、枯れ草のところどころ残る大地を濡《ぬ》れたようなオレンジ色に輝かせ、秋の陽は急速な勢いで落ちていく。

車窓に目を凝らしながら、紗織はようやく自分の進路が見えたことに満足していた。

二十七歳を目前にして、ようやく離陸しつつあるのだ。

翌日、語学講座の受講打切りの届けを出し、スーツケース二つとデイパック一つをタクシ

ーで運んだだけで紗織の引っ越しは終わった。乙畑は日本から持ってきた炊飯器で混ぜご飯を炊き、ジンジャエールで入学祝いをしてくれた。授業料を四日後に振り込み、翌週から、いよいよ紗織の大空に向けての滑走が始まる。

タッチ　アンド　ゴー

金曜日の午後、紗織はウェストコースト・スポーツ・アカデミーの授業料を振り込むために銀行にでかけた。

現金を用意して窓口の前に並んでいると、いきなり警報が鳴り渡った。銀行のロビーには、たくさんの客がいる。

警報は止まらない。しかし何の放送もない。誤報かな、と首を傾《かし》げていると、窓口に座っていたテラー嬢がさっと席を立ち、中に入ってしまった。カウンター内の人々も、手に手にハンドバッグを持って非常口に行く。客への説明は何もない。

ロビーにいた客も、ぞろぞろと外に出る。手続き途中の中年の女性客が一人、だれもいないカウンターの前で大声で抗議している。紗織も首を傾げながら、いったん外に出る。

そこに消防車が来た。消防士が中に入っていく。数人の客が、それに続いて中に入る。マネージャーとおぼしい男性が、何か説明している。数分して、消防車はサイレンを鳴らさず

に戻っていった。

誤報だったらしい。しかし再びロビーに戻った客へは何の説明もない。それだけではない。窓口が開かない。先程、手続き途中のままテラー係に逃げられた女性は、まだ何かわめき続けている。しかし窓口にはだれも座っていない。

客が騒ぎ出した。それでも相変わらず、銀行側からは何の説明もない。十数分した頃、ようやくマネージャーが現われた。

「警報が鳴ったので、現在、建物内部を点検中で、窓口業務はしばらく待ってほしい」と言う。いったいどのくらい待ったらいいのか、説明はない。当然のことながら、謝罪の言葉もない。

日本ではないのだからしかたない。こういうことにいちいち腹を立てるというのが、日本人なのだ、と考えながら、紗織は窓口が開くのをじっと待つ。しかしいつまで待っても開かない。少しずつ客が帰っていく。きょうが支払い期限なのにどうしよう、と途方にくれながら紗織はそれでも待つ。そうこうするうちに入り口のシャッターが、閉まり始めた。どういうこと？　と首を傾げていると、ガードマンがやってきて、営業時間が終了したので出てくれ、と言う。

「ちょっと、待ってよ」

思わず叫んだ。

「さっきから、窓口が開くのを待ってるんだから。マネージャーは、待っててくれって言っ

たのよ」

大声でまくしたてる。

ガードマンは、「とにかく閉店だ」と時計を指差す。

「私は、今日中に振り込まなければならないお金があるのよ。それでさっきからここで待たされているんだから」

「それはマネージャーに話してくれ」

紗織は慌てて窓口にかけよる。

「マネージャーと話したいんですが」

「いません」

忙しそうに、女子行員が答えた。

「ちょっと、困るのよ。どこに行けば、彼に会えるの？」

「私にはわからない」

女子行員は答える。カウンターの中の人々は、こちらに一瞥《いちべつ》もくれない。

ここは本当に銀行か、と思った。

怒りより、無力感に捕らえられた。

だれにも相手にしてもらえず、払い込むはずだった現金をバッグに入れたまま、紗織は外に出た。

自分には合わないと決めてかかっていた、日本という国の便利さ、親切さをあらためて思

い知らされる。あまりにも懇切丁寧で、かゆいところに手が届くような社会で生まれ育ってしまった自分自身に、少し不安を覚えた。

入学手続きは完了したものの、授業料を払いこめなかったら、来週の第一回目の授業に参加させてもらえるのだろうかと、不安になりながら家に戻った。

乙畑は、まだ帰っていない。この日はタッチ・アンド・ゴーという、離発着を繰り返す訓練をするということだ。航空機の訓練というのは、離陸から始まるわけではない、というのを紗織は乙畑から聞いて初めて知った。初めての実技訓練は、インストラクターがあらかじめ離陸させ、上空で安定した飛行状態に入って行なうのだという。その状態で操縦桿《かん》を握り、一通りのことができるようになってから、高度な技術が要求される離陸と着陸の訓練をするそうだ。

乙畑は定期的にこの訓練をしているらしい。少し乗らないと、特に着陸のときの勘が鈍ってくるという。

この日の夕食当番は紗織だったので、銀行の帰りにセーフウェイで肉を買ってきた。それを焼き、バーベキューソースをかけ、缶詰の豆を開けて添える。生野菜を切って市販のドレッシングをかければ終わりだ。乙畑のようにご飯を炊いたり、煮物を作ったりなどと面倒なことをする気はない。

明日の朝のコーンフレークスも買ったし、ミルクとオレンジもある。

一通りの準備を終えた後は乙畑を待ちながら、家族にはがきを書いた。アイゼンハワー大

学に留学している中村さんにも、メールを出したかったが、こちらは乙畑のパソコンを借りなければならないので、帰ってくるまで待っていなければならない。

しかしいつまで待っても、乙畑は帰ってこなかった。

電話くらいすればいいじゃない、と独り言を言いながら、待ちきれないので先に食べた。自室に入って新聞を読み終え、フライトスクールの案内書と、簡単な英語と日本語で書かれた薄いテキストをぱらぱらと読む。

午後の八時をとうに過ぎても、乙畑が帰ってくる気配はない。

玄関の鍵《かぎ》の開く音がしたのは、ベッドに腰掛けてテキストを読み返しながら、うとうとしかけた頃だった。出迎える義理もないので、そのまま再びテキストに目を落としたそのとき、奇妙なことに気づいた。

足音が違う。乙畑の、いくぶんすり足気味の忙《せわ》しないスニーカーの音ではない。鋲《びょう》の打ってある靴底が床に当たるリズミカルな音……。

乙畑でない何者かがこの家の鍵を開けて入ってきた。

息が止まった。電話は、この部屋にはない。たとえあったとしても、警察に通報してパトロールカーが来るまでの間に命がなくなっているかもしれない。

乙畑の部屋のドアの開く音がする。忙しなく室内を物色している気配だ。紗織は息を殺して、鍵穴からそっと覗《のぞ》いた。

ジーンズにポロシャツ姿の男が、スポーツバッグを片手に乙畑の部屋から出てきた。どろ

ぼうだ。この部屋にも侵入しようとするかもしれない。

紗織はベッドの向こうにある窓をとっさに開けようとした。しかし観音開きの窓は開かない。よく見ると大きな鍵がついていた。それを開けようとしたが、錆《さ》びついていて開かない。力任せに引っ張ってみると、金属の触れ合う大きな音がした。

外の足音が止まった。

ひっ、と小さな悲鳴を上げてガラスに張りつく。

ドアがノックされた。

二回、三回……。

「ハロー、ハロー」

男の声がする。

「すいません」

日本語だ。

「すいません、乙畑のルームメイトの方ですか」

かちりと音を立てて、窓の鍵が外れた。勢いよく開けて逃げ出そうとしたとき、ドアの向こうの声が叫んだ。

「すいません、聞いてください。乙畑が怪我《けが》をして入院しました」

窓枠の上に振り上げた足を止めた。慌てて扉の方に行き、ノブに手をかけたが、躊躇《ちゆうちよ》した。罠《わな》かもしれない。相手が日本人であっても油断は禁物だ。

「訓練機が落ちたんです」

「なんですって」

弾《はじ》かれたようにドアを開け放していた。

中肉中背の鷹《たか》のような眼差しの青年が立っていた。そして紗織を見たとたん、瞬《まばた》きした。

「女……？」

それから気を取り直したように、早口で言った。

「入院先は、飛行場の先です。僕は彼に頼まれて着替えや身の回りのものを取りにきたんですが、あなたも病院に行きますよね。車に乗ってください」

「あの、生きてるんですか？」

「ええ、だから僕が頼まれたんです」と男は、鍵を見せた。確かに乙畑のものであるゼロ戦の形のキイホルダーがついている。

「飛行機で落ちて、生きてるんですか？」

「運が良かったのでしょう」

男は短く答え、外に出ると、車のドアを開け、紗織に乗るように言った。

「肋骨《ろっこつ》を折って、肩を脱臼《だっきゅう》してます」

夜の住宅街を走りながら、男は説明した。

「それだけ？」

「内臓や脳が無事かどうかは、これから検査するそうです」

それから男は、自分は高森という名で、乙畑とは中学校以来の友人であること、二人とも飛行機が大好きで、自分の方は現在アリゾナにある航空学校に通っていることなどを話した。この日、たまたまカリフォルニアにある飛行場から訓練機をその航空学校に運ぶアルバイトを引き受けた。そこでこちらに来たついでに、乙畑と会う約束をしたのだと言う。

しかし約束の時間が過ぎても待ち合わせ場所のカフェテリアに乙畑が現われないので、フライトスクールに電話をし、事故があったことを知った。慌ててレンタカーで病院にかけつけてみると、乙畑は意外に元気で検査を待っているところだった。そして現金や着替えなど、身の回りの物が欲しいので、持ってきてほしいと頼まれたそうだ。

「いや、あなたのような人がいることがわかっていれば、まず一報を入れたものを。彼も照れ屋なのか、一言もふれなかった」

高森は言った。

「あなたのような人？」

紗織は聞き返した。

「いや……でも驚いたでしょう。いきなり僕が飛行機が落ちたなんて言い方したから。しかし乙畑も、まずあなたに電話をすればいいのに」

高森が言わんとしていることが薄々わかりかけてきた。

「あの、もしかして何か誤解してないですか」

とっさに紗織は尖《とが》った声を出していた。

「あ、そうですか、一つ屋根の下に住んでおられたので誤解しまして……どうも、失礼」と相手は言ったものの、本気でそうは思っていないのか、その表情からわかる。

「本当に、ルームメイトなんです。家賃をシェアして一緒に住んでるだけで、見りゃわかるでしょ、ベッドルームは別々なんだし」

紗織はむきになって叫んだ。

高森は慌てた顔をした。

「じゃ、もしかして、こんな時間に病院に連れていくのは迷惑でしたか。でも、まさか男と二人で同じ家に住むとは思わなかったから……」

「おかしいですか」

「いえ……こっちの女の子は平気みたいだけど」

「乙畑さんの行ってる航空学校、ウェストコースト・スポーツ・アカデミーに来週から入学することになったんで、たまたま一緒に住んでるだけです。家賃や食費を節約するために」

憮然《ぶぜん》として紗織は答えた。とたんにルームメイトの中の高森の顔が緊張した。

「君、あのフライトスクールの留学生？」

「ええ、ただし来週から」

「乙畑の飛行機が落ちたと聞いても怖くない？」

「落ちても死なないと、わかったんでかえって怖くないですね」

「ちょっと、後で話しておきたいことがある」と高森は言って、それきり口をつぐんだ。車はとうに住宅街を抜け、砂漠の真ん中の、明かり一つない道を猛スピードで走っていた。高森の沈黙の意味をはかりかねたまま、紗織は重苦しい思いでヘッドライトに照らしだされた白い路面をみつめていた。

病院は、フライトスクールからほど近いところにあった。乙畑はあまり清潔な雰囲気ではない小さな一人部屋にいた。検査の結果次第で、翌日から病室を移るということだ。両肩に包帯が巻かれて、まるでアメフトの防具をつけたように見えるが、顔色は悪くない。

「あれ、浅沼さんまで来たの？」と少し驚いたように言った。

「大丈夫？　飛行機で落ちたなんていうから、もう駄目かと思った」

「わりと平気なもんなんだよ」と乙畑は笑った。

「そりゃ、上空から落っこちれば僕だって無事ではすまないけどね。着陸しようとして、ちょっとしくじっただけだったから。車輪を折るなんて事故はしょっちゅうあるみたいだよ。訓練機は機体が軽いからさ、着陸に失敗してひっくり返っても、パイロットは案外無事なんだよ」

「いい加減にしろよ」

高森が怒鳴った。

「だからあんなところ、やめろと言ってるんだ」

「君の気にはいらなかったみたいだけど、僕にとってはあの学校、何の問題もないよ」

「大ありだろ。現に怪我してるじゃないか。次は死ぬぞ」

「ことが起こったとき、多少の怪我だけで切り抜けられるようにするのが、訓練だろ」

「万が一の危険性も排除するのが、鉄則だ」

紗織には男二人が何を言い争っているのか、さっぱりわからない。

「そりゃ、君は、背丈も視力も十分あるから、どこにだって行けるし、どんな職業にだってつけるだろうよ。現に航空自衛隊にだって入れた」

「航空自衛隊？」と、紗織はその高森という男の顔を見た。

「管制官をやっていたんだ。ここに来るまで」

短く答え、高森は乙畑の方を向いた。

「君の事情と趣味はわかった。しかしなぜ、関係のない女の子まであんなところに誘うんだ」

「ちょっと待って」

紗織は言った。

「別に誘われたわけじゃないわ。女の子って言い方も抵抗あるけど、その女の子がヘリの免許を取っちゃいけないわけ？」

「いや、そうじゃない」

「友達が怪我をしたのを見たからといって、私は怖気《おじけ》づいたりしてないわ」

高森は黙りこくり、小さくため息をついた。そして紗織に病室の外に出ているように言っ

た。紗織は言われるままに外に出た。閑散とした廊下を看護婦がからからと台車を押して行き過ぎていく。病室からは二人の男の言い争う声が聞こえる。

初めて乙畑の家に訪ねていったときに、彼が言った「自衛隊に入った飛行機好きの友達」というのは、どうやら高森のことだったらしい。

視力も背も足りていて、しかもルックスもかなりよくて、自分の夢を苦もなく実現する友に負けまいと、怪我にもめげず事業用免許に挑戦する乙畑がなんだかいじらしく、応援してやりたいような気持ちになった。

同時に、自分も多少の怪我など恐れず、勇気を持って大空に飛び立とうと決意を新たにする。

やがて高森が中から出てきた。開いたドアから、紗織は乙畑に向かい手を振った。

「じゃあね、早く元気になって」

そう言い残して、病院を出る。

高森は無言のまま、車を運転していた。砂漠を抜け、町に入ると、深夜営業のコーヒーショップの前に車を止めた。

紗織と二人、中に入ってエスプレッソとペストリーを買ってテーブルにつく。

「浅沼さん、といったね」

高森は、奥二重《おくぶたえ》の鋭い目で紗織をみつめた。

「とにかく、免許が欲しいだけなの？」

「どういうことですか？」

「よくいるんだよ。ただのOLやってるだけじゃつまらないし、ちょっと他人と違う資格が欲しいって理由で、航空機の免許を取ろうとする子が」

「一緒にしてほしくないですね。そういうのと」

手にしたカップを紗織は音を立てて、テーブルに置いた。

「会社を辞めて来たんです。ヘリコプターのパイロットとして、仕事をしたいんです」

別にそのために、会社を辞めて来たわけではないが、今はそういう雰囲気だ。

「報道とか、コミューター航空とか？」

「そう。病人の搬送とか、山火事の消火。需要はこれからどんどん増えるはずです」

「それで日本のエージェントを通してきたんだね」

「いえ……こちらに来てから、自分で申し込んだんです」

語学留学先から脱走したとは、言わなかった。

「金は払った？」

詰問するように、高森は尋ねた。

「まだです。ちょっとした事故があって」

「すぐに、入学手続きを取り消しなさい」

「なんであなたにそんなこと言われなきゃならないの？」

紗織が叫ぶと、高森は眉間《みけん》にしわを寄せて、かぶりを振った。

「あんた、騙《だま》されてるんですよ。詐欺に遭ってるのが、わからないんですか」

「乙畑さんは、いい人です。ルックスは最低だけど」

「乙畑じゃない。彼も騙されてるんだ。いくら僕が言っても、きかない。意地になってるんだ。いいですか、こっちでヘリの事業用免許を持ってても、日本では通用しないんですよ」

「知ってます」

「日本で飛ぶためには、帰国後にまた莫大《ばくだい》な時間と金をかけて訓練し直さなくちゃならないことを知らないんですか。いや、アメリカのいい加減なところで免許なんか取ったことがわかったら、日本の会社はどこも採用しませんよ」

「日本で就職する気はありません。こっちで働きたいんです。現に女性のヘリのインストラクターが、こちらのフライトスクールで活躍しているそうです」

「だから、日本人相手にいい加減な訓練をしている学校でです。第一、航空技術もなくて、どうやってこの国で就職するんですか」

「だから事業用パイロットの免許を取るんじゃないですか」

「常識で考えてごらんなさい。一ヵ月で取れる自家用、四ヵ月で取れる事業用の免許で、どうやって航空技術を身につけられますか？」

「何ヵ月もかけてやっている日本の訓練は、すごく無駄が多いけど、こちらはまず実技から入って、必要なことだけをきちんと教えるから、すごく効率的だそうじゃないですか」

紗織は乙畑の受け売りをした。

「あなたの入学するというあの航空学校、えーとなんて言ったっけ……」

「ウェストコースト・スポーツ・アカデミー」

「そう。そこは、札付きなんですよ。札付きが、アメリカ全土、とくに西海岸にいくつも散らばってます。そういうところが何も知らない日本人を受け入れているんです。日本人専用なんですよ、当たり前でしょ、現地の人間もヨーロッパ人も、わかっているからだれも行かない」

はっとした。あの日、学校からの帰りのマイクロバスには日本人しか乗っていなかったことを思い出した。

「ちゃんとした訓練もなされず、異常な短期間で与えられる免許に信頼性なんかありませんよ。就職しようにも、日本だけじゃなく、世界各国の航空会社がアメリカの航空免許を締め出している。いいですか、こっちの学校は生徒が集まればそれでいいんです。まず日本のエージェントが甘い言葉で誘いをかける。日本の五分の一の費用で、夏休みを利用して、海外生活を楽しみながら、免許を取れる。アメリカの事業用免許をとれば、日本の航空局の定める免許に振り替えてもらい、日本でパイロットとして就職するチャンスがある、と嘘《うそ》八百を並べる。そして英語もほとんどできず、管制塔の指示も聞き取れない学生を集めて訓練する。インストラクターは、中学生並みの英語で、一通りの授業をする。試験官は学校から受け取った賄賂《わいろ》によって、とうてい受かるはずのない日本人訓練生に免許を取得させて、さっさと日本に帰す。後はだれも責任を持たない。訓練や試験で不正があっても、当局はいちいち取

り締まっていられるほど暇ではないから野放しだ。もちろんすべて事情はわかってて、日本のエージェントは訓練生を送り込む。僕は何度、乙畑に忠告したかわからないんだ。あいつ、事故はこれで二度目だ。この前は、離陸に失敗して、滑走路に横転している。今度やったら確実に死んでしまう」

「どうしてそんなことが起きるの？」

「未熟なやつに無理なことをさせるからだ。英語ができないから、とっさの指示が伝わらない。君の行こうとしている学校では、この十年のうちに訓練生を二人殺しているんだ」

「殺した？」

紗織はすっとんきょうな声を上げた。

「落ちたんだよ、本当に上空から。きりもみから体勢をたてなおす訓練の最中にやった。それでインストラクターごと、死んでしまった。きりもみなんて、日本の航空大学校では、卒業間際に一回だけ、それもパラシュートをつけて行なうんだ。それを君が行こうとしているウェストコースト・スポーツ・アカデミーでは、たった一ヵ月の訓練プログラムの中に入れている」

今度こそ、顔から血の気が引いてきた。

きりもみの話なら、乙畑からも聞いている。たとえそうした危険な状態になっても、うまく脱出できるということが肝心で、そのための訓練だ。しかしそれで訓練生が死んだ、というのは初耳だった。

「航空機の操縦というのはね、自転車とは違うんだ。危ない状況に入ったときには、もう終わり。危険な状態にしないために、最善をつくすものでしょう。度胸だめしをするわけじゃない」

紗織は言葉もなく、聞いていた。

「まだ、信じられないというなら、これ。乙畑に見せるために持ってきたんだ」と高森は、新聞を取り出した。

「Japanese helicopter students swindled by U.S. schools」

「日本人のヘリコプター訓練生は、アメリカの学校に詐取されている」という大見出しだった。内容は、高森の話よりももっと生々しい。アメリカの航空学校の内部関係者たちによる暴露話だった。

紗織は、ぼんやりと記事を目で追った。

ようやく開きかけた扉がまた一つ、鼻先で閉まった。離陸体勢に入ったと思ったら、滑走路が途中で切れてしまった。

それではまた、あの語学学校にUターンするのか、それとも尻尾《しっぽ》を巻いて日本に帰り、父の新聞社でアルバイトをするのか……。

「幸い、君はまだ金を支払っていない。早急に入学手続きを取り消して、日本に帰った方がいい」

紗織はとっさに首を振って、尋ねていた。

「あの、すいません。高森さんが訓練を受けている学校は、なんていうんですか」

「ノーザン・アリゾナ・フライトスクール」

「私、入れませんか？」

「えっ」と高森は、驚いたように瞬きし、それから苦笑して首を振った。

「うちは、プロのパイロット養成校だから、レベルは航空カレッジとほとんど変わらない。学生も現地の人間がほとんどだ」

「だって、高森さん日本人でしょ」

「留学生も受け入れてはいるが、英語力についてはそうとうにふるいにかけられている。みんなTOEFL600くらいはいってるんだ」

「600って、高森さん、英文科ですか？」

紗織は、尋ねた。

高森は首を振った。

「管制官って仕事はね、完全な英語が使えないと、飛行機を落としてしまうんだよ」

我知らずため息がもれた。以前、あの笠原という弁護士が言った通りだ。英語など特技でもなんでもない。特技を身につけ、発揮するための手段に過ぎない。できて当たり前、できなければ話にならないものなのだ。

「で、高森さんは、なぜ自衛隊を辞めてこちらに来られたのですか？」

「僕も、乙畑同様、飛行機が好きでしかたなかった。だから航空自衛隊に入って地上勤務に

ついたが、毎日管制塔から飛行機を見ているうちに、やはり自分がやりたかったのは、これではないと気づいた。そこで二十六歳のときに、人生やり直そうと決意して、こっちにやってきたんだ」

二十六と言えば、現在の自分と同じ歳《とし》だ。やはり二十六という歳は、一つの節目かもしれない。

「で、どうするんですか、将来？」

「少し前に、CFIといってインストラクターの資格を取ったので、こちらで生徒を教えながら千五百時間くらい乗ったら、コミューター航空のパイロットの採用試験を受けるつもりだ」

「あの、私は、ヘリパイロットをしたいんです。この国で。高森さんの行っている学校に入学したいんです」

「だからね、さっきも説明した通り……」

遮って、紗織は続けた。

「入学できるかどうかは、行ってみないとわかりません。学校の名前と電話番号を教えてください」

「そりゃ、入学はできるでしょうけれど、訓練についていかれなくて脱落したとすれば、授業料も時間もまったく無駄になるわけですからね」

「高森さんに、迷惑はかけません」

高森は、ふうっと息を吐き出して、首を振った。

「一週間分だけやってみますか。たしか体験留学コースみたいなのがありますから、その間に、自分がついていけるのかどうかわかりますよ」

「そんな中途半端なのはいやです」

「学校側が、ふるいにかけるんだよ」

高森が静かな声で言った。


翌日は、慌ただしく過ぎた。ウェストコースト・スポーツ・アカデミーに行き、入学の申し込みを取り消し、乙畑のところに見舞いに行った。紗織がアリゾナの学校に行くという話をすると、乙畑はとめた。

高森の行っている学校では、無駄な授業を受けさせられ、時間と金ばかりかかる上に、日本人は差別され、人間として扱ってもらえないという。

「体験留学なんてやめた方がいいよ。僕もやったけど入学させてもらえなかった。その間、ホームステイをさせられるんだけど、なんか複雑な家庭で、家は汚いし食事もひどい。朝はシリアルで、夜にホットケーキとミルクなんてこともある。その上、ペンキ塗りだの芝刈りだのと、こき使われる。結局体験留学コースなんていうのは、学校がホームステイ先とぐるになって、チャージをただ取りするためのものなんだ。騙されているのは、高森の方だよ」

どちらの言い分が正しいのか、わからない。

少し冷静になってみると、いくらヘリコプターを見て感動したからといって、それで語学学校を学期途中で退学し、航空学校に入ろうとしたこと自体が、衝動的過ぎたような気がしてくる。

ヘリコプターのパイロットなどというのも、結局は見果てぬ夢なのか……。

そんなことはない、とまだ残っている心の熱い部分が否定する。

できるかできないか、などというのは、やってみなければわからない。確かなのは、好きなことなら、やり通すことができるということ、自分はヘリコプターに一目惚《ひとめぼ》れした、ということだ。

いずれにせよ、語学学校もやめてしまったし、乙畑の紹介してくれた航空学校の入学も取り消した。こうなったら、高森の言うTOEFL600のパイロット養成校に行くしかない。

やけっぱちな度胸を決めて、紗織は乙畑に別れを告げ、病院を出た。

いったん家に戻り、この町を出て、ロサンゼルスに行き、そこからアリゾナ州のツーソンに向かうつもりだった。高森のいるノーザン・アリゾナ・フライトスクールまでは、乗り継ぎ時間を入れ、十六時間のバスの旅になる。飛行機なら数時間だが、こんなところに金をかけてはいられない。

町に戻る路線バスを待っていると、一台の車が止まった。高森だ。

彼はこれから、乙畑を見舞うのだという。

「午後にはここを出発して、アリゾナに戻るんだけど、乗って行くかい？」

高森は言った。

「連れていってくれるんですか？」

甘えているようだが、そうすればバス代が浮く。高森の話によれば、訓練は時間がかかるらしいから、その分の授業料を確保しておかなければならない。

その日の昼、家に戻って身の回りの物を持った紗織は、迎えにきた高森の車に乗った。しかし車はハイウェイと反対方向の砂漠に向かった。

高森が乗せていく、と言ったのは、レンタカーでということではなかった。

二十分ほどで小さな飛行場につくと、高森がアリゾナの学校まで運ぶという、単発エンジンの訓練機が、整備を終えて待っていた。

おもちゃのように小さな飛行機の後部座席に乗せられ、紗織は二度目の離陸をした。

訓練機は、砂漠の上を遊覧飛行のようにふらりふらりと飛んだ。そして二時間のちに、管制塔もない飛行場に降り、給油し、再び離陸する。

赤い岩と砂の大地に沈む夕陽《ゆうひ》を見ながら、ツーソン郊外の小さな飛行場に降り立ったのは、サンフランシスコを出て五時間後だった。

小さな二階建の建物が、滑走路と金網を隔てて建っている。

「ここが学校」と高森は言った。まるで木造のアパートのようなところだ。これなら乙畑の通っているところの方が、はるかに立派だ。少し心配になってきた。

歩くときしむような階段を上がり、高森は紗織を2階に案内した。人が十人入れば一杯に

なってしまうような狭い教室が三つ。そのうちの二つで、授業が行なわれていた。

生徒は東洋系が三割くらい、あとは白人だ。

昼間は働いている現地の人々が、夕方から夜にかけての授業を受けに来るのだという。

「僕たちみたいに、勉強だけしていればいいというのは、恵まれているんだよ。強い円のおかげだね」と高森は微笑した。

つきあたりのドアを開けると、ツナギを着た数人の男が床の上に這《は》いつくばったり、寝転がったりして、何か話している。

「明日試験なんで、そのための準備をしている」彼がチーフインストラクターのマイケル・ブルースター」と高森は、かまきりのように尖った顎《あご》をした、痩《や》せた男を紹介した。

ブルースターは、のそりと起き上がり、挨拶《あいさつ》した。

そしていきなり、「英語はできるか?」と尋ねた。

できます、の後に「少し」と紗織がつけ加えたのは、習慣的なものだ。

「少しでは、僕の授業は受けられない。テキストはすべて英語だ」

にこりともせず、ブルースターは言った。

相手は当然のことを言っているのだが、その薄い色の瞳《ひとみ》と細い鼻筋はいかにも酷薄そうで、紗織は、東洋人というだけで自分が差別されているような気がしてきた。

萎《な》えそうになる気分を励まし、1階にあるオフィスに行き、一週間の留学手続きを取る。

宿泊、授業料を合わせて七百ドルだ。もしも入学を許可されずに追い返されたら、確かに乙

畑の言うとおり、ただ取りされたことになる。

紗織に案内書と領収書を手渡しながら、カウンターにいた男が「君のことは、高森から昨夜電話で聞いた」と言った。話を聞いているうちに、彼がここのオーナーだということがわかった。この学校のシステムについて、相手はまったくこちらのヒアリング能力を斟酌《しんしゃく》しないような早口で、説明していく。

そして紗織が明日から受ける授業について説明した。航空力学と単発固定翼機についての講座だ。

「私は、飛行機ではなくヘリコプターのパイロットになりたいんです」と紗織はさえぎった。

「ヘリコプターに乗るためには、先に飛行機の操縦をマスターしなければならない」とオーナーは説明した。ウェストコーストではそんなことは言われなかった。

そして座学と言われる地上での授業を三ヵ月ほど行ない、実際に飛行機に乗るのはその後だという。驚いて紗織は問い返した。

「それではどのくらいで、自家用の飛行機免許が取れるんですか？」

「能力によるが、約一年。地上訓練は九百時間、飛行訓練は八十時間が標準だ」

唖然《あぜん》として、紗織はオーナーの顔をみつめていた。たしかウェストコースト・スポーツ・アカデミーでは、固定翼機の自家用免許は、二週間で取れる、と聞いた。片や二週間、片や一年。ウェストコーストでは見学に行ったその日に、ヘリコプターに乗せて機器に触れさせてもらえたが、こちらでは三ヵ月間、地上で授業を受けてからでなければ機体にもさわらせ

ない。

「当校は、パイロット養成校だ」とオーナーは厳しい表情を崩さずに言い、電話帳ほどの厚さの本を机の上に置いた。基準書だと言う。

「これ、全部、マスターしないと飛行機の自家用免許が取れないんですか」

「いや」とオーナーは首を横に振った。

「自家用免許をとるためには、これだけマスターしてもらう」とオーナーはさり気ない仕草で後ろの本棚から、その電話帳のようなものをさらに四冊出し、机の上に積み上げた。

「取りあえず、明日の授業に使うのは、これだけだ」と最初に出した本を手渡す。両手で受け取ると、その重たさがずしりと伝わり、胃の辺りが強《こわ》ばってきた。

紗織の目から視線を外さず、オーナーは言った。

「君の英語は良い。よく勉強しているようだ」

「ありがとう」

紗織は微笑して答えた。

「他の日本人に比べればね」

そうですか、と日本語で低くつぶやき、外に出ると高森が待っていた。一時間後に、ホームステイ先に送っていく、と言う。それまで2階にあるカフェテリアで一服しようとしていると、高森が紗織の抱えている基準書を指差した。

「自習しておいた方がいいよ、一時間でも無駄にしないで。明日からいきなり授業だから、

一通り読まないとついていけない」と、事務所の脇の殺風景な部屋を指差した。中では四人の男が勉強をしていた。

「ここの留学生」と高森が紹介する。三人が日本人、一人が韓国人だ。日本人の二人は、三年間、運送会社で働き費用を作ってやってきた、と言う。もう一人はこちらの企業に就職していた。年ごろは、紗織と同じくらいだが、それぞれに一癖ありそうな精悍《せいかん》な面構《つらがま》えをしている。

彼らが社会に出てから過ごしたであろう厳しい年月と自分のこの四年間とを無意識のうちに比べ、紗織は軽い劣等感に捕らえられた。尻込《しりご》みしそうな気持ちを隠し、基準書を広げ読み始める。

その夜、紗織が連れて行かれたホームステイ先は、飛行場からほど近い砂だらけの寂れた町にある雑貨屋だった。家族は中年の母親と耳にピアスをした十六歳の少年と、十歳の少女。父親が生き別れか、死に別れかはわからない。

挨拶を終えるとすぐに夕食だ。ホストマザーが缶詰のパスタをフライパンに入れて温め、りんごを丸ごと食卓に転がす。

乙畑が言うように、ミルクにホットケーキではなかったが、大差はない。しかし紗織は特に不満は感じなかった。焼き魚とご飯と味噌汁《みそしる》が欲しければ、狭くて湿潤な日本で一生を終えればいいのだ。

機関銃のように話しかけてくるホストマザーの質問に答えながら食べ終え、食後は留学案

内所にあったホームステイの心がけ通りに、皿洗いを手伝う。

日本では家事は母親まかせだったから、紗織は食器などほとんど洗ったことがなく少し不安だった。しかし問題はまったくなかった。巨大な皿洗い機が、キッチンに居座っている。汚れた皿をそこに放りこむだけだ。洗い終わった皿には、パスタソースの赤い油がまだこびりついているが、ホストマザーは日本の主婦のようにそんなものを気にしたりしない。半分汚れた皿を紙ナプキンで拭《ぬぐ》い、さっさとしまっていく。紗織は妙な居心地良さを感じた。

自分にあてがわれた部屋に入ると、やはり砂漠の真ん中の都市のせいだろう。広い部屋は床の上も、机の上も、ベッドカバーの上にまでも、細かな砂つぶが載っている。ざらついた机の上に紗織は基準書を置き、目を通し始める。

心が萎えてしまうような、英文の山が、今、少し変わって見えるのに気づいた。

あの笠原という弁護士に渡されたテスト用の文章を日本語に置き換えていたときのことが、遠い昔のことのように思い出される。

ミズ・ラタナーヤカに出された膨大な量の課題を半泣きで読んだことも昔のことのようだ。

母国語のように、というわけにはいかない。しかしわずか半年前に比べ、そしてこの国に来たばかりの頃に比べ、読むことは格段に速く、そして楽になっていた。少し前まで、目と頭が理解してきた英語に、今は、体全体で反応できる。

紗織は目の前で閉ざされていったいくつもの扉と、つまずきの石のことを思った。それらは決して挫折《ざせつ》という結果をもたらしたのではなかった。そのたびに繰り返されたわけもわか

らない、がむしゃらな努力は、何一つ無駄にはなっていなかったのだ。確かにそれらは紗織に半端な報償を与えてくれはしなかった。だれもその努力に対し、頭を撫《な》でてはくれなかった。しかしそれは「力」というもっとも確実な果実を自分の内面にもたらしてくれていた。紗織は、分厚い基準書を確実に読み進んでいた。

翌日、初めての授業に、紗織はなんとかついていった。それが当たり前のことで、だれも誉《ほ》めてはくれなかった。

質問され、答えた。

ディスカッションに加わって、空の安全性の確保について自分なりの意見を述べた。

そして留学生のために設けられていた英会話講座を紗織は免除された。その必要がない、という理由だった。かわりに基準書が二冊増えた。ブルドーザーのように与えられた課題をこなし、ホストマザーの洪水のようなおしゃべりに耳を澄ませ、子供たちの野球の応援にいく。体の中のエンジンがフル回転し始めた。ようやく人生が軌道に乗ったという気がする。

一週間は、めまぐるしく過ぎた。

最終日、紗織はあのブルースターというインストラクターに、ヘリコプターのエンジンを開けて中を見せてもらった。首をつっこむようにして説明を聞いていたので、着ていたシャツから髪まで油で真っ黒になった。

点検をしながら彼は紗織に言った。

「はやく固定翼の訓練を終了して、回転翼の訓練に来い」と。

こうして体験期間は終わり、紗織はふるい落とされなかった。

しかし訓練機に乗って、空に上がるまでにはまだ十週間以上ある。そしてもっとも簡単な免許が取れるまで一年。

そう簡単に離陸などできるはずはなかったのだ。しかし紗織は今度こそ、将来を確実なものとして、思い描くことができた。三十を過ぎて花開くであろう自分の人生を。

その日、紗織は学校の公衆電話から乙畑の家に電話をかけた。おそらくまだ退院してはいないだろうと半信半疑のまま番号を押すと話し中だ。パソコン通信をしているのだ。

それなら用件をメールで送りたいところだが、ホームステイ先にパソコンはないし、もちろん学校のオフィスのIBMを使うわけにはいかない。

二時間後に再び電話をすると、ようやく通じ、乙畑の声が聞こえてきた。

「よかったね、退院できたんだ」

「うん、日本の病院と違って、こっちはちょっと良くなるとさっさと追い出されるからね」

何だか声が暗い。どこか痛いのかな、と思いながら、紗織は手短に用件を伝えた。

「こっち、アリゾナの学校に入ることにしたのよ。それでそこの家を引き払わなくちゃならないの。近いうちに荷物取りに戻るわ」

「あ、そう……」

気の抜けたような声で、乙畑は続けた。

「ちょうど良かったよ。僕、日本に帰るんだ、四日後に」

「えっ」

ついに諦《あきら》めたのだろうか？

「親父がさ、あんまり体の具合が良くなかったんだ。それで、いつまでも遊んでないで、家の仕事、手伝えって」

「ま……」

零細工場の跡取りか、商店主の息子か、とにかく乙畑は志半ばにして家業を継ぐために呼び戻されることになったのだ。

男に生まれてこないでよかった、と紗織はしみじみ思った。女であればこそ、留学期間が一年から三年に伸びたところで、強制的に呼び戻されることはない。泣き付けば、出世払いを約束して費用を出してもらうこともできる。しかし男はそうはいかない。

「しょうがないと思ってるんだよね。僕も」

軽い口調で言った乙畑の語尾が、一瞬、涙で震えるのが、電話線を通じてわかった。

「ね、また機会を見てくればいいよ。日本と西海岸ならすぐなんだし」

どうなぐさめたらいいものやらわからず、それだけ言い残し、紗織は電話を切った。

ちょうど向こうから、高森が来るところだ。駆け寄っていって今の電話の内容を伝えた。

「知ってるよ。昨日、僕のパソコンにメールが入っていた」

少しの同情の調子もなく、高森は言った。

「命があるうちに日本に帰るんで、僕もほっとしてるんだ」

「でも、かわいそう。家の都合で夢を捨てるなんて」

「かわいそうなもんか」

高森は笑った。

「若社長なんだよ、あいつ」

「らしいね、家の仕事を手伝わされるって言ってた」

「大手のホテルチェーン、新東洋ってことまで、知ってた？」

「うっそ、でしょ」

全国の主要都市にシティホテルを持ち、そのほかにいくつものビジネスホテルチェーンがあり、さらに最近では観光開発にも乗り出した会社だ。

「神戸に大邸宅構えててさ、一昨年の地震のときには、危険だからって親父さんが自分だけ日本に残って、家族を二ヵ月間、ハワイの別荘に避難させた。そういう家なんだよ。伯父さんは大臣だし、爺《じい》さんはどっかの知事をやった人。僕のように金がないから、自衛隊に入った人間とは、そもそも階級が違うんだ。大事なジュニアが訓練中に墜落死亡なんてことになる前に呼び戻して正解だよ」

「まあ……」

背が低くて、近眼がひどくて、頭は若白髪で、同じ人間として生まれてきたというのになぜこれほどの不平等があるのかと、ほんの少し前まで、高森と比べては同情していた自分の

愚かさを思い知らされる。

「そんなスーパーおぼっちゃまには見えなかったわ……」

紗織は、乙畑の炊いてくれた混ぜご飯の素朴な味を思い出して言った。

「はんぱなおぼっちゃまは嫌味だけど、あそこまでいくとプリンスだからね。変な欲がないし、底抜けに人がいいんだ」

それでもあの涙声が耳の底によみがえってくると、本人は高森が言うほど幸せではないような気もする。

「あんなに飛行機が好きだったのに」

ぽつりと紗織は言った。

「確か、あいつの家、自家用飛行機持ってたな」

「なんですって？」

「全国チェーンだから、社長がお抱えパイロットに操縦させて飛び回ってるのかな」

「まさか」

「乙畑なんかいずれ、本社と支社の間を自分で操縦して移動するんじゃないのか」

どちらからともなく、笑い出していた。

向こうから、車が一台近づいてきた。ホームステイ先の一家が、迎えにきた。

この日の夕食は、ホストマザーの作るいつもの缶詰料理ではない。一週間の体験留学が終わり、ホームステイ先をいったん出るので、フェアウェルパーティーを開いてくれるという。

とはいっても、特別なことはない。サンドウィッチとコーヒーを持って、砂漠の真ん中の国定公園にピクニックにいくのだ。

車の窓から、ピアスの少年が顔を出して手を振った。

とたんに乾いた風とともに、砂が吹き付けてきて、紗織は一瞬、顔を覆った。

まもなく十月も終わるが、アリゾナの空気は熱く、乾いている。

「ハーイ」

紗織は手を振った。

景色と空気と人々、すべてが自分に微笑《ほほえ》みかけているような気がして、紗織はそちらに向かって駆け出していった。

三十四歳のせみしぐれ

この夏、職場から紗織が消えた。本当に消えるように退職してしまった。

今年度の有給休暇を辞める前に使いきるために、八月中旬からほとんど出勤せず、留学の準備の他、ダイバーのアルバイトなどをして費用稼ぎをしているという話を康子は、同僚から、聞いた。そして先輩や上司への改まった挨拶《あいさつ》も、歓送会さえなく、ある朝、出勤簿から「浅沼紗織」の名前がなくなっていた。

歓送会については、本人は必要ないと答えただろうが、最初からそうした話さえ出なかったというのは、上司にしても同僚にしても、普段の紗織の言動には、なかなか腹に据えかねるところがあったからだろう。

それでも紗織は康子のところにはときおりやってきて、留学先について、将来について、楽しそうにおしゃべりをしていた。しかし退職した後は、それきり、いったいいつの間に日本を発《た》ったのか、それともまだ日本にいるのか、まったく連絡がない。

悪気はないのだ、と康子は思う。自分のことしか目に入っていないだけで。案外、自分も二十代の頃はそうだったのかもしれない。

まもなく誕生日が来て、三十四になる。

三十四歳の夏休みがこれから始まる。たまっていた有給休暇、土日と合わせれば丸一週間の休日。

だれがどこで取るのかを決めるチェック表は、七月の初めに回ってきた。所帯持ちや地方出身者はお盆の前後に取り、独身の女の子たちはツアー料金の安い七月の上旬に休んで、海外に飛び出す。特別な計画もなく、チェックの遅れた康子は、海岸からは人の波が引き、山は荒れてくる八月の最終週から九月にかけて、勤務日を中二日挟む形で取ることになってしまった。毎年夏休みを一緒に過ごしていた高校時代の仲間は、それぞれが就職した二年目あたりから結婚や出産で、一人、二人と抜けていった。

アルバムをめくると、まだ目尻《めじり》に皺《しわ》がなくて、頬《ほお》のあたりにあどけなさの残る康子が、友人七人とムームー姿でトロピカルカクテルを飲んでいる写真がある。いったい何年前のことか、指折り数える気もしない。その中には、スチュワーデスからコックへと転身を図った上野純子の顔も見える。彼女だけが結婚以外の理由で、この仲間から離れていった。

最初の年がハワイ。次の年はセブ、さらに翌年はグァム。このあたりまでが、康子にとって、夏休みは年に一度のぜいたくな一週間だった。年を経て参加者が減るにつれ、給料が上がってきたというのに、行き場は近場になった。

仲間がたったの三人になった一昨年、「めんどうだね、どこ行ったって、混んでるしさぁ」と、一人が言い出し、目的地は下諏訪《しもすわ》温泉に決まった。蒸し暑い温泉街を滝のような汗を流して諏訪大社に行き、藪蚊《やぶか》に刺されながら、「今年中に結婚できますように」と揃《そろ》って願かけをした。その年のうちに、一人の結婚が決まったが、もちろんそれは康子ではなかった。

昨年も、やはり仲間は三人だった。友人の一人が離婚して戻ってきたのだ。行き場所を変えるのもめんどうくさくて、また下諏訪に行って同じ願かけをした。康子の願いはこの年も神様に届かなかった。

そして今年、ついに下諏訪にさえ行くのがめんどうになってしまったらしく、だれからも旅行の話は来ない。

オフィスの机の上に、菓子がたまっていく。マカデミアナッツのチョコレート、温泉饅《まん》頭《じゅう》、乾燥パパイア、栗羊羹《くりようかん》……。同僚たちのバカンスのお裾《すそ》分《わ》けだ。

私には、3LDKのマンションがあるじゃないか、と康子は自分に言い聞かせてみる。暑くて混んでいる観光地にでかけるよりは、広いリビングのエアコンの下でゆっくりビデオでも見る方が優雅だ。千葉の実家に戻って、親孝行してくるのもいい。

そんなことを思いながら、伝票を整理していると、背中合わせに座っている若いOLから名前を呼ばれた。

「男の人ですよ、松浦さんっていう」

わざわざ「男の人」と付けて、彼女は受話器を渡してくれた。

格別な期待もなければ、戸惑うこともなく、康子は電話に出る。

「すいません、あのまま連絡しないで」

少しこもったような松浦の声が聞こえてきた。

徹夜でトマトの瓶詰を作った翌朝、トマトの収穫があるからと、松浦は慌ただしく帰っていき、それきり三週間がたつ。もちろん康子は彼の住所も電話番号も聞いていない。あの二日で、松浦とのことは終わったはずだったし、やっかいごとを背負いこまずに済んだことに、いくぶんほっとしてもいた。

「あたし、会社の電話番号、教えたっけ？」

康子は尋ねた。

「いや、ただ勤め先は教えてもらったから、104で聞いた」

悪びれる様子もなく、松浦は答える。

「トマトはどうしてる？」

「まあ、どうにか」と言葉を濁して松浦は言った。

「花火、見にこない？　祭りがあるんだよ」

「いつ？」

いやだ、めんどうくさい、といきなり断るのは悪いので、一応、日程を尋ねた。今週の土曜日だと松浦は言う。中二日勤務日を挟んだ夏休みの初日だ。暑い、めんどうくさい、とい

う気分と、夏休みを一緒に過ごす人が、とりあえずはできたのだという思いがせめぎ合う。

「俺、昼間はトマトのもぎ取りがあるから、夕方、涼しくなってからおいで。駅まで迎えにいくから」と松浦は言った。

気持ちは一瞬のうちに決まった。

「行くわ、昼間から。畑、よかったら手伝わせて」

ゆっくり考える暇もなく、そう答えていた。もし「昼間から来て手伝え」などと言われたら、断っていたはずだ。夕方来いと言われたから、その気になった。人の気持ちというのは微妙なものだ。

「いや、いいよ。本当に暑いし、腰が痛くなるから、斉藤さんには無理だ」

「大丈夫」と返事をして電話を切ると、同僚や上司の視線が集中していた。しかしだれも何も尋ねない。こうしたことで、他人が気楽にひやかしたり、からかったりできる年齢を康子はとうに過ぎている。

家にはまだトマトの瓶が二十五本並んでいた。人にあげたり、自分で食べたりして、いずれなくなり、空瓶に別の食品が入る。そのときには松浦の名前さえ思いだせなくなっているだろう。ほんの少し前までそう思っていた。ところが縁は切れてはいなかった。わずらわしくもあり、ほんの少し甘い気分でもある。

松浦が帰っていった三週間前の日曜日、康子は瓶詰トマトを持って、町田にある上野純子のレストランを訪れていた。松浦のトマトの行方は、それなりに気にかかっていたのである。

駅から歩いて十五分近くかかる住宅街の真ん中の、商売にはおよそ不向きな場所に純子の店「バベット」はあった。マンションの一階でテーブルが三つしかない小さな店は、ランチタイムが終わりちょうど閉店していた。

客のいない店内では五十過ぎの銀髪の女性が一人、テーブルクロスを取り替えている。康子が入っていくと、白い前掛けの前に油じみをつけたまま、純子が厨房《ちゅうぼう》から出てきた。挨拶もそこそこに、康子はトマトの瓶を純子に手渡した。

「昨日教わったピュレ、できたの。お料理に使うでしょう」

「もちろん」と純子は笑ってうなずいた。イタリアンかフレンチかを問わず、スパゲッティはもちろん、魚介や肉類のソースとしても、トマトソースは欠かせない、と純子は言う。

「たくさん使う？」

「パスタソースなら、この程度で四人前よ」と純子は康子の持ってきた瓶を弾《はじ》いた。

「ま、一日でこの瓶、八本くらいかな」

えっ、と康子は聞き返した。つまりこの間作った三十本なら、四日で捌《さば》けるということだ。

ということは、この先、最盛期を迎えて実り続けるトマトを、この店一つで使い切れるかもしれない。トマトの嫁ぎ先が決まりそうだ。

もしよかったら、そのトマトか、トマトソースを店で使ってくれないか、と切り出そうとしていると、純子が言った。

「料理で使うには、品種が限られるのよ。皮と果肉が柔らかくて、縦長の」

「サン・マルツァーノ、でしょ。でも、日本では作れないわ」

康子はあの厚化粧の主婦の言っていたことを思い出した。

「だから缶詰を使うの」

明快な口調で純子は答える。

「でも、これ、品種は違うけど、少なくとも缶詰よりおいしいと思う」

康子が言うと純子はうなずいた。

「肉類には缶詰をさらにこっくりと煮詰めて使うし、パスタのソースもうちでは四十分以上煮詰めているわ。でも、さらっと仕上げたい魚介類やフレッシュな風味で食べさせるソースなら生が理想的だし、もしだめならこうした瓶詰もいいわね」

「そうでしょう、だから、もし味を見て、おいしいと思ったら、使ってみて」

康子は、この前は電話で説明しきれなかった、この瓶詰を作るに至るまでのいきさつを話した。プロの料理人の純子なら、この良心的に作られたトマトについて理解を示してくれるのではないか、という期待があった。

純子は正面の椅子《いす》に腰掛け、康子の目をじっとみつめた。過去に五年ほどスチュワーデスをしていた純子は、美人である上に笑顔を作るのがうまい。しかしこのとき、洗練された商業的笑顔の陰に隠れた、厳しくりりしい顔が現われた。

「いくら？」

低い声で純子は尋ねた。

康子は戸惑った。この前みどりに尋ねられたときも答えられなかったが、今回もいきなり金の話をされると、答えに窮する。

「うちに卸してくれるとしたら、いくらなの？」

「瓶代が三百円。中身については、十個くらいずつ入っているから七百円で……」

「つまりトマトは一個、七十円見当なわけ？」

「ええ……まあ」

「つまり一瓶、千円？」

「いえ、瓶は回収して来年使えばいいから……」

「加工費と利益は？」

「えっ」

「千円っていうのは材料費でしょう」

確かに湯むきして、湯せんして、ガス代と人件費はかなりかかっている。

ふうっと息を吐き出し、純子は首を横に振った。そして厨房に行くと、大きな缶を抱えて戻ってきた。イタリア製の業務用トマト缶だ。

「中身は約二十個。これでスパゲッティのソースは十人前。値段は一缶千円」

量からすると康子の瓶詰の二本分で、千円ということだ。しかも康子の瓶詰の一本千円というのは、あくまで材料費。ガス代や人件費を加え、利益を上乗せしたら、単価は四倍近くに跳ね上がる。

「じゃあ、生トマトなら？」

「安定した品質で、こちらに一定の量を入れられる？」

康子は首を横に振る。工業生産物ではあるまいし、そんなことは約束できない。となれば、やはり瓶詰しかない。

「この瓶詰だけど、味はそのトマト缶とは違うはず。それに無農薬、有機栽培で、安全でおいしいトマトだし。こだわってみれば多少高くてもそれだけのことはあると思うのよ」

いくら円安に振れているとはいっても、リラに比べれば円は強い。それを国産の、しかも手をかけて作ったものと値段で比べる方がまちがっていると康子は思った。

「コストについてシビアに計算しないと、商売は成立しないのよ。『こだわり』なんていうのも、実は厳密なコスト計算をした上で打ち出された戦略の一つで、シェフの趣味や良心でやってることじゃないわ」

康子の考えていることを読んだかのように、純子はぴしりとした口調で言った。

「競争が激しい業界だから、私たちはみんな新しいもの、よそにないものを探しているわ。だからその無農薬有機栽培トマトの無添加ピュレも、たとえば、ナチュラルアンドヘルシーとかなんとか、明確なコンセプトを打ち出すことで十分可能性は開けると思うわよ。でも、それはあくまで単価的に引き合うかどうか、というのが絶対条件なの。売値はいくらで設定しているのか、それに見合う原材料費はどの程度の価格帯なら大丈夫かということ。それは店舗が自分のものか、テナントか、あるいは人を何人くらい使っているか、どういうお客を

想定しているのか、ということでも違ってくるけど。たとえば、うちは厨房は私一人、サービス係はパートさん一人で回しているわ。ナプキンその他も紙にして、経費はかけずにやっているけれど、それでも店舗を借りているからお料理の原価は三十パーセント台に抑《おさ》えなきゃならない。四十パーセントにいったらまずやっていけない。するとスパゲッティのソースの原材料費が、百円から二百円に変わったら、完全に採算割れするわ」

「スパゲッティの値段を上げたらどうかしら？　国産のトマトをちゃんと使っていて、手作りの安全なソースですと説明して」

哀願するように康子は言った。

「ビジネスはそういうものじゃないのよ」

表情を変えずに、純子は答えた。言葉もなく康子は純子の顔を見ていた。

高い鼻筋が際立ち、えらの張った、意志強固な顔だ。康子の友達や仕事関係の知り合いにも元スチュワーデスで、事業を始めた女性たちが数人いる。その彼女たちがことごとく失敗していく中で、純子は着実に自分の目的を達成し、一歩一歩、成功への階段を上っていく。

その理由がなんとはなしに康子にはわかった。

こういう性格で、こういう考え方ができなければ、独立などかなわない。わかっているだけに、腹立たしくもあり同時に勝ち目がないとも思う。

純子は再び厨房に入っていくと淡いルビー色のシャーベットを皿に盛ってきた。

「どうぞ」と、先程とは打って変わった美しい笑顔を見せた。

きまずい気分のまま、銀のスプーンですくって口に入れると、優しいワインの香りがふわりと広がる。

「おいしい……」

この人の実力には完敗だ、と思った。

「ワインの王様、バローロのシャーベットよ。煮立てて完全にアルコール分を飛ばして、凍らせるの。混ぜ物はなし。売るなら千五百円くらいじゃないと引き合わない。でもお客さんは、ケーキとアイスクリームとフルーツの盛り合わせならともかく、この地味なデザートに、そんなお金は決して払わない。だから、そこで安ワインに替えて、六百円で売ろうとしたら、まったく別のものになってしまう。だから、私は自分と自分の友人のためにだけ、これを作るのよ」

だからあなたの最高級のピュレも自家消費用にしなさい、ということなのかと、うなだれながら、康子はその冷たい菓子を口に運んでいた。

確かにあの瓶詰は友達へのプレゼントにしたり自分のために開けているかぎり、申し分なくすばらしいものだった。

料理店の経営も、松浦のトマト作りも、作るということにあぐらをかき、コスト計算を忘れたときに失敗するのかもしれない。理屈では理解できても、その感覚は、給与生活者にはなかなかわからない。

土曜日の早朝、康子は、そのコストを無視したトマトの採り入れを手伝うために、新宿か

ら臨時特急に乗った。九時に小淵沢《こぶちざわ》で降りると、すでに松浦が軽トラックで迎えにきていた。

真っ黒に日焼けした松浦は、整った顔をくしゃくしゃにして駆け寄ってきた。長袖《ながそで》の擦り切れたシャツを着て、襟元には相変わらずタオルを突っ込んでいる。

「本当に来てくれるとは思ってなかった。うれしいよ」

「約束したんだから、来るにきまってるじゃない」

松浦はうなずき、康子を助手席に乗せて走りだした。冷房はない。窓から吹き込む風は、東京ほど湿っていないが陽射《ひざ》しは強く、午前中も早い時刻だというのに車内は焼けつくようだ。

「暑いだろう、それ飲んで」と松浦は、康子の足元の小さなクーラーを指差した。蓋《ふた》を開けると缶ジュースが四本入っている。トマトジュースだ。「南麓トマトジュース」という見たこともない銘柄だ。

「俺のトマト、結局これになった」

「すごいじゃない」

松浦はトマトを腐らせてはいなかった。何も康子が心配することはなかったのだ。

「あんまりすごくはないよ」と松浦は照れたように笑う。

松浦の住んでいる村は、もともとトマト栽培が盛んなところだという。そして夏の最盛期になると、どこの農家でも、へたの回りが割れたり、形や大きさが揃わなかったりといった格外品が出る。生食用トマトの場合、そうした格外品は食べられるにもかかわらず、ただ同

然の値段で出荷される。そこでそれをジュースに加工しふるさと産品として、町営牧場や、観光施設に併設した直売所などで売り出すことにしたのだという。

「村の人が、一緒にやろうと誘ってくれたんだ」

「よかった」

康子はジュースを開けて飲んだ。まずくはないが、おいしくもない。どうということもない大手メーカーのジュースの味だ。

「いくら、これ？」

「二百円」

同じ味の大手メーカーのものなら、百円。スーパーの特売では七十円を切る。

「売れてる？」

「まあまあ。観光客が買ってくれるから」

「観光客って、今の時期だけよね」

「今の時期しか作れないからね」

なるほど、土産物《みやげもの》だ。

「味は、わりと普通っぽいね」と康子は遠慮がちに言った。

「そりゃあ、長野にある大手メーカーの工場に持ち込んで、加工してもらっているから、作り方は一緒だし」

「この村で作ってるわけじゃないんだ」

「そりゃそうだよ。缶詰工場を新たに作ったら、いくらかかると思ってるんだ」

つまりこの村のトマトを使って、缶の模様とブランドを独自のものにして、大手メーカーに製造を委託しているというそれだけのことだ。それでもトマトが無駄にならないでよかった、と康子は思った。

「ほら、これが大手メーカーに卸している加工用トマトの畑。山本さんってご夫婦が五年前からやってるんだ」

松浦が、県道脇《わき》に車を寄せて止めた。

「え、どれ？」

千葉の実家の近くにあるような、トマトの畑はどこにもない。

「だからあれ」

見渡すかぎり緑の葉が這《は》い、大地を埋め尽くしている。その地面に貼《は》りついたような緑濃い葉の陰に、よく見れば真っ赤に熟したトマトと小さな黄色い花があった。

車から降りた松浦が、「こんにちは」と挨拶した。緑の葉の間から、老人が一人立ち上がった。立ち上がっても腰はくの字どころか直角に曲がったままだ。その向こうでやはり七十を過ぎたような老婦人が立ち上がり、挨拶した。山本さん夫妻だ。

康子も車を降りて、会釈をする。

「まあ、まあ、彼女連れてきたの？　東京の人？」

「ええ」と生返事をしながら、松浦は夫婦に康子を紹介する。

「よろしくお願いします」と康子が頭を下げると、「で、いつごろ結婚するの？」と妻の方がいきなり尋ねた。

「え……」

「早い方がいいよ。正樹さんもいつまでも一人で暮らしてちゃあ、体を壊す。悪いことは言わんから早く来てもらいなさい」

松浦は頭をかいている。

「いやあ、わしは幸太郎さんとこの娘はどうかと思っていたんだが、余計なことはしないでよかった」と山本さんの夫の方が言う。

「だめだよ、幸太郎さんのとこは。長坂に嫁にいった上の娘はいいけど、下のは」と妻がひそひそ声でたしなめる。

「この間、別荘に来ている男のバイクの後ろに乗ってるのを幸太郎さんがみつけて、えらい親子喧嘩《おやこげんか》したんだって。賢三さんとこの由貴ちゃんみたいに、子供なんかできたら大変だし。この間、サダちゃんが診療所でお嫁さんに会ったら、青くなってたと。まああそこも苦労が絶えないわね、本当に。幸太郎さんの二番目の妹、ほら、朝子ちゃんっていたでしょ。出戻ってきてしばらく家にいたらしいのよ、ダンナが韮崎《にらさき》あたりに女を作って……」

どうやらここは、プライバシーなどないところらしい。

「こんな広い畑、ご夫婦でやってらっしゃるんですか？」

濃緑色の葉を見渡して、康子は当たり障りのないことを尋ねた。

「うちは、子供がみんな町に出ちゃったから」

「ずいぶん広いから大変でしょう」

「でも、ここいらへんでは、加工用トマトなんて年寄りばかりやってますよ。前は生食用トマトやってたんだけど、手がかかるんで年とっちゃ無理だね」

「味は違うんですか」と康子が尋ねると、

「よかったら、持っていって食べなさい」と山木さんの妻が、採れたばかりのトマトを二つ、康子にくれた。

夫妻と別れ、ふと見るとトマト畑の片隅の脇に屋根だけの小さな小屋があり、そこにトマトのいっぱいに入ったプラスティックのコンテナが重ねてある。中の真っ赤なトマトは、どれもしなびている。

「あれは、どうするの？」

エンジンをかけている松浦に、康子は尋ねた。

「メーカーのトラックが取りに来るんで、用意してあるんだよ」

「毎日、出荷するんじゃないの？」

「いや、三日に一度。あれは熟したあとも、もつように開発した品種だから、日陰においておけば大丈夫なんだ」

「でも、あんなしなびて……」

「毎日、回収しに来るとコストがかかるからしかたないよ」

メーカーの「新鮮なトマトを絞った」と言う宣伝文句は嘘《うそ》じゃないか、と憤慨しながら、康子はさきほどもらったばかりのトマトを一口かじる。

「あ、だめ」

松浦が叫んだ。

「ああ……食べちゃった。農薬かけたばかりだっていうのに」

ぎょっとして康子はコンテナのあった方を振り返った。

「収穫まぢかに農薬なんかかけるの？」

「かけなきゃ、とてもじゃないけど作れないよ。あれ一杯七百五十円だもの」

「あれって？」

「だから、さっきのコンテナさ」

えっ、と耳を疑った。コンテナの大きさは、横60センチ、縦40センチ、高さも40センチくらい。前に松浦がトマトを入れてきたのと同じものだ。

「二百五、六十個はあるわよね」

先週の金曜日、同僚と行った飲み屋で頼んだ冷やしトマトが、一皿、二個分、七百円だった。生食用と加工用の違いはあれ、ほとんど覚醒剤《かくせいざい》並みの末端価格だ。どこでどう決められた引取り価格なのか、開いた口がふさがらない。

「もしかして、あなたのトマトもコンテナ一杯で七百五十円で出しているの？」

松浦は苦笑した。

「僕の場合は大手と契約したわけじゃないけどね。後で儲《もう》けが出た分を出荷したトマトの量で割るんだけど、まあ、ほとんど変わりはないだろうな」

「農業で儲けるって、できないことなのね」

思わずため息がもれた。

「金とかだけ考えたらそうだけど……空気も水も野菜もうまいし、俺、一人で一軒家借りてるけど、家賃は四千円だし、おかずは畑から採れるから、基本的には生活費がかからないよ。君さえよかったら、都会から移って来るのも……いいと思うけど」

これは婉曲《えんきょく》なプロポーズなのか、と康子は迷った。ずいぶん昔、同じようなことを言った男がいたことを思い出した。安藤、というシナリオライターの卵だったが、彼は黙って自分の野心の犠牲になってくれる「農家の嫁」が欲しかっただけだ。しかし松浦は違う。少なくとも彼よりは顔と体が美しい。

車は荒れたつづら折りの道をどこまでも登っていく。左右は急な斜面だ。十分も行った頃、道は急に平らになった。小さな山のてっぺんに畑と果樹園が広がっていた。遥《はる》か彼方に南アルプスとその脇に八ヶ岳が大きく見える。

康子が歓声を上げると、松浦は言った。

「後ろ、見てごらん」

振り返ると、荷台の向こうに雪のない富士山の巨大な姿がある。南側は丹沢……。車はりんごの木の間の細い農道に入り、やがて止まった。

果樹園の一角を切り開いたようにしてトマト畑があった。先程の山本さんという老夫婦のやっていたトマト畑の半分ほどの広さだが、生育があれにくらべて良くない。雑草が生い茂り、トマトに覆い被さり、整然とした畦《あぜ》はなく葉が勝手な方向に広がっている。

「無農薬、有機なんかで作ると、こういう格好の悪いことになるんだ。在来農家から見れば、最低の畑だと思うよ。ただ、きちんとした畑から、一定の大きさと形のそろった野菜を作るために際限なく労力をかけるやりかたが、正しいのかどうか、俺にはわからない。もっともそうしないと市場価値はなくなるんだけど」

「ここはもともとは、果樹園だったの？」と康子は、周りのりんごの木を見渡した。

「いや、桑畑。土が違うんで、初めは苦労したな」と松浦は、屈《かが》みこみ足元の土を掬《すく》った。きめの粗い、砂《さ》れきのような土だ。

「一年目は、堆肥《たいひ》がなかったから、山から腐葉土を持ってきて、それに近所の養鶏場から鶏《けい》糞《ふん》を分けてもらって畑に入れたんだ」

「どうだった？」

「全滅」と松浦は肩をすくめた。

「山の土は極端な酸性なんで、木ならともかく農作物には合わないそうだ。それを教えてくれた近所の農家の人に、町の人間に媚《こ》びるからこういうことになるんだ、と言われた。素直に化学肥料を入れて農薬をかけて、自家消費分だけ堆肥を使って農薬をかけずに育てればいいんだって。確かに安全な食物を食べられるっていうのは、生産者の特権かもしれないけど

ね。でなきゃ、こんな割に合わない仕事してられないから」

複雑な思いで、康子はうなずく。

コンテナを引きずってきて、松浦はトマトの実を採り始めた。これ一杯で二十キロだ。

「真っ赤に実ったのだけを採ってくれる？　まだ緑の残っているのはそのまま置いといて」

「ＯＫ」

康子はしゃがみ込んで、葉をかき分ける。濃い緑の葉の下にトマトの実がたわわに実っている。その真っ赤な色を見たとたん理屈抜きに心が弾んだ。

「ちょっと待って」と松浦は、車の荷台から長袖の真新しいＴシャツを持ってきて、康子に手渡す。

「半袖だと、虫に刺されたり葉で痒《かゆ》くなるから、着替えて」と車の脇を指差した。松浦以外は、ここにはだれもいない。

康子は素早く車に隠れ、半袖のシャツを脱いだ。とたんに後ろから日焼けした太い腕が回された。

「待ってた。ずっと、待ってた」

息をはずませて、松浦は康子の首筋に唇を寄せる。太陽が眩《まぶ》しい。背中の真ん中で、松浦の心臓が力強く打っているのを感じる。

そのとき軽い排気音が聞こえてきた。弾かれたように松浦は離れる。

慌てて、Ｔシャツに袖を通したとき、りんごの木の間からライトバンが見えた。

「あ、正樹さん、来てたの」

車が止まり、穏やかな感じの中年の男が顔を出した。

「よく実ったじゃない。東京の人にしちゃ上出来だよ。あ、彼女がフィアンセ？　下の山本さんの言ってた」

「はあ……」

先程、ちょっと立ち話をしただけなのに、噂《うわさ》がもう伝わっている。

「よろしくね。正樹さんは、働き者のいい男だから」と康子に笑いかけ、中年男は行ってしまった。

「ねえ、もしかして、あの山本さんってご夫婦、村のスピーカーなの？」

そう尋ねると、松浦は苦笑した。

「彼らが特別ってわけじゃないよ。人間関係の濃いところだからさ。家庭内のいざこざから、経済状況まで、みんな知ってるんだよ。だれかの家で、次男が飛び出してしまって家が一軒空いた、なんて話がすぐに伝わるから、家を紹介してもらえたりするんだ。今度も俺がトマト抱えて困ってるなんて話が、あっという間に村中に広がったおかげで、助けてもらえたし」

「ふうん……」

温かい社会のようだが、息苦しそうだ。康子は足元のトマトをもぎ始める。小さめのトマトが房状に実っている。朱を帯びた輝くばかりの赤に熟れているのは、元の部分だ。先端はまだ固く青い。熟れた果実だけを丹念に採っていく。

五、六個採っただけで、汗が噴き出してきた。抱えてコンテナまで運ぶ。とにかく暑い。
「あ、疲れたら木陰で休んでいて。麦茶もあるから」

松浦はそう言いながら、畑をはい回るようにして次々とトマトをもぐ。手際が良い。康子も反対側から採っていく。

「ねえ、ずいぶん雑草生やしているのね」

「ああ、雑草はわざと抜かないんだ。トマトに根を張らせるのと同時に強い陽射しから実を守るためだ」

「陽射しから、実を守るの？」

「ああ、この地域は、陽射しが強すぎて、放っておくとトマトが白くなってしまうんだ」ふうっと、康子は息を吐き出した。

「暑いわけよね」

「うん。無理しないで、木陰で休んでいて」

「ごめん……」

しゃがみ込んだり、中腰になったりしていたので、腰と膝《ひざ》が痛い。あの老夫婦の腰が曲がっていた理由がわかる。それにしてもこんな苛酷《かこく》な労働をあの年齢で続けているのかと思うと、驚くと同時に気の毒になる。

一休みして、再び畑に戻る。康子のコンテナはまだ底の方に少しトマトが入っているだけ

だ。

松浦は黙々と摘み取っていく。横顔に汗が伝う。病気が出ていないか、虫はいないかと葉や茎に目を走らせながら、コンテナを引き寄せ、中腰の姿勢のまま疲れも見せずに摘み取る。

やがて一杯になった重さにして二十キロ近いコンテナを両手でひょいと持ち上げた。茎を踏まないように注意深く、軽トラックの方に歩いていき、荷台に軽々と担ぎ上げる。よどみないきびきびした体の動きだ。

男だ、と康子は思った。まぶしいばかりに、松浦は男だった。その後ろ姿を見ていると切なく熱い思いが込み上げてくる。

一休みして、そろそろ昼食にしようかというとき、さきほどの中年男が再びやってきた。

「今夜の準備があるからさ、正樹さんも来てくれよ」

「準備？」と康子が尋ねると、「花火見物だ」と中年男は答えた。

二人でどこかの高台で寄り添って花火を見物するものと康子は思っていたが、どうやら当てが外れたようだ。

「女衆も集まって煮込みなんか作ってるから、奥さんも顔出しておくといいや」

中年男が言った。

奥さん、と呼ばれた康子は戸惑った。松浦の「奥さん」になって女衆に入れということか？

「すぐ行きます」と松浦は答えた。

「君も、もしよかったら女の人たちのところに行ってて。みんないい人たちばかりだから」

嫌だ、と言える雰囲気ではない。この土地での松浦の立場もある。

不満顔を隠して康子は車に乗り山を下りた。十分も走った頃、車は大きなプレハブの建物の前で止まった。

車を降り、中年男が先頭に立って中に入っていく。

広々とした内部には、ステンレス張りの調理台やガスコンロが並び、壁ぎわには大きな流しがある。まるで旅館の厨房か、給食室のようだ。そこで十人ほどの女たちが野菜やこんにゃくをきざんだり、とうもろこしをゆでたりしている。

康子と同年代の女が二、三人いるが、他は二十代だろうか。女衆と聞いて康子が想像していたより、みんな若い。農家のお嫁さんの集まりだろう。

「東京から来た斉藤康子さん」と松浦が紹介すると、中年男が「正樹さんの嫁さんになる人」と付け加えた。

「よろしくお願いします」と康子は殊勝に頭を下げる。女たちの少しはにかんだような、思いのほか好意的な笑顔が返ってきた。

中年男と正樹は買い出しに行くとのことで、すぐにそこを出ていった。

一人残されて戸惑っていると、康子と同年配の女が話しかけてきた。

「田舎《いなか》でびっくりしたかもしれないけれど、いいところでしょう。私、檜渡久恵って言います、よろしく」

他のメンバーは特に自己紹介するでもなく、せっせと作業を続けている。

「あの……お手伝いできることはありますか？」

康子は言った。

「すいません。それじゃ、枝豆を枝から外してください」

若い女が遠慮がちに言った。康子は言われた通りにする。それにしても村では行事のたびに、こうして農家の嫁さんが駆り出されるのだろうか。そのためにこんな大きな調理場まで造っているとは、と呆《あき》れながら部屋を見回した。それにしてはみんなけっこう楽しそうだ。

ふと壁を見て気づいた。保健所の許可証が貼ってある。するとこれは単に、行事のときに女衆が料理を作るためだけの施設ではなさそうだ。

「あの、正樹さんの奥さん」

そう呼ばれて振り返る。

「まだ奥さんじゃないわよ」と檜渡久恵が笑う。

「疲れたでしょう、お茶入ってますから、どうぞこっちで一服してください」

感じのいい人々だ。同僚のOLたちと年代は同じくらいだが、彼女たちのような尖《とが》った感じがない。こんなところにいると、だれでもおっとりしてくるのだろうか。

広い厨房の脇に和室があり、長テーブルが出してある。その上に並んでいるのは、お茶と漬物ではなかった。紅茶と食パンだ。パンには、たっぷりとジャムが挟んである。

女たちは、上がって一休みし始める。康子も仲間に入れてもらい、お腹は空いていなかっ

たが、勧められるままにジャムサンドを食べた。

あっさりした酸味と芳醇《ほうじゅん》な香り。ブルーベリーのジャムだった。

「東京から来られたんですか？」

「ＯＬさん？」

「ええ、損保会社で……」

紅茶を飲みながら話がはずむ。

「もう一つどうぞ」とまだあどけなさの残る女が、皿からパンを取り、康子に渡した。こちらは桃ジャムだ。

「よかったら、どんどん食べて。いくらだってあるんだから。こんなことでもなければ、減らないんだし」と檜渡が言った。言葉尻に、いくぶんやけっぱちな調子が感じられた。

「もしかして、これ、みなさんで作られたんですか？」

康子は尋ねた。

女たちは、互いに顔を見合わせ苦笑した。

檜渡久恵はうなずき、事情を話し始めた。

数年前、だれからともなく余った作物や売り物にならない果物を何かに加工して売ったらどうか、という話が出た。そこで久恵が中心になりこの辺りの農家のお嫁さんに声をかけ、ジャム作りを始めたのだという。初めは各自の家に持ち帰って作っていたが、やがて、売るためには、保健所の許可が必要だということがわかり、それならいっそのこと加工場を造ろ

うという話になった。

彼女たちは反対する夫や、夫の両親を説得して、出資金をつのり、さらに農協から金を借り、三百万円をかけて、この加工場を造った。

ジャムの評判は上々だった。にもかかわらず資金繰りが行き詰まった。農協や直売所に置いたジャムは捌けなかったのだ。観光客は土産物屋や老舗《しにせ》のジャム屋の瓶詰は買っても、プラスティックカップ入りの手作りジャムは買わない。地元の人々の食生活はまだまだ米中心だ。しかも彼女たちの作った無添加低糖ジャムは足が早い。現在、農協の冷凍庫を借りて保管しているが、そのための費用もばかにならない。

彼女たちは結局、ジャムの製造は断念し、今は漬物やきのこの醬油煮《しょうゆに》などを細々と作っている。しかしどれもそこそこ売れはするものの、利益を上げるには至らず、加工場建設のための借金の返済は滞留し、メンバーは家で肩身の狭い思いをしているという。

ケチャップ作りの都会の主婦達と同じ失敗を、地元の人々までがしていることに康子は驚いた。純子の厳しいまなざしを思い出し、我知らずため息がもれる。

「お金儲けしようなんて思うから、ばちが当たったのかもしれないね」と女の一人が、ぽつりと言った。

料理作りが一段落したとき、辺りは薄暗くなっていた。食物を車に積み込み、康子たちは花火見物の会場である町営の観光牧場に向かう。西に八ケ岳の主峰赤岳、東に富士を望み、眼下にホルスタインのゆっくり草を食《は》む光景の望める高台だ。

まもなく男たちが酒を持ってやってきた。テントを張り、シートを敷き、カラオケのセットが運び込まれる。

一時間もすると、花火が上がり始めた。小型のスターマインだが、人工の明かりがないので、夜空に鮮やかだ。

花火の音を圧して、カラオケの音が響く。

「奥さん、奥さん」と呼ばれ、康子は喧騒《けんそう》の中をビール瓶を持って、走り回る。松浦は男たちの中に入って話し込んでおり、近づけない。

やがて女と子供は、彼らの話の輪から外れて一塊になった。康子だけ、男の中に入るわけには行かず、女子供の一団に入れてもらう。

「いつ結婚するの？」

「早く、子供作りなさいよ、韮崎にすごくいい病院があるから、できたら私に言ってね」

「こっちは冬、寒いけど、すぐ慣れるわよ」

噂話の合間に、いくつもの、息苦しくなるほど好意的な言葉が康子にかけられる。

にこやかに答えながら、走り回る子供たちに声をかけ、赤ん坊をあやし、女たちの紙コップにビールをつぎ続ける。次第に微笑が顔に貼りつき、頰のあたりが強《こわ》ばってきた。

マイクロバスで松浦の家に送られたときには、精も根も尽き果てていた。

ガラスを叩《たた》く音で目覚めた。あたりはすっかり明るい。飛び起きて、ここが松浦の家だっ

たと気づき慌てる。

しかも叩かれていたのは、ドアではない。窓だ。網戸のはまった窓の向こうに、男の顔があった。

「正樹さんよ、かたづけだ」

昨日、畑まで迎えにきた中年男だ。

「あ、はい、すいません」と傍らに寝ていた松浦も飛び起きる。

昨夜のあとかたづけを一斉にするらしい。松浦は顔も洗わず、康子に「君は寝てていいよ」と言い残して出ていった。

寝てていいよ、と言われても、こんな風に他人が窓からのぞいて起こしてくれるようなところに、寝ていられるはずはない。しかも昇った朝日が屋根のトタンを焼いて、午前中だというのに暑い。

あらためて見回してみれば、四畳半と六畳の二間だけの、このあたりにしたらかなり狭い家だ。なんでも元は近所の農家が、次男夫婦を住まわせていたそうだが、ちょっとした不和で彼らが出ていってしまったので、松浦が借りているらしい。風呂《ふろ》もついてないので、松浦は大家である農家でもらい湯をしているのだという。まさか結婚してもここに住むつもりではないだろう、と思いながら、康子は室内にこもった熱気から逃れるように外に出る。

県道脇でぼんやりしていると、後ろからクラクションを鳴らされた。

振り返ると、檜渡久恵が軽トラックの運転席で「おはよう」と手を振っている。

荷台には、いかにも採れたてという野菜が載っている。これから直売所に持っていって売るのだ、という。

「なんなら、見学をかねて来る？」と久恵は助手席のドアを開けてくれた。断れる雰囲気ではなく、言われるままに乗り込む。

直売所は清里《きよさと》に通じる道沿いにあった。大きなドライブインのそばだ。

昨日の加工場で会ったメンバーが先に来ていて、荷台の野菜をみんなで下ろす。それらが、すぐに売り物になるわけではない。傷がついたものを取りのぞき、タオルでほこりを拭《ふ》き、計量し、袋につめる。単純な作業だが、手間暇がかかる。女たちがやっているのをぼんやり見ているわけにはいかず、康子も手伝う。

日陰とはいえ、重たい野菜を運んだり袋詰めしていたりすると、汗が流れてくる。

「ちょっと、おばさん、おばさん」

台に並べていると、いきなり後ろで声がした。自分を呼んでいるのだ、とわかったが、返事をするのは腹立たしい。農家の人、というだけで、年齢に関係なく「おばさん」と呼ぶのはやめてほしい。

「はい」と久恵が、振り返る。

「それ、いくら？」

観光客とおぼしきキュロットスカートをはいた女が尋ねた。そちらの方がよほどおばさんだった。

「全部、一袋百円です」

久恵が答える。

「ずいぶん安いのね」

康子は驚いて言った。

「この辺じゃ、みんな作っているものだから、しかたないわ」と久恵は笑いながら答える。

しかしこれでは全部売れたとしても、いったいいくらになるのだろう。

「喜んでくれる人がいるからやってるようなものよね。子供が来てね、おばさん、このあいだのとうもろこしすごくおいしかったよ、なんて言われるのが、一番うれしいのよ」と久恵は言い、それから笑顔で付け加えた。

「農家のお嫁さんっていうと苦労ばかりって、町の人は思っているかもしれないけど、本当はいろいろなことができるのよ。お金云々《うんぬん》の問題じゃなくて、みんなで一緒にいろんなことをやって、それを喜んでもらえて。斉藤さんもぜひ仲間に入ってね」と久恵は康子の手を握った。

久恵だけではない。みんな一日も早く康子がこの土地に馴染《なじ》めるように気を配っているというのがわかる。そしてだれもが康子は松浦と結婚すると決めてかかっている。

「斉藤さんみたいな良い人が、この村に来てくれることになって、すごくうれしい」とメンバーの一人は、お世辞とも思えない口調で言った。

久恵に車で送ってもらって、松浦の家に戻ったときは、夕方近くになっていた。

康子が今までどこにいたのかを告げると、松浦はうれしそうに「よかった。村の人たちと気が合って」と言った。

「それで今夜、若いのだけで飲みに行く約束をしたんだ。来るよね。嫁さん見たいんだって。それはともかく、みんなと仲良しになっておくことは、絶対必要だし」

軽トラックの荷台から農機具や空のコンテナを下ろしながら、松浦は言う。

康子は、松浦の顔をぼんやり見ていた。暑さのせいか、論理的な思考ができない。

そもそも結婚する、という前提はどの段階でできていたのか。松浦自身の口からはまだ結婚の申し込みは聞いていない。仮に結婚したところで、いったいここでどうやって生活していくのか。

まだ何も話し合っていない。二人でじっくり話し合う機会も得られないうちに、村の人間関係や女のネットワークの中に引きずり込まれていく。

「ごめん……」

康子は言った。

「帰る」

「え」

驚いたように松浦が手を止めた。

「明日、仕事だから。それに頭痛がひどくて」

事実だった。陽射しが強いせいで、日射病になったらしい。こめかみが脈打つたびにずき

ずきと痛む。

「じゃ、今日、帰るの？」

松浦はうろたえている。

「ごめん、ほんの少しだけ待ってて。中で寝てて。ちょっとこれからトマトを集荷場に届けなければならないんだ。置いたらすぐに戻ってきて駅まで送る」

それだけ言い残すと、慌てふためいて車に乗ってどこかに行ってしまった。

松浦がどのくらいで帰ってくるかわからないが、こんな暑い家の中で寝ていたら、ますます頭が痛くなりそうだ。康子は荷物をまとめて外に出た。

県道に出ればタクシーくらい通りかかるだろう。それに乗って駅まで行き、さっさと特急で帰るつもりだった。３ＬＤＫの我が家が懐かしい。クーラーとシャワーが、何より恋しい。

タクシーは来ないかと目を凝らしながら、康子はゆっくり歩いていく。しかし一台も通らない。電話をかけて呼ぼうにも電話ボックスもない。電話のあるコンビニエンスストアの類はもちろんない。

しばらく公衆電話を探してから、やはり松浦の家まで戻って電話をかけようかと思い振り返ると、いつのまにか遠くまで来てしまっているのに気づいた。戻るのも億劫《おっくう》だ。

もう少しで町中に出るだろうとさらに歩くが、いっこうにそれらしいものはない。どうやら方向を間違えたらしい。

気がついたときは、一面のキャベツ畑の中の農道に立っていた。

途方に暮れていると、天の助けのように、看板が見えた。

「リゾート・イン・プロヴァンス　南フランス料理・喫茶　おいしいチーズとワインをどうぞ」と矢印がついている。チーズとワインはともかく、そこなら電話くらいあるだろう。矢印に沿って小道を入ると、両脇の景観は突然変わった。古い日本の民家が二軒。どこかから移築されたものらしく、この辺りにはない合掌造りの豪壮な建物だ。

一軒は「ガラス工房」、もう一軒は「草木染め工房」の看板がかかっている。さらにその向こうの建物からは、ヴァイオリンの音が聞こえてくる。ひょい、と中を覗《のぞ》くと、外国人の弦楽合奏団が練習をしている。

かなり広い地域にわたって、康子がついさきほどまで居たところとは違う空間が広がっている。その中央に「リゾート・イン・プロヴァンス」はあった。

康子は樫《かし》のドアを開け、中に入った。広々としたティー・ルームには冷房がきいていた。

「いらっしゃいませ」とオーナーらしい口髭《くちひげ》を生やした四十がらみの男が迎える。

電話だけ借りるわけにもいかないので、康子はアイスティーを頼んだ。ソファに座り、あらためて外を眺め息を呑《の》んだ。夕暮迫る森と畑、正面の駐車場の脇では月見草が一斉に花を開いたところだった。ふるようなひぐらしの声が聞こえてくる。

畑の向こうのまだ暮れきらない空に、淡い色の月が昇る。

窓際に中年の夫婦が座り、お茶を飲みながら、やはり外の風景に見入っている。

「今が、一番、いい時刻ですね」

アイスティーを運んできたオーナーが、物静かな口調で言った。

「ええ……月見草があんなにきれいだなんて」

このあたりではありふれた光景だった。しかしその自然の美しさに心底酔えるのは、心地よい冷房の下で、洗練された接客をしてくれる人を前にしてのことだ。昨夜、花火を見た町営牧場の光景はさらに雄大だった。しかしがなりたてるカラオケの音と、ひっきりなしのおしゃべりと、浴びせかけられる好意的な質問の中で、ずっと気を張っていたから景色どころではなかった。

今まで意識はしていなかったが、自分は都会の人間なのだ、と康子は思った。実家の千葉は都会とは言いがたい。それでも十五年以上もの間、都心のオフィスで働いているうちに、自分の感覚は都会人に近付いてしまったらしい。

村人は、閉鎖的でも意地悪でもない。それどころか親切で優しく、女性たちも生き生きとしている。しかしその優しく暖かく濃い人間関係が康子には耐えがたい。行動の単位が、夫婦やカップルではなく、男衆、女衆に分かれるというのにも抵抗がある。女のネットワークならともかく、久恵たちの「女だけのネットワーク」を強制されるとしたら、わずらわしい。

自分は東京のマンションに帰るべきなのだ、と思い知らされた。あそこが自分の居場所だ。まっとうに働き、貯金をし、やくざに競《せ》り勝って、手に入れたものなのだ。幸い親も元気だし、兄弟もいる。無理に結婚してここに住むより、定年まで真面目《まじめ》に勤め上げ、自分なりに

生活をしていった方がいい。

康子はグラスを置いて立ち上がり、電話のところに行った。タクシー会社の電話番号を押そうとしたとき、ふと傍らの土産物に目が行った。

瓶詰のトマトピュレだ。籐《とう》の籠《かご》に綿布を敷き、そこにジャムやオリーブオイルと一緒に美しくコーディネイトされて、トマトの瓶詰ピュレが入っていた。

思わず手に取ると「おいしいですよ。それ」とオーナーが声をかけてきた。康子の目に最初に入ってきたのは、その値札だ。七百円。五百グラム入り。どう見ても康子の作った瓶詰の半分の大きさだ。産地はアメリカ。イタリアでも、このインの名前のプロヴァンスでもない。こういう商売が成立するのか、と驚いて、オーナーの顔を見た。

「うちは、南フランス料理をお出ししているんで、よくトマトを使うんです。うちの料理を気に入ってくれたお客さんが買っていってくれますよ」

「生は使わないんですか、このまわりでもトマトを栽培しているようですが」

康子は尋ねた。

オーナーは笑って首を振った。

「民宿などなら別ですがね、私たちは品質が一定していないものは、お客様に出せません」

と純子とまったく同じことを言う。

「アメリカ製というのは？」

「ええ、ラベルのセンスがとてもいいでしょう」

確かにそのシンプルなロゴは、籐の籠に盛り付けると絵になる。インテリアに凝っている主婦なら、台所に置いてみたいと思うだろう。

籠の脇には、リースが飾っている。まつぼっくりやドライフラワーを配した小型の物だ。定価は五千円。一瞬、コンテナいっぱいのトマトを思い浮かべた。あれの七箱分、そしてこの日に久恵に連れて行かれた直売所での一日の売り上げ。それに匹敵する値段が、小さなリースにつけられている。

「気に入りましたか？　妻の手作りです」

オーナーが言った。

十年以上前に行った、セブ島のことを康子は思い出していた。ホテル内の売店と村の雑貨屋では、物価がまったく違った。ホテルではペソ、村ではセンタボと、使う通貨の単位が違うほど、その落差は大きかった。それがすなわち生活水準の差でもあった。

そうした経済格差が国内にあるということは、今まで想像もしていなかった。しかしそのことを矛盾と感じ、憤るほど康子は幼くはない。かといって久恵たちのように、「お金儲けをする気はない。喜んでもらえればそれでいい」と経済行為自体を否定して、永遠に貧しい農業を肯定する気にもなれない。

康子はその落差の中に、ごく自然な形でビジネスチャンスを見た。

このスノッブなリゾート村と、在来農家の集まる集落の間に、橋をかけることができるかもしれない。根っからの多消費型の都会人ではなく、かといって田舎者でもない。中途半端

な自分だからできることがあるはずだ。

「トマトピュレや、ジャムの手作りはなさらないんですか？」

康子は尋ねた。

「そこまでは手が回りません。料理をお客さまに出すだけで手いっぱいですよ」

確かにこの小さな規模のインでは、コックを雇えるはずはない。せいぜい妻か、家族のだれかが調理をしているのだろう。とすれば、趣味的なリースは別として、土産物の手作りなど無理にきまっている。

「あの、うちではこれ以上のピュレを手作りしているんですが、置いていただけないでしょうか」

康子は慎重な口調で切り出した。

オーナーは少し驚いたように、目を見開いた後、小さく笑った。

「ああ、おたく、営業さんでしたか」

康子は、自分で作ったトマトピュレの原料がこの辺りで栽培されているジュース加工用トマトとは異なり、ピュレに適していること、完全無農薬、有機栽培で育てられていること、それを使い、手作り無添加のピュレを作ったことなどを、簡潔に説明した。

「こだわりの逸品ですね」

揶揄《やゆ》するでもなく、オーナーは言った。

「後日、サンプルを持って来ます。なんとか試食だけでもしていただけないでしょうか」

オーナーは困ったような顔で笑った。

「置かせてもらうだけでもけっこうですので、とりあえず持ってくるだけでも」

「はあ……」

ある計画が驚くほどの速さで、頭の中で立ち上がっていく。松浦のトマトが今、康子自身の将来設計に結びついた。

オーナーに後日会ってもらう約束をとりつけ、康子はその日タクシーと特急を乗り継ぎ、飛ぶように自宅に戻った。

家に戻り、シャワーも浴びずに残っていた瓶詰を全部箱詰めしたちょうどそのとき、電話が鳴った。

松浦からだ。

「ごめん一人にして。大丈夫だった？　まだ頭が痛い？」

すまなそうな声だ。

「ありがとう。大丈夫よ。それよりあのトマト、ジュース用に売るのは、もうやめて」

康子は言った。

「どういうこと？」

「あたしに売ってほしいの。コンテナ一杯、二千円払うから。相場の三倍だからいいでしょう。本格的にピュレを作りましょう」

「そりゃコンテナ一つくらいなら、君に売るっていうか、あげるよ。でも全部ってわけにはいかない。俺が困っているのを見かねて、口をきいてくれた人がいて、仲間に入れてもらったんだ。その人の立場もあることだし」

「だからそこはちゃんと理由を説明して、お願いしてみて。もともとあなたのところの分は、ジュースを作る計画には入ってなかったんだから、その人たちだって困るわけじゃないんだから」

少し沈黙したあと、松浦は言った。

「そういう問題じゃないんだよ」

「じゃあ、どういう問題なの？」

「だから、一緒にジュース用に出荷している他の農家の人たちになんと説明すればいいんだよ。買い手がみつかったから下りますって言えるか？　自分のところさえ高く売れればいいってことになるじゃないか」

「あなたのトマトは周りの在来農家のと違うんじゃなかったの？」

「孤立したらここでは生きていけない」

「レディ・ダイアナ、という名前の、あなたのトマトでしょ。みんなに何を言われても、いろいろ失敗しても、安全でおいしいトマトを作るためにがんばったのよね」

「…………」

「それが村のＢ級生食用トマトと一緒につぶされて、缶詰ジュースにされるのよ」

「やめろよ、そういう言い方」

「和をもって尊しとするなら、サラリーマン続けてりゃよかったのよ。ソープの人質になって」

「切るぞ」

松浦は怒鳴った。

「さようなら」

「待ってくれ、さようならって……」

松浦は電話の向こうでうろたえている。

「お願い、一つ教えて。檜渡久恵さんの電話番号」

「何をするんだ？」

「一緒に口紅を買いにいく相談」

「勝手にしろ」と言いながら、松浦は教えてくれた。

受話器を置き、すぐに久恵の家にかけなおす。

久恵は家にいた。二日間、世話になった礼を言った後、康子はすぐに用件を切り出した。

あの加工場を借りたい、と申し出たのだ。

「あ、どうぞ。どうせ使ってないから。でも、他の人たちにも話しておかないとまずいから、少し待ってね。何するの？」

康子は松浦のトマトでピュレを作るのだ、と説明した。

「ピュレ？　売れるの？」

「ええ、やってみる」

「今、みんな忙しいから、かなりきついとは思うんだけど、私たちもできるかぎり一緒にやってあげるから、そのときは声をかけてね」

家族に聞かれたくないらしく、久恵は声をひそめている。

「ありがとう。加工場や調理器具、ガス代なんか含めて、一日四千円で貸してください」康子は言った。

「いえ、みんなのものなんだからお金はいいのよ」

「いえ、そうじゃなくて……気を悪くしないで聞いてくださいね」

康子は慎重にことばを継いだ。

「仕事でやりたいんです。だからそのあたりのことは、きちんとしたいと思ってます。それで、場所だけじゃなくて、人手も欲しいんですが、安くて申し訳ないけど、日当四千円で来てくれる人はいないでしょうか」

「あの、斉藤さん、悪いけど」

久恵が言いかけたのを康子はさえぎった。

「ずっと、十六年間、保険会社でOLやってきました。世間で言われているほど気楽な仕事じゃありません。多少はお金と実績について、シビアな物の見方ができるようになりましたし、男の人たちを見ていたので、営業についてもある程度わかります。いつか結婚して辞め

たいとずっと思っていましたが、そんなことをすれば、たぶん私の十六年間の経験は無駄になると気づいたんです。失敗するかもしれないけれど、私、これをきっかけに独立を考えているんです。資金については心配ありません。日当と借り上げ料は先払いします。お願いします」

久恵は、しばらくの間、沈黙していた。それから躊躇《ちゅうちょ》しながら、「加工場の件は問題はないと思うけど、一応、みんなに話を通してみるから待ってて」とだけ答えた。

電話を切った後、康子はパソコンに向かった。面倒な使い道はほとんど知らないし、ゲームさえ、やったことがない。しかし仕事で使っている関係上、ワープロソフトだけは使える。システムを立ち上げ、考えていたキャッチフレーズを打ち込んだ。それをあまっていた年賀状の宛名《あてな》用ラベルに印刷する。さらに字体を変えて数種類作る。

一通りの準備作業を終え、純子に電話をかけた。

これから会えないか、と言うと、「いったいどうしたの、お店終わってからだから、遅くなるわよ」と言いながら、町田のホテルにあるバーを指定した。

約束の時刻ぴったりにやってきた純子は、カウンターに頬杖《ほおづえ》をつくと、「男関係の相談ごとなら、お断りよ」と開口一番、挨拶がわりに言った。

「独立の話よ」と答えたとたん、純子はマスカラで上向いたまつげをゆっくり二、三度、上下させた。

「冗談、言ってるの？」

康子は首を左右に振った。

「甘くないわよ」

「わかってるわ」

「第一、どうやって銀行から資金を借りるの」

「借りる必要ないわ。転換社債を二つ三つ売ればすむことだもの」

純子は康子の顔をみつめたまま絶句した。

康子は自分の計画を詳細に話した。

「この前、あのピュレ、瓶代が三百円で、中身の原価は七百円と言ってなかった？　今度はトマトが二十キロ二千円とは、買い叩いたものね」

純子が驚いたように言った。

「買い叩いたりしてないわ。出盛りだし、買い手がないからしかたない……」

康子が答えると、純子はすかさず言った。

「瓶は、もっと安いものに替えて千本単位で買えば、一本百円まで落とせる。すると一本五百円で売って、十分採算が取れるわね。ただしペンションで売るなら、ピュレよりは、お土産としておしゃれなものの方がいい。ディル入りの水煮とか」

「ああ、この前、ピュレと一緒に作ったあれね」と康子は言いかけた。

「悪いけどあなたの作った水煮はだめ」と純子は遮った。

「まずかった？」

「そうじゃなくて……」

　少し言いづらそうに純子は続けた。

「ピュレは、単にトマトそのものだから、だれが作ってもあまり差がないけれど、水煮は少しコツがいるの。無添加、安全を売り物にした素人の手作り食品がなぜ失敗するか、わかる？　所詮《しょせん》は素人料理だから。原材料はいいんだけれど、味にめりはりがないの。作り手も自分たちは正しい食物を作っているという意識があるから、それ以上勉強しようとしない。家事の延長のような感覚で、プロがしのぎを削っている市場に参入するのは無理なのよ。主婦の作るものと他人に食べさせてお金をもらうための料理の間には、大きな差があることをまず肝に銘じないと」

「あ……」と康子は小さく声を上げた。松浦のトマトで作った良心的トマトケチャップ、そして久恵たちの加工したジャム、それらが失敗した原因というのは、そのあたりにあるのだ。

これは純子のいうように、純粋に味の問題ではなく、おそらくその心構えにおいて。

「お願い、素人の手作りに問題があるというなら、プロの作り方、教えて」

　純子は呆れたように首を振る。

「ちょっと考え方、甘くない？」

「お願いします」

　康子は旧友に向かい、頭を下げた。

「トマトは今が最盛期なのよ、のんびりしていられないの。パートの女の人の手当てはして

おくから、研修の講師みたいな形で教えに来て」

「…………」

「お店の定休日、いつ？」

「木曜だけど、私だってデートする相手くらいいるのよ」

「日当は払います」

康子は純子の目を見つめ、あらたまった口調で言った。

「高いわよ」

純子は、ドライマティーニをすすった。それから、にっと笑って言った。

「いらない。一万、二万で雇われるのはプライドに関わるから。行って教えてあげる」

「ありがとう」

「なんだかんだ言いながら、あなたもまだＯＬ根性が抜けてないわね。でも自己資金を作ったってことは誉《ほ》めてあげる」

相変わらず憎たらしい言い方だが、反論の余地はない。

「ただし主婦感覚、母親感覚は持ち込ませないでね。ワーカーズ・コレクティブと村おこし的発想も勘弁してね。やるならプロの仕事をしてもらうわ」

「わかった……」

おそらく純子の価値観も人生観も、自分とは大きな開きがあるのだろう。久恵とはさらに、相互にまったく理解できないほどの隔たりがあるに違いない。

別に案ずることはないのだ、と康子は思った。この感覚の落差を、商売の上で生かし、つないだときに大きな利益が生まれる。それはコーディネーターとしての自分の腕にかかっている。

「乾杯」

純子は二杯目のマティーニのグラスを上げた。康子は小さくうなずき、自分の水割りのグラスの縁をそれに触れさせた。

翌日とその翌日は勤務日で、水曜日から本当の夏休みに入った。

トマト瓶十本の入った箱を持ち、スーツを着込み、康子は軽乗用車に乗り込んだ。車は千葉の実家にいる妹から借りてきたものだ。就職してまもなく車の免許はとったものの、たまに実家に戻ったときくらいしか運転する機会がなかったから、腕にはあまり自信はない。しかし車がなければ、この日の仕事は進まない。

おっかなびっくり中央自動車道に乗り、一路、山梨を目指す。幸い世間の夏休みはすでに終わっているので、道は空いている。

長坂《ながさか》インターで降り、国道を西に向かうと、やがてあのペンションのあった村に着いた。車を止め、ルームミラーで口紅を引き直し、髪を整える。陽射しが強く残暑は厳しいが、スーツの上着を着込む。

それから名刺とトマトピュレの瓶を握り締め、車から降りた。

営業用の名刺の肩書きは、「八ケ岳南麓レディース　代表」とした。まるで暴走族だが、

他に適当な名前がみつからない。また、レディースを作るための人材もまだ確保していない。それでもまずは買い手を探さなくてはならない。

ペンションのドアが近づいてくるに従って、緊張してきた。営業課にいたとはいえ、康子を初めとする一般職の女性は、後方部隊だ。契約は男性社員が取ってきて、康子たちは書類の処理にあたる。

それでも商売の最前線、営業の大切さは、骨身にしみてわかっている。ノウハウも、感覚的に把握している。チャンスを与えられなかっただけだ。たとえ与えられても、少し前の康子なら、とても男性たちのようにはふるまえない、と尻込みしていただろう。しかし今は違う。ドアを開けて中に入る。

「こんにちは、斉藤です。先日は、お世話になりました。今日はお約束通り、ピュレを持っておうかがいしました」

用意していた言葉はよどみなく出た。

オーナーは少し驚いたような、少し困ったような顔をした。

躊躇せずに、康子はトマトピュレを出す。

「ぜひ、試食していただけませんでしょうか」

「ま、ちょっと待ってて。厨房は家内がやってるから」

オーナーは奥に入り、妻を連れて出てきた。

康子は用意した紙皿にピュレを空け、このトマトの素性と加工場について説明した。

仕事をしていた最中だったらしく、両手を濡《ぬ》らしたオーナーの妻は露骨に迷惑そうな顔をする。

「お忙しいところなのに、本当に申し訳ございません。お手間はとらせません。ぜひ、味見してみてください」

相手に嫌な顔をされるのや、追い払われることにめげていたら、営業などできない。平身低頭して売り込む。どこの会社でも新人の男が最初にやらされる仕事だ。一般職女子社員の最大のハンディとは、その経験がないことかもしれない。

オーナーの妻はしぶしぶ味を見る。そしてはっと驚いたように顔を上げた。

「いかがでしょうか？」

「いくらで入れてもらえるの？」

脈ありだ。

「一応、一キロ入り定価は八百円と考えてますので、こちらには五百円で卸させていただければと」

「しかしうちにも出入りの業者がいますからね」とオーナーがため息をついた。

このときとばかり、康子は昨日作ったワープロ打ちのラベルを取り出した。それを瓶に貼りつける。

「無添加ピュレ　当ホテル契約農園の、無農薬、有機栽培で作られたトマトだけで作りました。リゾート・イン・プロヴァンス　シェフ特製」

シェフである妻は、あんぐりと口を開いた。

オーナーは、にやりとした。

「なかなか知恵者ですな、おたく」

「はい。こちらのホテルの宣伝にもなるかと思います。品質については万全を期しますので」

オーナーと妻は顔を見合わせた。

「よろしくお願いします」

康子は再び頭を下げる。腰から三十度の礼。新人の男が練習させられるあれだ。

「ま、じゃあ、取りあえず、二十本くらい……」

「三十本」

オーナーは苦笑してうなずいた。

製品を明後日に届ける約束をして康子はそこを出た。

次に久恵の家に行った。ちょうど久恵は畑に出ており、姑《しゅうとめ》が昼食の支度をしているところだ。

座敷に上げてもらった康子は、持ってきた菓子折を姑に渡し、膝をそろえて丁寧に頭を下げる。それから姑に向かって加工場を借りたい旨を話した。

「まあ、ご丁寧に。こんなことをしてくれないでもいいのに。どうせだれが使うわけじゃなし、無駄になってるところなんだから、いいんじゃないのかしら」

かえって恐縮したように、姑は言う。そのときちょうど久恵が家に入ってきた。

「一応、みんなに連絡したら、斉藤さんなら貸してもいいということだったわ」

そう言いながら、久恵は加工場の鍵《かぎ》と、使用する際の注意事項を書いた紙を渡してくれた。礼を言った後、康子は尋ねた。

「それで、だれか手伝ってくださる方はいませんか？」

久恵は考え込むような顔をした。

「ちょうど夏野菜の出荷時期で、直売所の当番さえ、ままならないような状態だから……」

「加工については久恵さんに一任する形で、なんとかお願いしたいんですが」

「それは、ちょっと」

久恵は首を横に振った。

「私は、本当に、今やっていることだけで手いっぱいなのよね。子供も、ばあちゃんもいるし」

「助けると思って、お願いします」と康子は両手をついた。保健所の許可を康子はまだ取っていない。これから手続きをしていては、間に合わない。すでに許可を取ってある久恵に直接の製造責任者になってもらうのが一番てっとり早いのだ。

「賃金は、実働六時間で四千円でいかがでしょう。一日分のトマトは当番二人で十分加工できると思いますので、なんとか、一日二人、確保できませんか？」

「工場のパートより、時給がいいじゃないの」

姑が口を挟んだ。

「直売所でやってるように、当番さんを決めて、毎日二人ずつで手伝ってあげればいいよ。斉藤さんだってこうやって、頼みに来てるわけだし。だいいち加工場造ったときの借金抱えているんだろ、あんたたちは」

久恵の顔に、泣き笑いの表情が浮かんだ。

「これを機に返しましょうよ、久恵さん」

すかさず康子は言った。自分の口調が営業マンのそれになっているのに気づいた。

「私が払った分のお金でも、少しは返済の足しになるでしょう。加工部門を受け持ってください。お願いします」

「あまり家をあけるのも……」と久恵は困ったような顔をした。

「畑はあたしがやってやるから、あんたは借金を返すことを考えなよ」

とどめを刺すように、姑が言った。

康子は人の手配を久恵に頼み、とりあえず一日目は、調理指導の人が来るので当番だけでなく全員集まってくれるようにと言い添えた。

「まあ、研修会までやるの？」と久恵は目を丸くする。

「ええ、イタリア料理店やってる女性のコックさん」

へえっ、と久恵は聞きなおした。

「その人が教えてくれるの？」

「そういえば、前にも加工場で料理教室やったっけね」と姑が言った。

「高血圧予防の料理教室ね。保健センターの栄養士さんを呼んで」と久恵が説明した。

久恵は、どれだけの人が集まるかはわからないが、とにかくジャム作りをしたメンバーに頼んでみる、と言う。

久恵の家を出て、今度は松浦のところに向かう。

コンテナ二杯分のトマトを積み上げ、松浦は待っていた。ジュース加工を勧めてくれた人のところに行って謝り、明日からトマトを卸せない旨を話してきたと言う。

「もともと俺のところのトマトは予定外だったから別にいい、って言ってくれたけど、なんだかなあ……」と、松浦は不機嫌な調子で言った。

「ごめんね」と言いながら、康子がさっそくトマトの代金を払おうとすると、松浦は札を押し返した。

「金のやりとりはやめよう。そうじゃなくて、あの……近いうちに君のご両親のところに挨拶にいきたい。それから東京にいるうちの親んとこにも行かなきゃならないし。そのへん、はっきりと君の意思というか……聞きたいから」

決意を固めて勢い良くスタートを切ったとたん、石につまずいた気分だ。

「あの、それより、今はトマトを」

「一生の問題だろ」

今は、トマトの方が自分にとっては一生の問題だ。しかしまさかそれは言えない。

「もう少し待って。私の鮮度は下がらないけど、トマトはどんどん赤くなって、腐ってしまう」

松浦は何度か言いかけては、言葉にならずに黙りこくった。

私の鮮度だって世間から見たら十分下がっていて、腐る寸前なのだ、と康子は思った。しかし今、そんなことを問題にしていられない。

「あなたは自分の判断で脱サラしてこの仕事を始めたのよね。それで自分の判断でトマトを植えたんでしょ。ここで放り出すのは、自分の生き方を放り出すことよ」

「ああ……それは、まあ」

松浦は納得しかねたように、上目遣いに康子を見た。

とにもかくにも、これで原料のトマトは康子が押さえた。そうこうするうちに、一昨日発注しておいた千本のガラス瓶のうち、店の在庫分百本が松浦の家の住所宛てに送られてきた。伝票と物を確認し、加工場に運ぶ。

日が暮れるのを待って、村の家々を回った。

普段着でいい、と松浦に言われたが、康子はスーツ姿のまま、名刺と菓子折を持って訪問し、村の加工場を借りてトマトピュレを作る旨を伝えた。

「よろしくお願いします」と深々と頭を下げると、「がんばりなさいや」とか、「あんたまで、久恵さんたちみたいに借金こしらえなさんな」などという言葉が返ってくる。

座敷に上げられ、お茶をごちそうになりながら、一通り挨拶回りが終わったときには、夜

の十時を過ぎていた。

それが終わった後は松浦と国道沿いのスナック兼食堂のようなところに行き、地元の若い人々と飲む。

いったい自分が松浦と結婚するのか、しないのか、はっきりしないまま、とにかく松浦のフィアンセとして数時間を過ごし、その夜は松浦の家に泊まった。

翌朝、再び窓を叩かれて起こされた。

純子だった。隣の布団に松浦はいない。とうに畑に出た後らしい。

「いくら田舎だからって不用心ね。覗かれるわよ」

「どうしたの、こんな早く」

思わず尋ねた。まだ朝の八時だ。

「自分で呼びつけたんでしょ」

道路が混むのがいやなので、六時前に町田の自宅を出てきたのだと純子は言った。

窓の向こうに純子のワーゲンゴルフが止まっている。後部座席に段ボール箱が入っていた。

「何、あれ？」

「商売道具」

純子は答えた。

九時過ぎに純子を加工場に案内して用意を始めるうちに、それぞれの家で朝の一仕事を終えた女性たちがぽつりぽつりとやってきた。一時間くらいのうちに、久恵を含めてあの花火

大会の日にここにいたメンバー、ほぼ全員が集まった。純子はメンバーに自己紹介し調理の手順を説明する。そして車から下ろした段ボール箱を開けてみせた。中身は大量のワインや岩塩、香草のたぐいだった。

純子の、全身からオーラの立ち上るような迫力に呑まれたのか、本物のイタリア料理の女性コックというものがめずらしかったのか、久恵たちは声もなく純子の手元をみつめている。

康子も仲間に加わりたかったのだが、彼女には別の仕事がある。加工場の方を振り返りながら、車に戻った。

念入りに化粧し、スーツの上着を着こみ、康子はまた車を走らせる。この日は清里のペンション地域を回る予定だ。

喫茶店を兼ねた人の出入りの多そうなところを狙《ねら》い、飛び込みセールスをして注文を取って歩く。もちろん門前払いを食わされるところもあるが、たいてい話だけは聞いてくれる。スノッブな感じで癖のあるオーナーほど、ピュレを「ペンションの手作り」という名目で売るという案に飛び付いてくる。

オーナーの一人は、ブルーベリーのジャムはないか、と尋ねてきた。迷わず、康子は、「あります」と答えた。久恵たちが作ったジャムが、農協の冷凍庫に大量に眠っているはずだった。そちらも「ペンション自家製」の触れ込みで売り込める。

需要はあったのだ。しかし良心的生産者に徹した久恵たちは、それを掘り起こすことができないまま、大量の在庫を抱えて借金に苦しんでいた。

一方、都会からやってきたペンションのオーナーたちは、地元の人々との濃く煩わしい人間関係を拒否して、仲間うちだけでコミュニティーを形成しているがために、欲しいものが足元にあるのにも気づかず、輸入フルーツで作ったジャムや輸入製品を仕入れて、土産物として売っている。

そうしたミスマッチがあるかぎり、自分の活躍の場はあるのだ、と康子は確信した。

トマトだけでなく、ジャムの売り込みもしながら、康子はペンションを一軒一軒回る。めぼしい地区を回った後には、印刷しなければならないラベルの種類は、「ペンション風車手作り」や「オーベルジュ・イル・ド・フランス　シェフ特製」等々、七種類になっていた。予想以上の手応《てごた》えだ。

加工場に戻ると、純子と集まった女性たちは、昨日とこの日持ち込まれたトマトの加工を完了し、後始末をしているところだった。

トマトのピュレが四十本と、美しいガラス瓶に入った水煮のようなものが二十本並んでいる。黄を帯びた液体に真っ赤なトマトが浮いて、香草が絡んでいる。

「ワイン煮。キッチンのインテリアにもなるのよ。ワインはチリ産のバルクで十分。くれぐれも単価が高く甘ったるい地ワインなんか使わないこと。これは一瓶二千円で、十分売り切れるはず」と純子は自信有りげに微笑した。

しゃれた瓶は純子が店から持ってきたものだという。

「公民館の料理教室より、ずっと楽しかったです。ありがとうございました」

若い女の一人が目を輝かせて、純子に言った。

他の人々も、口々に礼を言って帰っていこうとした。

「ちょっと、待って」

康子は呼び止めた。

「ジャムの買い手がみつかったわ」

「え……」

女たちが一斉にこちらを見た。

ただしガラス瓶に入れ、「ペンション手作り」のラベルを貼りつけることが条件だ、と話すと久恵はいくぶん複雑な顔をした。しかしその場には一様にほっとした空気が流れた。

「助かった……冷凍庫借りるお金も、けっこうかさんでいたのよね」と久恵はため息をついた。手伝ってくれた女たちが帰ったあとは、加工場には純子と二人だけ残された。

「今日できたピュレは、四十本。トマトはこの先もできるから、最終的にはワイン煮を入れて、製品は約千本」

純子は報告する。

「ええ」と康子はうなずく。

「この辺りのペンションって、客が来るのはあと半月よ。土産物屋だって同じ」

あっ、と康子は小さな声を上げた。今、慌てて作って卸したとして、売れるのはあと半月、ということか。つまり二回目の出荷はできない、ということだ。

「スキー客は……」

「スキー帰りに、野沢菜ならともかく、トマト買う？」

「温泉旅館」

「客層が違うでしょ」

膝から下の力が抜けてくるような気がした。

純子は、康子の肩に手を置いた。

「うちで引き取るなんてことを私が言ったら、あなたのチャンスを奪うことになるわね」康子は、うらみがましく純子を見上げ、自分でも呆れるほど力のない笑いを浮かべていた。

「あなたのチャンスを奪う」とは、いかにも純子らしい言い草だ。

「アドバイスを一つさせて」

純子は手を洗い終え、外していた指輪をはめながら言った。

「明日から営業先を東京に移すのよ。大きな商売をしたければ、デパートと高級食材店を回ること。そこの棚を一つ取れるか取れないかが勝負。あなたが本気なら、私、できるかぎり協力する。成功したときには、ここがトマト以外の生産物の加工で通年フル回転することになると思う。いい？　商品には誇りを持つのよ。高級感を出して、差別化を図るのが大事。女だって同じでしょ。素朴さと人の好《よ》さだけで勝負しようとすれば、価格破壊が待ってるだけよ」

康子はぎくりとして、純子を見た。

「自分も、自分の手がけたものも、磨きぬいて高く売りなさい。やるなら年商一億を目指さなきゃ」

それだけ言うと純子はゴルフに乗り込み、勢い良くドアを閉めた。そして片手を振ると、この日彼女が泊まることになっている清里の富士屋ホテルに向かって走り去っていった。遠ざかっていくテールランプを眺めながら、康子は全身が緊張感で震えるのを感じた。ほんの少し前まで予想もしなかったところに、自分は踏み出そうとしている。

目指せ一億、目指せ社長。そんなことを考えてはいない。とりあえずは、いかに有能な営業マンになれるか、いかにセンスのあるコーディネーターになれるかが課題だ。

不意に、後ろから手を叩かれた。

松浦の体温を背中に感じる。

「ごめんなさい。結婚の返事は少し待って」

そう言って振り返ると、松浦は怒ったような顔をした。

康子は小さく伸び上がって、その唇にキスした。

「愛してるから、ほんの少し待ってて」

自分の口から出たことばに、康子は仰天した。今まで、恋人にこんなことを言ったことはない。いつも待っていた。追うことはできず、待たせることもなく、ただおとなしく、ときに恨み事を言いながら、辛い思いに耐えて待っていた。そしていくつもの恋が、指の間からするりと抜けて消えていった。

何かが自分の中で変わっていく。

待たせていいのだ。早急に結論を出す必要はない。松浦とは長い時間をかけて互いをわかりあっていけばいい。

「会社も自分のマンションも東京にあるの。私の生活の根は東京なのよ。でも週末には必ず来る。いえ、もしかすると、もっと頻繁にあなたに会いにくるかもしれない。久恵さんたちとも、もっといろいろ話したいし」

ここを起点にビジネスを始めようというのだ。ここの人々と仲良しにならなければ何も始まらない。嫁として迎えられる、とさえ思わなければ、その人間関係の濃さもさほど苦にはならないというのが、今回のことでわかった。松浦の妻としてではなく、ここの生産者と取引する一人の個人事業主として、この町と東京を往復すればいい。

「待てない」

松浦は首を振った。

「中途半端なのはいやだ」

「そんな……」

「単身赴任したと思えばいいんだろ、俺か、君が。すぐにここに住んでくれとか、嫁さんやれとかは言わないよ。君がそういう器じゃないってことは、よくわかった。だからって結婚できないってことにはならないだろう」

「そういう器じゃないって、あたしそんな大それたこと考えてるわけじゃないけど……」

結婚って何だろうと康子は思った。諏訪大社で願かけをしたときに、自分は結婚に何を期待したのだろう。

「いったいどこにどうやって住んで、どうやって生計を立てるのか、私たち何も話しあってないわ」

「斉藤さん」

松浦はあらたまった調子で言った。

「それって、結婚することを前提に話し合うことじゃないのか?」

「ええ……」

「俺、だれか尻、叩いてくれる人がいなきゃだめみたいだ」

「なにそれ?」

「だから、なんていうか、一緒に生きていって欲しいっていうか。一緒に住めとか、身の回りのことやってくれとかじゃなくて」

入社当初、自分は普通の結婚をするだろうと思っていた。エリートでもなければ、ハンサムでもない、ごく普通の男と結婚し、2DKのアパートに住み、子供が生まれるまでOLを続け、二、三年子育てに専念した後、パートに出て三十代半ばで一軒家を買うだろうと考えていた。

四年前、紗織に「斉藤さん、ちゃんとした将来設計とかって、あるんですか」と質問されたとき、設計はなくてもそうしたぼんやりした将来像だけは、未だ捨てられずに持っていた

ようだ。

しかしごく普通の男、一般名詞としての男などというものが存在しないのと同様、ごく普通の結婚などというものもありえないのだ。

康子は松浦の顔を正面から見た。

いいかもしれない、一度くらい結婚してみるのも。

ゆっくり首を縦に振った。

松浦の顔がくしゃくしゃに笑み崩れた。

休みの残りは土日を含め、あと三日。明日は東京に戻り、純子に言われた通りデパートを回ってみようと康子は考えている。仕入担当者に会い、商品の説明をし、置いてもらうように働きかける。ラベルのデザインも考え直さねばならない。

自分は今、大きな転機を迎えているのだと、身が引き締まる思いがした。

世の中に「普通のＯＬ」などという人種はいないし、「普通の人生」もない。いくつもの結節点で一つ一つ判断を迫られながら、結局、たった一つの自分の人生を選び取る。

今、それまで予想もしなかった方向に向かい、慎重な一歩を踏み出そうとしている。

目を閉じると降るようなひぐらしの声が聞こえてきた。

解説　ヒロインたちへの共感
――こころよく、我にはたらく仕事あれ

田辺聖子

『女たちのジハード』は第一一七回直木賞受賞作品である。この回は浅田次郎氏『鉄道員《ぽっぽや》』と賞を分け合ったが、これは無論、二本あわせて一人前、という意味ではなく、双方優劣つけがたく、それも、それぞれの支持者が甲論乙駁《こうろんおつばく》してまとまらぬという状況なのでもなかった。

どちらも佳品で、一方を落しがたし、と選考委員が一致して、すんなり二篇受賞におちついたのであった。近来の快事というわけで、選考会が終っても楽しい話題がつづいたのをおぼえている。あとあじのよいたのしい気分であった。

選考会がいつもこんな平穏な雰囲気をもたらすものではなく、なんといっても文学的立場や作風を異《こと》にする現役作家が、八、九人揃《そろ》うのであるから、（それにみなさん、それぞれ一癖ある論客でいられる）ときに風波もなしとしない。

しかし、稀《まれ》には全員一致という現象が起り、それも二作受賞という主張が通ったのだから、このときの選考会が印象的だったという所以《ゆえん》である。

私の思うに、〈楽しい話題がつづいた〉のは、篠田節子さんの『女たちのジハード』には

さまざまなタイプの女たちが描きわけられている、その匂《にお》やかな、健康的なお色気への親愛感が一座を和ませていたからではないか。

なんたって、個性的な女の子たちが、次々と躍動して登場してくる〈お話〉なのだ。オトナたちが〈酒の肴《さかな》〉にするのに好個の材料である。ちょうど『源氏物語』が千年の間、日本の文学サロンの席上で愛好される話題となったのと同じだ。あのおはなしも女性の登場人物が多い。あなたは誰が好き？　私はあの女人《ひと》、なぜならば——と月旦《げったん》をするのが千年来の愛読者のたのしみであったのだ。

ところで、選考委員の一部の男性がたに最も評判のよかったヒロインは（多数派というのではないが、それだけに熱意がこもっていた）誰だと思われるだろうか。

意外に、というか、当然というか、〈紀子〉であった。

この小説にはそれぞれ目鼻立ちのくっきりした個性をもつ女たちが登場するが、唯一、例外が〈紀子〉なのである。まだ十九や二十《はたち》では仕方がないかもしれないが、諸事モタモタとスローモーで、自活能力はおろか家事能力すらないが、それらは彼女にあっては次元の違う評価だ。彼女は女の性をよりどころに男に依存することで、人生の花を咲かせようという、いわば女の根源的な、原初的な個性なのである。

そこが気に入った、という男性読者がいるわけだ。

〈可愛いねえ……男なら、やっぱりこういう女、見過しにできないだろうなあ〉

なんて嘆声があがって、私は、おーやおや、とほほえましかった。男の本音（というか、

オジンの本音というか）が、私にはとても面白いのだった。

〈志〉ある女たち、たとえば、

「最低限、自分のことが自分でできない人間に、結婚する資格などあるだろうか」（「アダムの背中2」――紀子を庇護《ひご》している康子の感想）

「自分は結婚によって飛び立ちはしない、飛び立つなら自分の翼で飛翔《ひしょう》する」（「それぞれの春」――結婚によって女たちのサークルから離脱した紀子やリサに対する紗織の決意）

などと思う女たちにとっては、紀子は唾棄《だき》すべきタイプであろう。

しかし紀子もまた女の一つの個性であり、流されるままに生きているようにみえて、それはそれでしたたかな生のかたちなのかもしれない。

少くとも作者はそう言いたげにみえる。この作品には、紀子のほか、四人の女たちの仕事と人生の、夢と現実が語られ、その運命の転変が現代的で興ふかい。

有能なOLだが、会社から退職せざるを得ないような立場に追いこまれ、それを逆手にとって出産も果し、仕事もみつけてゆく、果敢で意欲的なみどり。

職場での女性の活躍には限界があると早く見切りをつけ、得意の英語で活路を切り開こうと悪戦苦闘する紗織。

人生の目的まっしぐら、という紗織は、日本女性にありがちのお愛想や遠慮、ためらい、愚痴などに無縁である。かといって冷血や薄情というのではないが、それ以上に、自分を活かしたい思いが熾烈《しれつ》である。

あるのは決断と邁進《まいしん》のみ。障害や足手まといは乗りこえるだけである。アメリカ留学でついに運命のいとぐちをつかむ。叩《たた》きのめされても怯《ひる》まない。紗織は美女なのだが、自分の美《び》貌《ぼう》を武器に、とは考えもしないところがさわやかな魅力である。

美女といえば、もう一人、リサ。

結婚願望が強いが、その作戦はなかなか功を奏さず、そのへんの悠々たる作者の筆致がユーモラスで、女たちの多彩な運命につきあって、われわれ読者も一喜一憂させられ、おかしい。

ついに理想の夫と結婚を獲得したかに思えたが、その男は発展途上国民族への支援を夢み、情熱をもっていた。男と結婚することは、男の夢に殉ずることになる。リサは自分もその夢を追おうと決意するに至る。

ところでヒロインたちの中で興ふかいのは独身最年長の康子の人生行路であろう。結婚にもふみまよい、男にも幻滅して、ついに自分の城を持とうと決意する。「シャトレーヌ」の面白さは作品中抜群で、じっくり楽しんで頂くとして、康子が自分の可能性を発見して、人生と仕事に開眼してゆく「三十四歳のせみしぐれ」の面白さとせつなさ。

これは現代女性への強力な応援歌でもあり、ゆたかな示唆であろう。現代、女性の職場は拡がったようにみえるが、女たちは社会から職業教育を叩きこまれるような仕組みになっていない。それは男たちにのみ与えられる。

女が一人で生きようとするとき、それらは独学独習しなければならない。

石川啄木の歌、

「こころよく

我にはたらく仕事あれ

それを仕遂げて死なむと思ふ」

は、現代では究極的に女たちの呻吟《しんぎん》であるか。

作者の篠田節子氏はこの作品の前に秀作『ゴサインタン』も発表されており、更に『弥勒』という力作ものちに出された。ともに東南アジアに題材をとったユニークで興ふかき長篇である。人間の何たるか、人生の何たるかを追求した骨太の大作である。女性とも思えぬ強靭《きょうじん》な文学作品、と私は感銘を受けた。しかしこの短篇集、連作集では、デリケートでかつ、下情に通じ、女の情感、社会の情報にも敏感な、なまなましい感受性を示された。

これはいかにも〈いい意味で〉女手の小説群である。料理やファッションや日常のたたずまいが活写されて、女の体臭がむんむんしている。これは男性作家の手に合わぬ分野かもしれない。

しかしその芬々《ふんぷん》たる女臭は不快なものではない。作者が綿密にそれを重ねてゆくにつれ、そこにたちのぼってくるためいきは、〈生きることの重み〉である。そしてそれは、男・女を問わず、人の心を濡《ぬ》らす。ラストページをめくり終えたとき、読者は、ヒロインたちに共感し、人生を充足してくれるものを感じられるにちがいない。

この作品は一九九七年一月、集英社より単行本として刊行されました。

集英社文庫 目録（日本文学）

椎名誠 喰寝呑泄 くうねるのむだす
椎名誠 地下生活者／遠灘鮫腹海岸
椎名誠 アド・バード
椎名誠 はるさきのへび
椎名誠・編著 蚊學ノ書
椎名誠 馬追い旅日記
椎名誠 麦の道
ジェームス三木 逢えるかも知れない
島崎恭子 芸人女房伝
塩田丸男 上司のホンネ 部下のクテマエ
塩田丸男 女にわかるか！ 男のホンネ
塩田丸男 それでもオレは 課長になりたい
塩田丸男 こんな女は鼻持ちならん
塩田丸男 男と女のテクニック
塩田丸男 オレが主役、男は勝負
塩田丸男 美女・美食ばなし

塩田丸男 ぼくは五度めし
志賀直哉 清兵衛と瓢箪・小僧の神様
重金敦之 気分はいつも食前酒
四反田五郎 殉愛
篠沢秀夫 教授のオペラグラス
篠田節子 絹の変容
篠田節子 神鳥 イビス
篠田節子 愛《めで》逢《あ》い月《づき》
篠田節子 女たちのジハード
篠山紀信 シルクロード①
篠山紀信 シルクロード②
篠山紀信 シルクロード③
司馬遼太郎 歴史と小説
司馬遼太郎 手掘り日本史
司馬遼太郎・編 長城とシルクロードと
芝木好子 面影

芝木好子 巴里の門
芝木好子 女の橋
芝木好子 幻華
芝木好子 青磁砧
芝木好子 女の肖像
芝木好子 女の庭
芝木好子 冬の椿
芝木好子 黄色い皇帝
芝木好子 夜の鶴
芝木好子 花霞
芝木好子 慕情の旅
芝木好子 海の匂い
芝木好子 別れの曲
芝木好子 落葉の季節
芝木好子 流れる日
芝木好子 女ひとり

集英社文庫 目録（日本文学）

芝木好子　洲崎パラダイス
柴田錬三郎　英雄・生きるべきか死すべきか（上・中・下）
柴田錬三郎　度胸時代
柴田錬三郎　生死の門
柴田錬三郎　大将
柴田錬三郎　図々しい奴
柴田錬三郎　地獄の館
柴田錬三郎　曲者時代
柴田錬三郎　乱世流転記
柴田錬三郎　貧乏同心御用帳
柴田錬三郎　江戸っ子侍(上)(下)
柴田錬三郎　遊太郎巷談
柴田錬三郎　生きざま
柴田錬三郎　おらんだ左近
柴田錬三郎　うろつき夜太(上)(下)
柴田錬三郎　花の十郎太

柴田錬三郎　毒婦伝奇
柴田錬三郎　日本男子物語
柴田錬三郎　若くて、悪くて、凄いこいつら(一)(二)(三)
柴田錬三郎　われら旗本愚連隊(上)(下)
柴田錬三郎　忍者からす
柴田錬三郎　南国群狼伝／私説大岡政談
柴田錬三郎　清河八郎
柴田錬三郎　チャンスは三度ある(上)(下)
柴田錬三郎　幽霊紳士
柴田錬三郎　夜叉街道
柴田錬三郎　牢獄
柴田錬三郎　生命ぎりぎり物語
柴田錬三郎　源氏九郎颯爽記 火焔剣・水煙剣の巻
柴田錬三郎　源氏九郎颯爽記 秘剣揚羽蝶の巻
柴田錬三郎　地べたから物申す
柴田錬三郎　柴錬忠臣蔵 復讎《ふくしゅう》四十七士(上)(下)

柴田錬三郎　デカダン作家行状記
柴田錬三郎　おれは侍だ
柴山哲也　〈ヘミングウェイはなぜ死んだか
島尾敏雄　われ深きふちより
島尾敏雄　島の果て
島尾敏雄　夢の中での日常
嶋岡晨　ゲンパツがやってくる
島崎藤村　初恋―島崎藤村詩集
島田明宏　「武豊」の瞬間
島田荘司　嘘でもいいから殺人事件
島田荘司　漱石と倫敦ミイラ殺人事件
島田荘司　サテンのマーメイド
島田荘司　切り裂きジャック 百年の孤独
島田荘司　嘘でもいいから誘拐事件
島田荘司　都市のトパーズ
島田雅彦　ロココ町

集英社文庫　目録（日本文学）

清水一行　虚業集団
清水一行　首都圏銀行
清水一行　重役室
清水一行　投機地帯
清水一行　兜（しま）町
清水一行　同族企業
清水一行　動脈列島
清水一行　神は裁かない
清水一行　相場師
清水一行　動機
清水一行　合併人事
清水一行　背信重役
清水一行　敵意の環
清水一行　砂の紋
清水一行　覆面工場
清水一行　密室商社

清水一行　買占め
清水一行　副社長
清水一行　女教師
清水一行　私刑《リンチ》七人心中
清水一行　支店長の遺書
清水一行　最高機密
清水一行　死の谷殺人事件
清水一行　冷血集団
清水一行　汚名
清水一行　密閉集団
清水一行　偶像本部
清水一行　兜町物語
清水一行　悪名集団
清水一行　機密文書
清水一行　小説財界
清水一行　愛・軽井沢

清水一行　湿地帯
清水一行　副社長自殺
清水一行　醜聞
清水一行　苦い札束
清水一行　血の河
清水一行　暴〈がら〉落
清水一行　世襲企業
清水一行　巨頭の男
清水一行　不良融資
清水一行　逃亡者
清水一行　頭取室
清水一行　虚構大学
清水一行　単身赴任
清水一行　擬制資本
清水一行　燃え盡《つ》きる
清水一行　系列

集英社文庫 目録（日本文学）

清水一行 時効成立
清水一行 女患者
清水一行 砂防会館3F《スリーエフ》
清水一行 女相場師
清水一行 指名解雇
清水一行 極秘指令
清水一行 重要参考人
清水一行 別名は〃蝶《バタフライ》〃
清水一行 器に非ず
清水一行 遊興費
清水一行 風の骨
清水一行 悪魔祓い
清水一行 新人王
清水一行 非常勤取締役
清水一行 頭取の権力
清水一行 悪の公式

志水辰夫 あっちが上海
志水辰夫 こっちは渤海
志水辰夫 カサブランカ物語
志水辰夫 滅びし者へ
志水辰夫 いつか浦島
清水義範 金鯱の夢
清水義範 ことばの国
清水義範 普及版 世界文学全集 第I期
清水義範 普及版 世界文学全集 第II期
清水義範 普及版 日本文学全集 第一集
清水義範 普及版 日本文学全集 第二集
清水義範 大探検記
清水義範 騙し絵 日本国憲法
下村満子 記者の目女の目
庄司圭太 沈丁花 観相師南龍覚え書き
庄司圭太 天女の橋 観相師南龍覚え書き

庄司圭太 蛍《はな》沢《ざわ》 観相師南龍覚え書き
庄司圭太 夜叉の面 観相師南龍覚え書き
城島明彦 協奏曲《ラバーズコンチェルト》
城島明彦 夜想曲《カメリアノクターン》
白石一郎 南海放浪記
白石かずこ アメリカン ブラックジャーニー
城山三郎 華麗なる疾走
城山三郎 臨3311に乗れ
城山三郎 わたしの情報日記
新宮正春 鷹たちの砦
新宮正春 不知火殺法
新宮正春 忍法 鍵屋の辻
新宮正春 勝敗一瞬記
新宮正春 陰の剣譜—青葉城秘聞
新宮正春 ゼーランジャ城の侍
新藤兼人 おもちゃ

集英社文庫

女《おんな》たちのジハード

2000年1月25日　第1刷
2000年2月20日　第3刷

定價はカバーに表示してあります。

著　者　篠《しの》田《だ》節《せつ》子《こ》

発行者　小島民雄

発行所　株式会社　集英社
東京都千代田区一ツ橋2—5—10
〒101-8050
(3230) 6095 (編集)
電話 03 (3230) 6393 (販売)
(3230) 6080 (制作)

印　刷　凸版印刷株式会社
製　本　凸版印刷株式会社

Printed in Japan
ISBN4-08-747148-9 C0193